Les Éditions du Boréal
4447, rue Saint-Denis
Montréal (Québec) H2J 2L2
www.editionsboreal.qc.ca

Un barbare
en Chine nouvelle

Alexandre Trudeau

Un barbare en Chine nouvelle

traduit de l'anglais (Canada)
par Daniel Poliquin

Boréal

© Les Productions Une Même Aventure 2016
© Les Éditions du Boréal pour l'édition en langue française 2016
Dépôt légal : 3ᵉ trimestre 2016
Bibliothèque et Archives nationales du Québec

Publié avec l'accord de Westwood Creative Artists, Ltd.

L'édition originale en langue anglaise de cet ouvrage est publiée simultanément par HarperCollins Canada sous le titre *Barbarian Lost*.

Diffusion au Canada : Dimedia
Diffusion et distribution en Europe : Volumen

Catalogage avant publication de Bibliothèque et Archives nationales du Québec et de Bibliothèque et Archives Canada
Trudeau, Alexandre, 1973-
   [Barbarian lost. Français]
   Un barbare en Chine nouvelle
   Traduction de : Barbarian lost.
   ISBN 978-2-7646-2445-6
   1. Trudeau, Alexandre, 1973-   – Voyages – Chine. 2. Chine – Mœurs et coutumes. 3. Chine – Descriptions et voyages. I. Titre. II. Titre : Barbarian lost. Français.
DS779.49.T78A3   2016   951.06'1092   C2016-941221-0
ISBN PAPIER 978-2-7646-2445-6
ISBN PDF 978-2-7646-3445-5
ISBN EPUB 978-2-7646-4445-4

À Zoë

CHAPITRE PREMIER

L'appel de la Chine

Là où le potentiel point, la vie n'est encore que néant.

SHAO YONG, « Solstice d'hiver », *Recueil de poèmes
du batteur de terre de la rivière Yu,* XIᵉ siècle

J e me revois, enfant, contemplant un livre que mon père avait écrit sur la Chine. Son nom imprimé en grosses lettres sur la couverture avait pour moi quelque chose de majestueux. Je n'ai, de cette époque, aucun souvenir des autres livres qu'il avait écrits, seulement celui-là.

Ce souvenir m'est peut-être resté parce que j'aimais la couverture colorée et insolite qui montrait une photo de lui, beaucoup plus jeune mais tout de même reconnaissable, posant avec son ami Jacques Hébert, avec qui il avait fait le voyage et rédigé ce livre. Je ne comprenais rien au titre : *Deux innocents en Chine rouge.*

Qui pouvaient bien être ces deux innocents ?

Au Canada, on entend parler de la Chine dès la plus tendre enfance : c'est le pays où tu vas aboutir si tu creuses un trou assez profond. Quand on apprend ce que c'est qu'un milliard, on mentionne tout de suite l'exemple de la Chine. Il y a là-bas plus d'un milliard d'habitants. Un milliard !

La Chine est entrée tôt dans ma mythologie personnelle

pour une autre raison : j'avais été en Chine alors que j'étais encore dans le ventre de ma mère. Mes parents y étaient allés en visite officielle en octobre 1973, et je suis né en décembre. Image saisissante pour le petit bonhomme que j'étais : en Chine, dans le ventre de ma mère…

Quand mes frères et moi étions tout petits, avant que nous ne commencions à voyager chacun de notre côté, notre père était parti tout un mois en Chine et au Tibet. Jamais il ne s'était absenté aussi longtemps depuis notre naissance. Avant son départ, nous lui avions demandé pourquoi il allait là-bas, et il avait répondu que c'était parce qu'il n'avait jamais été au Tibet.

Sa réponse nous avait mystifiés ! Alors peut-être qu'un jour nous irions là-bas nous aussi, puisque nous non plus n'y étions jamais allés…

Comme c'était la première longue absence de mon père, son voyage m'avait fasciné. La date de son retour approchant, nous, les garçons, ne tenions plus en place. Puis, quand il est rentré, il avait changé. Il n'avait plus la même allure. Il portait la barbe, il avait le teint bronzé et dégageait une énergie inhabituelle. Il émanait de lui une sorte de force : il nous paraissait plus combatif et plus vivant que d'ordinaire. Comme si ses yeux reflétaient encore les paysages qu'il avait vus. Comme si tout son corps s'apprêtait à y pénétrer de plain-pied.

C'était un nouveau père que nous avions sous les yeux, non plus le père patient et aimant que nous connaissions, mais l'esprit libre qui avait parcouru le monde. Le voyageur solitaire. L'observateur. Le possesseur d'un savoir secret.

Les souvenirs qu'il avait rapportés m'avaient aussi impressionné : l'encens et les moulins à prières, les peintures sur rouleaux représentant des montagnes, les livres magnifiquement illustrés de l'épopée chinoise où le roi des singes lutte contre Nezha au visage poupin, des masques en papier mâché saisissants et des sabres de bois peints de l'opéra de Beijing.

C'était ça, pour moi, voyager : visiter des lieux où on n'avait jamais mis les pieds mais où on ressentait obscurément le besoin d'aller, pour rentrer ensuite chez soi les bras chargés d'objets extravagants et merveilleux, en être qui a changé, en surface comme en profondeur. Je commençais à comprendre mon père quand il disait qu'il avait parcouru le monde et vu une centaine de pays, à entrevoir comment les voyages nous métamorphosent et à comprendre pourquoi on voyage. Et c'est là, dans mon esprit à tout le moins, qu'a commencé ma carrière de voyageur.

Le savoir, le voyage, la Chine, toutes ces notions s'enchevêtraient en moi. Je sentais quelque part au fond de moi que les voyages ont une dimension cérébrale. C'est qu'on voyage dans sa tête. On part en voyage innocent, me disais-je, mais on en revient sûrement moins naïf. Nous brûlons de partir parce que les lieux inexplorés sont des trous noirs dans notre esprit qui nous aimantent. Ainsi, la Chine se dressait là, devant moi, comme une porte sur le monde. Mais la notion imprécise que j'avais eue enfant du livre de mon père, de mon voyage là-bas *in utero,* laissait subsister plus de mystère que de lumière.

En 1984, mon père a quitté la politique pour nous consacrer plus de temps, à nous, ses enfants. C'était peu après le divorce de mes parents. Ma mère s'était remariée et avait refait sa vie à Ottawa, loin des feux de la rampe pour son plus grand bonheur. Mon père nous avait emmenés avec lui à Montréal, sa ville natale, où il voulait qu'on fasse nos études. Il comptait aussi nous montrer le monde dans toute sa diversité. À la fin des années 1980 et au début des années 1990, nous l'avons suivi dans une série de voyages dans les « grands pays du monde ». Ce fut fait au cours des quelques étés suivants. Mes frères et moi étions encore trop jeunes pour voyager seuls, mais assez grands pour comprendre certaines choses.

Le temps que nous avions pour ces voyages était compté. Nous avons donc décidé que nos premières destinations se limiteraient aux grandes puissances, comme on l'entendait à l'époque de la guerre froide : les pays membres permanents du Conseil de sécurité des Nations unies. À l'été 1984, nous avons fait notre premier voyage en Union soviétique, six ans avant que l'empire déclinant ne se disloque pour de bon. Partis de Moscou, nous avons cheminé vers les montagnes du Caucase, au sud, et de là nous nous sommes rendus dans l'Extrême-Orient soviétique jusqu'au fleuve Amour, aux confins de la Sibérie orientale. Dans les années qui ont suivi, nous avons parcouru la France, le Royaume-Uni et l'Irlande, les pays de nos ancêtres. Nous avons sillonné ces vieux pays à bord de voitures louées, logeant dans des gîtes et des auberges bon marché.

À l'hiver 1988-1989, nous nous sommes entendus pour aller en Chine l'été suivant. Mais l'émotion était grande, ce printemps-là, sur la grande place publique de Beijing, Tian'anmen. Après la mort d'un leader du Parti communiste qui était respecté et épris de réformes, les étudiants des universités de Beijing avaient commencé à s'assembler sur la place en nombre croissant, réclamant des changements politiques et plus de démocratie. Ils y avaient installé des tentes et y campaient depuis des semaines. Des étudiants des provinces, toujours plus nombreux, des intellectuels et des universitaires les y avaient rejoints. Même des membres influents du Parti communiste avaient fini par se solidariser avec les jeunes de la place Tian'anmen.

Même si les médias occidentaux en parlaient peu, le gouvernement chinois était particulièrement inquiet de l'arrivée sur la place des ouvriers, qui venaient manifester à leur tour pour qu'on en finisse avec la libéralisation des marchés, jugée responsable d'avoir dopé l'inflation et propagé le chômage. On voyait émerger une alliance explosive de forces contraires. La dynastie chancelait.

Ma famille suivait ces événements avec intérêt. À peine quelques mois auparavant, mon père avait communiqué avec la mission diplomatique chinoise et demandé des visas pour visiter le pays avec ses fils. L'idée d'aller en Chine en cette époque de mutation me transportait. Même mon père, d'ordinaire si impassible, montrait de plus en plus d'enthousiasme pour ces événements et la signification qu'ils pourraient avoir pour notre voyage de l'été.

Il avait déjà fait plusieurs séjours là-bas. Il y était allé pour la première fois en 1949, au moment où les communistes mettaient en déroute ce qu'il restait de l'armée nationaliste de Chiang Kaï-chek et la chassaient de son dernier bastion, Shanghai. Il avait vu la Chine plongée dans de profonds bouleversements ; il serait peut-être encore une fois témoin d'un épisode dramatique de son histoire.

J'avais quinze ans. J'avais envie de voir l'histoire se faire sous mes yeux. Ces jeunes leaders étudiants charismatiques, qui osaient défier les figures d'autorité qui dirigeaient leur pays, me fascinaient. J'étais moi-même désormais enclin à braver l'autorité. J'en étais venu à croire, et je le crois toujours, que le monde appartient à ceux qui s'en saisissent et que chaque nouvelle génération doit s'emparer du monde à son tour.

Depuis que j'étais tout petit, notre père nous régalait du récit de ses aventures de par le vaste monde. L'homme avait vu des pirates et des bandits, il avait traversé des zones de guerre et des pays dévastés. La Chine aux prises avec une vaste contestation nationale – peut-être même un soulèvement – serait un bon début dans la vie aventureuse que je me promettais.

Le 4 juin 1989, après des semaines de protestations et de négociations tendues entre les leaders étudiants et le gouvernement, les blindés de l'Armée de libération du peuple ont écrasé la contestation dans la violence, sous les yeux horrifiés du monde entier.

Nous avons bien vu alors que notre voyage en Chine était compromis. Pourrions-nous y aller quand même ? Est-ce qu'on accepterait de nous y recevoir ? Et même, avions-nous encore envie de nous y rendre après des événements aussi sanglants ?

Moi, je voulais quand même y aller : « Si c'est une question d'apparences, nous, on s'en fout. »

Mon père avait ses réserves : « C'est plus qu'une question d'apparences. À ton avis, dans quel état la Chine se trouve-t-elle en ce moment ? »

Je n'en démordais pas.

— Et alors ? C'est ça qu'il faut aller voir.

— Tes vues t'honorent, m'a dit mon père, mais tu pourras faire ce genre de voyage quand tu seras un peu plus grand et seul. Pour le moment, la Chine n'est guère en mesure de recevoir des visiteurs.

Notre voyage en Chine fut retardé. Au printemps suivant, j'ai réclamé de nouveau qu'on planifie le voyage. Mon père avait encore des doutes.

— Cela signifie voyager dans un pays avec lequel le Canada a rompu tous ses liens.

— Et après ? Nous ne sommes pas des diplomates. Tu es un homme d'État à la retraite, en visite privée avec sa famille. Ça n'a rien à voir.

— Les Chinois risquent de voir les choses autrement, a répondu mon père.

J'ai finalement eu gain de cause. Nous irions enfin en Chine. Mon père savait probablement en son for intérieur que c'était maintenant ou jamais. J'avais seize ans ; mon frère aîné, dix-huit. Mon petit frère avait déjà découvert que la nature canadienne présentait plus d'attraits pour lui que les pays lointains qui attiraient son père et ses frères. Bientôt, nos chemins se sépareraient.

Rétrospectivement, je comprends que cette perspective était pour mon père annonciatrice de solitude. Il nous avait toujours encouragés à voir le monde, à en embrasser les défis et les mystères. Mais il ne s'attendait pas à ce que nous grandissions si vite. Peut-être avait-il compris qu'il lui restait peu de temps pour nous enseigner quelques leçons ou participer à notre apprentissage. Nous irions donc en Chine, ce pays qui lui avait appris tant de choses. Ce pays où il pourrait dispenser un enseignement précieux et durable à ses fils.

Une année à peine après Tian'anmen, la situation était encore tendue. Mais au moins, mon vœu avait été exaucé. Les étrangers étaient quasiment absents du pays ; les hôtels pour touristes étaient vides. Certes, le pays s'engageait déjà sur la voie de la libéralisation économique et de la croissance, mais certaines caractéristiques du passé chinois avaient réapparu. L'heure était à l'autoritarisme brutal et au repli face au monde. La Chine de 1990 ressemblait beaucoup plus à la Chine rouge d'antan qu'à la puissance économique qu'elle s'apprêtait à devenir. Les vents du changement avaient temporairement cessé de souffler.

Mon père l'avait prédit : les autorités chinoises ne nous ont pas permis de voyager seuls dans le pays. « Nous ne voudrions pas qu'il vous arrive malheur », nous avait-on expliqué.

Nous avons donc eu droit à un voyage privé tout confort sous l'œil vigilant des autorités. Nous avons vu de nombreuses régions du pays, mais nos guides ne nous ont pas lâchés d'une semelle. Dans tous nos déplacements, des fonctionnaires se relayaient pour nous accompagner, et nous avions en tout temps avec nous un agent du ministère des Affaires étrangères et un interprète. Voyage exceptionnel, certes, mais excessivement protocolaire.

Mon père tenait absolument à voir, entre autres, les montagnes sacrées de la Chine. Il parlait aussi de faire un voyage en train qui nous conduirait du plateau du Sichuan jusqu'aux contreforts subtropicaux de l'Himalaya, dans la province du Yunnan.

Je me rappelle que les montagnes sacrées ne me disaient pas grand-chose. S'agissait-il de ces pics rocheux baignés de nuages qui figuraient dans les peintures sur rouleaux accrochées aux murs de notre maison ? J'entrevoyais aussi les palais en pierre de l'Empereur céleste où le roi des singes était allé chaparder des pêches.

Nous avons fini par gravir deux des montagnes sacrées. Notre premier arrêt hors de Beijing a été Taishan, une des plus célèbres d'entre elles. Elle s'élevait de la plaine de telle manière qu'en nous en approchant, nous pouvions la contempler dans son intégralité. Vus de loin, les nombreux temples de la montagne étaient de minuscules taches blanches sur une masse immense de vert et de bleu. Nous étions fébriles à l'idée d'atteindre le sommet plus tard le jour même.

Toutefois, arrivés au pied de la montagne de Taishan, nous avons compris que nos guides avaient sous-estimé la vigueur de mon père et prévu que nous nous rendrions au sommet en téléphérique. Mon père a protesté, et nous sommes vite parvenus à un compromis : nous prendrions une voiture pour faire la moitié du chemin sur une voie de service, puis nous atteindrions le sommet à pied.

Après la lourdeur protocolaire de la capitale, la montée fut l'occasion pour mon frère et moi de brûler l'excès d'énergie accumulée en nous. Parvenus à un temple qui avait été presque entièrement transformé en un bazar pour touristes chinois, nous n'avons pas eu la patience qu'il fallait pour apprécier à sa juste valeur l'apparition étrange de ce vieux moine taoïste que nos guides avaient arraché de quelque cellule obscure. Il avait l'air d'avoir au moins cent ans et ne voyait quasiment rien avec ses yeux voilés d'épaisses cataractes. Il était courbé et vêtu d'étoffes noires et bleues. Il avait la peau blême, et ses fines moustaches faisaient un demi-mètre de long. Il se dégageait de lui une odeur d'urine et d'aromates étranges. L'espace d'un moment, la vue du vieillard de la montagne a réussi à nous captiver, mais c'était la montagne elle-même qui nous intéressait. Nous n'avons pas tardé à reprendre notre ascension et avons gravi à toute allure les escaliers en pierre.

Le sommet de la montagne était presque nu et balayé par

les vents. Quelques temples étaient éparpillés en contrebas. Justin et moi avions des fourmis dans les jambes et, pendant que nous attendions que notre père nous rejoigne, nous avons ourdi un plan qui consistait à dévaler la montagne au pas de course pour aller attendre le groupe en bas. Au début, la descente s'est révélée risquée, les escaliers en pierre étant étroits et extrêmement escarpés. Nous nous sommes donc mis à descendre de côté, mais à toute vitesse. Plus nous avancions, plus la montagne s'aplanissait, et les courts escaliers alternaient avec des paliers étroits. Nous nous sommes mis à sauter d'un palier à l'autre en franchissant plusieurs marches à la fois. Nous courions sur chaque palier et bondissions vers le suivant. Course grisante où nous avons eu l'impression de battre quelque record.

En dévalant la montagne en fous comme nous l'avions fait, nous étions loin de nous douter de l'effet que nos pitreries auraient sur notre corps. Peu après notre arrivée à l'hôtel, quelques heures plus tard, nos folies nous ont rattrapés. À l'heure du dîner, Justin et moi avions du mal à garder la tête droite et même à porter les baguettes à notre bouche pour manger. Nous tremblions tous les deux, nous avions les jambes lourdes et secouées de spasmes. Nous sommes allés nous coucher, et je n'ai pas été long à trouver le sommeil.

Le lendemain matin, j'ai eu toutes les peines du monde à me tirer du lit. J'avais les jambes raides comme du bois. Mon dos me faisait mal et je n'arrivais pas à me redresser. Mon frère était dans le même état, mais il venait de prendre le petit déjeuner avec mon père, qui ne la trouvait pas drôle du tout et m'attendait dans la salle à manger. Je me suis rendu au restaurant à pas de petit vieux. Pour mon propre bien et pour détourner la colère paternelle, j'ai pris le parti de me moquer de mon état.

Plus tard ce jour-là, alors que Justin et moi descendions péniblement de la voiture à un nouveau site touristique, mon père nous a pris à part et a dit : « Les gars, n'oubliez jamais que les Chinois nous ont longtemps considérés, nous Occidentaux, comme des barbares. Pensez à votre affaire la prochaine fois si vous ne voulez pas leur donner raison. »

Dans les années qui ont suivi, j'ai moi aussi fait métier de voyager. J'ai vu des zones de guerre et des contrées peu connues. La Chine faisait toujours partie de mon horizon, mais j'en ignorais l'appel. J'avais entendu parler de la métamorphose profonde qu'elle subissait, mais je ne me sentais pas prêt à y retourner. J'étais resté le barbare insuffisamment aguerri pour explorer l'Empire du Milieu. Le prochain voyage là-bas attendrait.

J'ai plutôt porté mon attention sur des lieux éloignés et incompris, des régions où je pouvais me fondre dans le décor. En quête d'horizons rares, j'ai vu Yekepa, au Liberia ; Tessalit, au Mali ; Maroantsetra, à Madagascar ; Ngalimila, en Tanzanie ; Maprik, en Papouasie–Nouvelle-Guinée. Je suis allé dans des endroits où peu d'autres voulaient s'aventurer, tâchant d'acquérir quelque sagesse dans des lieux obscurs où de grands drames survenaient, des marges où il se passait des choses étonnantes. Pendant ce temps, la Chine demeurait lointaine, enveloppée de mystère et de doute, immense, troublée, rigide et austère. Mais j'entendais encore son appel.

En 1998, le rédacteur en chef d'un réseau d'information m'a offert un emploi à temps plein au bureau de Beijing. Perspective rudement tentante, qui pouvait faire de moi le témoin privilégié de l'émergence de la Chine nouvelle ; j'en apprendrais la langue et je me ferais un nom dans un pays qui compte. Mais j'ai tourné le dos à cette aventure aussi. La roue de la vie tourne vite. Mon père se faisait vieux, sa santé se dégradait. Tout le reste pouvait attendre. Je resterais à ses côtés, je l'accompagnerais comme il m'avait accompagné, je lui dirais adieu au moment où il entreprendrait l'ultime voyage et je tâcherais de lui rendre un peu du dévouement sans limites qu'il nous avait témoigné.

En 2005, un éditeur de Shanghai a publié la traduction

chinoise du livre de mon père et de Jacques Hébert sur la Chine, et il nous a invités, Jacques et moi, au lancement. J'ai donc fini par reprendre le chemin de la Chine avec ce drôle de petit livre sous le bras et un de ses auteurs avec qui rigoler.

C'est à peine si j'ai reconnu les lieux que j'avais vus en 1990. J'ai alors décidé que ce bref voyage en Chine serait le prélude de bien d'autres dans les années à venir. J'étais désormais résolu à percer le mystère de la Chine.

L'ascension fulgurante du pays et son influence grandissante sur le monde font figure de lieux communs. La Chine est une superpuissance mondiale. Sa consommation vorace de matières premières et ses capacités manufacturières légendaires ont transformé les autres économies de la planète. La Chine n'est plus le paria mystérieux, éloigné et inaccessible d'autrefois. Ces temps-ci, il se gagne tous les jours des fortunes dans ce pays. L'aventurier intrépide y a cédé le pas à l'homme d'affaires cosmopolite et au touriste ordinaire.

Mais la Chine ne se laisse pas apprivoiser aisément. Oui, on peut parcourir le pays et se pénétrer de ses paysages, comme le font des millions de personnes chaque année. On déambule le long de la Grande Muraille, on s'extasie devant la Cité interdite et on descend facilement le Yangzi. Nous consommons aussi tous les jours des biens fabriqués en Chine, mais nous comprenons toujours aussi mal la nature de ce pays.

La Chine peut se montrer obstinément opaque, comme si elle demeurait entièrement repliée sur elle-même. C'est un pays qui avance à la vitesse de l'éclair. Il n'arrête pas sa course pour les Chinois eux-mêmes, encore moins pour les étrangers. Sans être dangereuse, la Chine reste intimidante.

Enfin, tous les pays étrangers sont des énigmes. Ils réduisent tous le nouvel arrivant à une sorte d'innocence, chacun y redevenant l'enfant qui doit réapprendre les formes élémentaires de communication et de mouvement. Dans de nombreuses régions du monde, cette sensation d'étrangeté ne gêne guère ;

en Chine, elle peut prendre des proportions extrêmes. Rien que la taille du pays, l'activité frénétique qui s'y déploie, le détachement résolu à l'égard des mœurs occidentales compliquent les énigmes qu'il renferme, chaque indice étant beaucoup plus difficile à déceler.

La langue est un autre obstacle. Pour étudier sérieusement la Chine et ses habitants, j'allais avoir besoin d'un interprète. À l'été 2006, j'ai communiqué avec un ancien camarade de classe, Deryk, qui vivait en Chine depuis des années, et lui ai demandé d'interviewer quelques candidats que j'avais sélectionnés avec l'aide de mes relations. Il me fallait quelqu'un dont l'anglais était bon, qui avait une personnalité avenante, une intelligence vive et un bon sens de l'humour.

Après quelques entrevues, il m'a proposé une jeune femme qui répondait au prénom anglais de Vivien. Elle avait étudié les sciences humaines à la meilleure université de Chine. Elle avait voyagé à la dure dans des régions éloignées du pays et travaillé comme interprète dans plusieurs bureaux à l'étranger. Deryk m'a aussi assuré qu'elle avait le sens de l'humour et que les basses considérations matérielles n'avaient aucune prise sur elle. Après avoir échangé quelques courriels avec elle, je sentais qu'elle comprenait assez bien l'esprit occidental, condition essentielle si elle devait traiter avec un type dans mon genre.

En effet, je me méfiais de mon propre état d'esprit. Je me voyais encore comme un barbare, un type tapageur et prompt au jugement ; j'étais encore le petit gars qui s'était éreinté en parcourant trop vite et à la légère un lieu sacré, qui n'avait pas remarqué les escaliers en pierre sur lesquels il sautillait. Aveugle au labeur qu'ils avaient exigé. Sourd aux prières dont ils étaient porteurs.

Allais-je séjourner en Chine assez longtemps pour m'en imprégner durablement, pour avoir la révélation des lieux ? Est-ce que mon guide, Vivien, saurait résister à l'assaut de mes opinions hâtivement formées ? Tolérerait-elle mes façons cavalières ? Saurait-elle non pas faire la sourde oreille si je lançais quelque idée audacieuse mais en discuter intelligemment ?

Je craignais de gâcher mes efforts en Chine avec ma tournure d'esprit et mes manières. Mais en souvenir de mon père bien-aimé et de ses enseignements, j'étais prêt à y donner le meilleur de moi-même.

CHAPITRE 2

La capitale du nord

Que toujours vos sentiments soient respectueux,
votre maintien grave comme celui d'un homme qui
réfléchit, vos paroles préméditées et pesées à loisir ;
et vous rendrez vos sujets paisibles et contents.

LI JI, *Le Livre des rites*, Ier siècle av. J.-C.

Septembre 2006. J'atterris à Beijing à bord d'un de ces avions qui arrivent par centaines de l'étranger tous les jours ou qui y retournent. De l'appareil qui roule sur la piste, j'entrevois le terminal international de Beijing, structure gigantesque qui s'étend à perte de vue. Gangué de smog et de poussière, il se déploie sur l'horizon comme un étincelant palais céleste, massif mais quelque peu irréel.

Le terminal est immense et caverneux. Dans ses profondeurs aux parois de verre, je me mêle à une foule de gens d'affaires et de touristes. La route de la Chine a perdu beaucoup de son mystère ; il s'y trouve peu d'obstacles pour qui veut y pénétrer. Je me déclare touriste et j'entre sans peine dans l'Empire du Milieu.

À première vue, Vivien, mon interprète, mon guide et bientôt mon interlocutrice, me paraît délicate, un peu timide, mais d'une profondeur qui ne s'avoue pas. Elle a vingt-cinq ans, et ses manières raffinées, un peu guindées, sont celles d'une jeune Chinoise consciencieuse. Dans la voiture qui nous conduit en ville, je découvre que ces dehors tranquilles cachent une femme qui défend ses opinions avec autant d'âpreté que moi. Elle est journaliste pigiste et ne se gêne nullement pour exprimer son point de vue dans un anglais de bonne tenue.

— Au printemps, je vais m'inscrire aux études supérieures aux États-Unis, me dit-elle.

— Tu connais des gens qui sont passés par là ?

— Mes meilleurs amis vivent déjà à l'étranger.

— Et après, qu'est-ce que tu comptes faire ?

Elle se met à rire.

— Je ne sais pas.

— Ici ?

— Pas sûre.

— Tu as déjà travaillé avec des étrangers ?

— Quelques fois.

Puis, elle ajoute :

— J'ai aussi travaillé avec des Sino-Américains, des Sino-Britanniques et même des Sino-Canadiens.

— Ah bon. J'imagine qu'ils ne sont pas du tout comme les citoyens chinois ?

— Non. Ils sont très différents.

J'essaie d'imaginer ce que renferment ses réflexions : un esprit curieux et hardi qui analyse, juge et construit des théories, des châteaux de cristal qui, pendant un temps, rayonnent d'intelligence, puis qui finissent dans la ruine et l'abandon. Je suis sûr que nous aurons beaucoup à nous dire, elle et moi, mais pour le moment, la somnolence me gagne, décalage horaire oblige. Notre taxi, une Volkswagen de construction chinoise qui a connu de meilleurs jours, file vers la capitale sur la nouvelle autoroute baignée de smog. Dans le silence, les images qui se matérialisent sous mes yeux captent mon regard.

Beijing n'est pas la Chine, mais elle révèle quand même

beaucoup de choses sur le pays. Ces jours-ci, la capitale joue certainement un rôle beaucoup plus marquant que jamais auparavant. Elle dégage ses parfums à elle, elle a sa personnalité, et quelque part dans tout ça se trouve un peu de tout ce qui fait la Chine.

Quand j'avais débarqué pour la première fois à Beijing avec mon père et mon frère en 1990, le protocole avait la cote. Je me rappelle avoir vu un spectacle mettant en scène divers groupes ethniques en costumes traditionnels qui chantaient leurs hymnes folkloriques, une sorte de spectacle de variétés communiste. J'avais déjà vu la même chose en Union soviétique.

Ces spectacles cherchaient à illustrer les modes de vie radicalement différents qu'on trouvait à l'intérieur des immenses frontières de la Chine. Leur théâtralité était forcée et sonnait faux. Le plus souvent, je m'y ennuyais. J'avais seize ans, j'avais d'autres préoccupations et je me contentais de scruter les jeunes artistes, m'attardant sur les courbes et les visages qui me plaisaient le plus.

Distrait comme je l'étais, je ne comprenais pas que ce qu'on voulait nous montrer, ce n'était pas tant la diversité que l'unité du pays. Ce qui comptait, c'étaient les liens qui unissaient ces personnes si diverses, reliées comme les rayons d'une roue à un essieu qui entraînait tout le mouvement vers l'avant. Les communistes, alors plus autoritaires et plus visibles, affirmaient ainsi que l'âme de la Chine, c'était eux, et qu'eux seuls avaient su faire l'unité qui avait manqué à la Chine depuis les débuts de la dynastie Qing, trois siècles auparavant.

Depuis la nuit des temps, les monarques font étalage de leur puissance en faisant défiler les sujets et les trésors originaires des lisières de l'empire, pour prouver que le gouvernement central règne sans partage dans toutes les régions. Cette passion, cette énergie venues des confins convergeant vers la capitale rayonnent ainsi d'un seul feu comme « le peuple chinois » : ancien, divers et uni.

La capitale a subi une métamorphose éclatante depuis mon premier séjour là-bas. De nouveaux symboles ont surgi. Des édifices dépassant même les plus grands palais de la Chine rouge sont sortis de terre un peu partout. Avec ses innombrables poutres arachnéennes, l'immense Stade national, qu'on construit pour les Jeux olympiques, est magnifique quoique légèrement intimidant. À côté, l'énorme boîte bouillonnante et translucide qui abritera le bassin olympique dégage une impression d'étrangeté. À l'autre bout de la ville, dans le nouveau quartier des affaires, l'édifice de la télévision nationale est une immense arche asymétrique : elle a l'allure d'un pantalon géant, vous diront certains. Au centre de la ville se dressera un œuf surdimensionné, le nouvel opéra national. Souvent assaillies par une pollution presque palpable, ces créations fantastiques témoignent des sources nouvelles et inexplorées de la réalité chinoise, le danger aussi bien que le renouveau.

Comme autrefois, des légions d'ouvriers venus des marches de l'empire peinent dans l'anonymat, construisant une nouvelle capitale, une nouvelle cité interdite dont la puissance brille de mille éclats.

Au cœur de Beijing se trouve la véritable Cité interdite, le plus grand musée vide du monde. L'armature y est toujours, mais son contenu et ses habitants ont disparu depuis longtemps. On n'imagine même pas leurs fantômes au milieu de la multitude de visiteurs.

Au faîte de sa gloire, la Cité interdite était un lieu où régnait l'ordre, entièrement voué à l'obéissance et à la vénération. Elle était omnipotente justement parce qu'elle était fermée. C'était le cœur inaccessible de l'Empire du Milieu, qui était lui-même le centre de la terre. S'offrir à la contemplation facile n'a jamais été sa raison d'être. L'accès libre à ce sanctuaire aurait été un manquement envers son caractère sacré.

La capitale se déploie en anneaux autour de la Cité interdite. Le Premier Périphérique est le gigantesque boulevard qui fend la ville d'est en ouest, passant sous le portrait de Mao à la porte de la Paix céleste, qu'on appelle aussi Tian'anmen et qui s'ouvre sur la place du même nom. Des avenues aménagées s'étendent au nord de ce boulevard pour encercler la Cité interdite et former ainsi la première couronne.

Le Deuxième Périphérique suit les murs anciens de la ville ; la capitale de la dynastie Ming s'y trouve enfermée. C'est comme une carte qui demeurerait gravée dans le territoire : un immense rectangle disposé selon les points cardinaux. La médiane nord-sud était la voie impériale. Sur celle-ci, au croisement de la médiane est-ouest, résidait l'empereur, le Fils du Ciel et le Seigneur de la terre, qui commandait aux quatre grandes directions. De la Cité interdite, au centre, l'empereur régnait sur la terre. Au sud de la Cité interdite se trouvent la place Tian'anmen – la place de la Paix céleste – et au-delà le Temple du Ciel, où l'empereur communiquait avec les cieux.

Ces jours-ci, de grands bâtiments flanquent la place Tian'anmen. Ce sont les palais de l'Assemblée du peuple, là où siège le gouvernement moderne. Le mausolée de Mao se trouve aussi sur la place, en plein centre, cerné par les palais du peuple et situé sur l'axe ancien qui relie la Cité interdite et le Temple du Ciel, au sud. Les symboles du pouvoir sont au centre, mais le vrai pouvoir est désormais ailleurs et largement invisible. Peut-être qu'il réside dans les hutongs, ces quartiers anciens où s'entassent les demeures traditionnelles. Dans les rues minuscules et tortueuses bordant la grande place, les temples et les palais vides, la Chine vaque à ses affaires.

Les résidences sont celées par des murs de trois mètres de haut. Derrière certains de ces murs, des familles – il y en a jusqu'à huit par enceinte – vivent dans des maisons en pierre ou en béton disposées autour d'une cour encombrée ; derrière d'autres murs, un général ou un dirigeant du Parti vit seul, entouré de jardins paisibles. Mais dans les avenues ouvertes, tout ce peuple se mélange. Un vélo se glisse à côté d'une Mercedes noire et esquive la charrette d'un marchand de légumes. Le journal à la main, pépé file à petits pas vers les latrines publiques ; mémé va faire son marché ; le petit-fils prend le chemin de l'école.

Beijing a débordé depuis longtemps le Deuxième Périphérique. Pendant des siècles, divers peuples venus d'autres régions se sont établis au pied des murs anciens des Ming sur les instances des maîtres du lieu. Dans cette troisième orbite, des soldats, des commerçants, des étrangers et des ouvriers venaient s'installer, serviteurs du pouvoir en place mais non propriétaires de la terre.

Quand les communistes se sont emparés de la capitale, ils ont réquisitionné à leur tour les logements de fonction de la troisième couronne pour y établir leurs travailleurs et leurs soldats, y construisant des usines, des écoles, des laboratoires, tout ce qu'il leur fallait pour gouverner la Chine rouge et triompher de ses ennemis.

Aujourd'hui, dans la troisième couronne, le communisme cède le pas au capitalisme. Des tours de bureaux dominent le paysage. À l'intérieur, l'économie hybride de la Chine tourne à plein régime. Les entreprises privées, les intérêts de l'État, les investisseurs étrangers et les multinationales s'y côtoient tous les jours. La puissance de la Chine nouvelle réside dans son économie gigantesque, qui est partiellement libre, partiellement dirigée. Et un pan important de cette économie est géré depuis la troisième couronne.

On a longtemps considéré que l'immense territoire qui constitue le Quatrième Périphérique avait moins de caractère et d'importance. À vocation essentiellement résidentielle, il loge toutes sortes de gens et la mobilité y est de rigueur. Mais avec l'explosion de la Chine nouvelle, l'espace des quatrième et cinquième couronnes a subi des transformations extraordinaires, et on y voit aujourd'hui un peu partout des centres commerciaux, des bâtiments résidentiels et des complexes sportifs.

J'habite chez mon ami Deryk dans le nord de la ville, au dix-septième étage d'un chic immeuble d'appartements flambant neuf qui fait partie d'une grappe de cinq tours se dressant autour d'une esplanade murée. Deryk y vit avec sa fiancée anglaise et, de leur appartement dernier cri surplombant la ville, ils ont vue sur le Quatrième Périphérique, une autoroute massive à douze voies. Le trafic y défie l'entendement. Nuit et jour, l'appartement résonne faiblement de la vibration incessante de milliers de moteurs. Deryk me dit que, par beau temps, de la fenêtre de leur salon, ils voient les montagnes échancrées du nord, mais les journées de ciel dégagé sont chose rare ici.

Après ma première nuit en Chine, Vivien vient me rejoindre à l'appartement. Nous faisons connaissance juste ce qu'il faut. Elle est originaire d'une ville moyenne de la côte, dans la province du Shandong, dans le sud, région très ancienne située non loin de la patrie de Confucius, le plus grand de tous les rationalistes chinois.

Nous avions échangé au préalable quelques courriels esquissant les contours d'un itinéraire pour ce voyage d'un mois. Beijing. Un lieu typique de la Chine moderne, peut-être dans sa province natale. Un village. Le Yangzi. Des usines d'automobiles de la Chine centrale. Shanghai. La région de la rivière des Perles. Guangzhou. Shenzhen. Hong Kong. Pour finir de nouveau à Beijing.

— Je suis ici pour comprendre, lui dis-je. Je veux voir le plus de choses possible et rencontrer autant de monde que je peux : des journalistes, des intellectuels, mais aussi des paysans et des ouvriers, des militants, des artistes, des prostituées et des gens d'affaires.

— La semaine dernière, j'ai envoyé des articles à Deryk pour qu'il te les transmette, dit-elle. Il y en avait un sur une dame qui lutte pour la préservation des hutongs. Je la connais. Tu veux la rencontrer ?

— J'ai lu l'article, ainsi qu'un tas d'autres articles et de livres sur la Chine et Beijing avant mon départ. On a beaucoup écrit sur la destruction des hutongs. J'aimerais éviter les sujets dont ont traité les autres journalistes. En fait, je suis à la recherche de sujets inédits. Mais comme notre emploi du temps est encore vierge, nous pourrions rencontrer ta protectrice des hutongs, conclus-je d'un ton péremptoire.

Sans se démonter, Viv lance de nouvelles suggestions :

— Que dirais-tu d'un réalisateur de télévision ? D'un constitutionnaliste ?

— Je dis oui aux deux. Et qu'en est-il de l'infrastructure de Beijing ? Connais-tu des responsables municipaux ? Des gens des travaux publics ? L'eau ? L'électricité ? Les égouts ?

— Hmm, je ne crois pas, répond-elle. Et il ne serait pas sage de rencontrer des agents de l'État au commencement du voyage. Ils posent des tas de questions, et il faut beaucoup de temps pour organiser des rencontres avec eux. Mais nous pourrions aller visiter le réservoir d'eau de la ville.

— Excellente idée.

J'ai sauté le petit déjeuner, et là, comme midi approche, je meurs de faim. Nous quittons l'appartement de Deryk pour descendre jusqu'à l'esplanade. Au pied d'une tour voisine se trouve un espace commercial abritant des restaurants. Mais comme le lieu est en rénovation, seul un restaurant à sushis est ouvert.

Je demande à Vivien :

— Tu aimes la cuisine japonaise ?

— C'est notre premier repas en Chine et tu veux manger japonais ?

— Ouais, ça fait drôle, c'est vrai. Peu importe, tu aimes ou pas ?

— Oui, avoue-t-elle, penaude.

Nous entrons et commandons.

Je lui demande :

— Es-tu du genre à en vouloir aux Japonais pour ce qu'ils ont fait autrefois ?

— Peut-être, dit-elle avec un sourire, consciente que je plaisante.

— Parle-moi du Japon et de la Chine, fais-je innocemment pendant que nous attendons nos plats.

— Arrête ! Tu dois bien savoir un truc ou deux sur ce que les Japonais ont fait en Chine.

— C'était il y a longtemps, Viv.

— En Chine, soixante ans, c'est hier.

Je la taquine, sachant que la nippophobie reste bien vivante en Chine.

— Parlons d'autre chose, dit-elle poliment mais fermement.

De toutes les occupations étrangères qu'a subies la Chine, on ne s'étonne guère que les gens d'ici conservent un souvenir amer de la dernière, celle des Japonais. Leur rancœur est encore palpable. On considérait ici que le Japon était un élève de la Chine, un enfant de Confucius et du bouddhisme chinois. De larges pans de la culture japonaise, dont l'écriture officielle, trouvent leur origine en Chine. Ce fut donc une épreuve cruelle pour la Chine que de voir le Japon se retourner contre elle et l'asservir. Les rappels de l'occupation servent aussi commodément à entretenir le sentiment nationaliste et à détourner la rancune et la grogne. C'est pour cela qu'encore aujourd'hui les écoles chinoises alimentent l'amertume à l'endroit du Japon.

Après le déjeuner, pour nous rendre chez l'amie de Viv, la gardienne des hutongs, nous empruntons le Deuxième Périphérique, qui contourne le quartier historique de la ville. Après le lancement du livre de mon père et de Jacques Hébert à Shanghai, en 2005, j'avais séjourné quelque temps à Beijing et je m'étais arrêté dans un hutong en bordure du périphérique pour faire réparer mon vélo dans l'atelier d'un vieux forgeron. Ce hutong surplombait en partie le périphérique, exigu, noir de suie : image saisissante à côté de la grande avenue moderne.

Pendant que nous filons sur le Deuxième Périphérique, je me rends compte que le hutong du forgeron a disparu. Ainsi, une zone de deux artères qui s'enfonçaient dans la vieille ville – soit des centaines de boutiques et de maisons, de ruelles et d'arbres centenaires – a été gommée de la face de la terre. On trouve à sa place un joli parc. Il semble être sorti directement du sol avec de vieux arbres majestueux, des pelouses et des parterres de fleurs, des bancs publics et un éclairage d'ambiance, et il y a même des sections de vieux murs en pierre qui balisent agréablement le parcours des promeneurs. Illusion de pérennité si vivante que je demande à Viv d'interroger le chauffeur de taxi pour qu'il me dise si le parc est neuf ou si c'est ma mémoire qui me joue des tours.

— C'est un parc tout neuf, répond le chauffeur avec un sourire entendu. Peut-être que cet homme est fier de ce que son gouvernement peut faire.

Disparu. Disparus aussi le forgeron et son atelier. Tout comme le marchand de volailles, la vieille veuve et sa maison minuscule derrière la boutique du coiffeur. Disparu, tout est disparu. Disparu et oublié. J'avoue à Viv que la destruction des hutongs est en effet une question importante.

— Oui, et je n'aurai pas besoin d'interpréter : Mme Hua parle bien le français.

— Vraiment ? Comment ça ?

— Son grand-père a été le premier Chinois à étudier à Paris. Il y a étudié le génie civil et y a épousé une Polonaise. Ils sont revenus vivre en Chine. Leur fils est allé terminer sa formation d'architecte à Paris. Là-bas, il a épousé une Française. Sa femme et lui se sont ensuite établis en Chine pour y élever leur fille, dont tu vas faire la connaissance.

Je m'interroge à voix haute :

— Mais dans quelle mesure est-elle chinoise ?

— Elle dit que, parfois, les gens contestent sa sinité afin de la discréditer. Elle-même se considère chinoise.

Nous rejoignons Catherine Hua dans un café du quartier diplomatique. Elle est dans la cinquantaine et a quelque chose de maternel. Elle a les yeux d'une Asiatique, sauf qu'ils sont bleus, et ses cheveux teintés de gris ont dû être châtains autrefois. Nous échangeons quelques politesses, après quoi elle va droit au but.

— Savez-vous qui possède la terre à Beijing ? demande-t-elle dans un bon français légèrement rouillé.

— J'imagine que c'est l'État. C'est-à-dire le peuple.

— Non, me corrige-t-elle sur un ton tranquille. C'est une fausse conception fort répandue hors de Chine. Le gouvernement communiste n'a opéré de réforme agraire systématique que dans les campagnes. Il n'a pas collectivisé la terre dans les grandes villes.

— Donc les gens… Je veux dire, les particuliers demeurent propriétaires dans les hutongs ?

— Oui, c'est le cas d'un grand nombre d'entre eux, dit-elle sur un ton neutre. Je possédais moi-même jusqu'à récemment ma maison dans un hutong. Ce fut la maison de mon grand-père, puis celle de mon père. J'y ai grandi, je jouais dans les jardins quand j'étais petite.

— Qu'est-ce qui est arrivé ?

— Eh bien, l'État a démoli ma maison. J'imagine que je demeure propriétaire de la terre qui se trouve sous la maison démolie, mais on a construit un centre commercial géant sur les lieux. On a rasé tout un quartier comme ça.

— Vous ne pouviez rien pour les en empêcher ?

— Nous avons bien essayé. Mais nous avons échoué. Dans ce cas-ci, en tout cas.

— On vous a expropriés ?

— Ça marche comme ça, m'explique Mme Hua. La ville est déjà divisée en secteurs d'exploitation. Les grands promoteurs ont des projets pour chacun d'eux. Ils s'entendent avec la Ville et les instances de l'État pour qu'on leur cède une part des immenses profits que générera la vente d'appartements, de bureaux et d'espaces commerciaux dans les nouvelles structures. On parle ici de centaines de millions de dollars. Puis l'État émet un avis d'expropriation pour un secteur en particulier et fixe arbitrairement la date de l'évacuation. Il reloge les habitants dans des tours d'appartements dans les faubourgs et leur verse des sommes dérisoires pour la perte de leurs propriétés. Vous devez quitter votre maison, votre jardin, vos voisins, tout. Si vous ne voulez pas partir, on vous arrête. Puis on démolit votre maison.

— Vous avez des recours ?

— Heureusement, la méticulosité n'est pas leur fort, dit-elle. Les promoteurs détiennent des titres fonciers et des permis de construction qui sont antérieurs aux avis d'expropriation. Ils se préoccupent principalement de la saisie des terrains et se soucient peu des formalités juridiques, avec pour conséquence que les documents de l'État fourmillent d'irrégularités. Je traîne l'État en justice. Mais les tribunaux refusent souvent d'entendre les plaignants. Alors je m'adresse à la presse. Je dérange. Je parle à des amis haut placés. Je vais à des cocktails où je dénigre les promoteurs. Ce sont des criminels. Il faut que ça se sache.

Elle cesse de parler, comme si elle réfléchissait à ce qu'elle a perdu, puis elle ajoute : « Je n'ai pas pu sauver ma maison. Mais je pourrai peut-être protéger certains hutongs. Venez, je vais vous montrer. » Elle nous invite à la suivre chez elle, à côté.

Catherine Hua vit dans un immeuble d'appartements moderne au bout de la rue du café. L'intérieur témoigne de la femme cultivée qu'elle est. L'espace est simple et élégant, les murs décorés de peintures anciennes et de sérigraphies. J'imagine son parcours. Elle est issue d'une vieille famille, et son grand-père devait être un homme d'exception. S'il a étudié à Paris à l'orée du XXe siècle, c'est qu'il appartenait à la haute société chinoise. Entrepreneur en construction célèbre dans le vieux Pékin, ce devait être tout un monsieur. Son fils a été élevé dans le respect des meilleures traditions chinoises et occidentales et initié aux arts anciens, puis il a été formé comme son père à la meilleure école d'architecture de Paris. Dans la famille de Mme Hua, l'art est manifestement une valeur. Je l'interroge sur la Révolution culturelle, cette époque terrible où tant de personnes cultivées furent victimes des purges.

— Ah, ce fut une époque intéressante, dit-elle en esquissant un sourire. Auparavant, nous avions une maison spacieuse entourée d'un grand jardin. Enfant, je m'imaginais que le jardin était une jungle. Pendant la Révolution culturelle, les gardes rouges nous ont forcés à héberger de nombreuses familles de la campagne dans notre grande maison. Ma famille s'est alors retirée dans le pavillon réservé aux domestiques à l'arrière de la propriété. Ç'aurait pu être pire : mon père avait bien servi la révolution – je veux dire, la révolution originale –, donc nous n'avons pas eu à subir d'autres vexations.

Elle sort un grand album de photos, l'ouvre sur la table basse et entreprend de m'en expliquer le contenu. Ce sont des photos de vieilles maisons en pierre, de cours intérieures, d'arbres, d'avant-toits en bois finement ouvré, de dragons en pierre et de ruelles pavées avec art. Ce sont des aperçus des trésors que renferment les hutongs, des espaces privilégiés où on a composé de grands poèmes et où des gens ont vécu des histoires d'amour brûlantes, où on enseignait aux gens à penser, à honorer leurs ancêtres et à se conduire en héritiers dignes d'une grande culture.

— Cette maison, me dit Catherine en pointant une série de photos, appartenait jadis à un général célèbre. C'était aussi un grand calligraphe. Il y avait un sentier dans le jardin qui était tout simplement extraordinaire, avec des arches magnifiques. Regardez cette photo : on les distingue.

— Qu'est-ce que la maison est devenue ?

— Disparue. Ils n'ont même pas épargné la maçonnerie.

Elle tourne la page.

— Voyez la porte de cette maison, dit-elle en indiquant sur la photo une porte en pierre surmontée d'un élégant avant-toit en bois. Disparue aussi. Pulvérisée par un bulldozer. J'y étais quand c'est arrivé.

— Qui vivait dans ces maisons ?

— De nombreuses familles. Des gens tout à fait ordinaires. Ils m'appellent à l'aide. Ou, à tout le moins, ils veulent que je photographie ces maisons qu'ils aiment tant. « Viens vite, disent-ils, les bulldozers sont là ! »

Il y a des pages et des pages de photos. Parfois, Catherine m'en désigne une et me dit qu'elle a réussi à la sauver. Mais la vaste majorité des photos nous montrent des fantômes : des maisons, des modes de vie qui ont été plongés dans le néant. Je hoche la tête en signe de sympathie tout en tournant les pages de l'album.

Je hasarde une réflexion :

— J'imagine que les promoteurs et les fonctionnaires n'ont pas le sens de l'histoire.

— Non, répond-elle, et ils n'ont pas non plus de sens commun, ce sont des incultes. Une seule chose les motive : l'appât du gain.

Catherine Hua tient à ajouter ces mots : « Au début de la révolution, il s'est opéré de grands changements. Oui, on a tout mis sens dessus dessous. Mais je crois que nous entrons maintenant dans un avenir totalement inédit et encore plus radical : oui, même comparativement à la Révolution culturelle. À cette époque, quand on détruisait des temples et des lieux historiques, il y avait au moins une raison. Il y avait une idéologie derrière ça. Aujourd'hui, on efface simplement l'histoire de la Chine sans y penser. C'est barbare, nihiliste même. »

Je songe : *bienvenue dans la modernité.*

Au cours des jours qui suivent, Viv et moi parcourons la capitale pour préparer notre voyage : nous nous procurons des billets d'avion, nous faisons des recherches. Beijing est une mégalopole qui n'en finit plus ; nous sommes souvent coincés dans des bouchons de circulation, parfois pendant des heures. Cela nous donne le temps de discuter et de mieux faire connaissance. Vivien ne me cache pas ses opinions sur le gouvernement. Elle méprise et redoute le Parti communiste, et elle me le dit carrément.

— Je ne suis pas du genre idéologue, et je n'ai sûrement rien d'un communiste, lui dis-je ; cela dit la Chine n'est plus communiste de nos jours. C'est seulement que je ne veux pas tirer de conclusions hâtives.

— Je t'assure que si tu restais ici quelque temps et que tu voyais comment ça marche, tu ne pourrais pas donner raison au Parti, me dit-elle sur un ton qui n'appelle pas la réplique.

— Eh bien, s'il y a une chose dont je suis à peu près sûr, c'est que la Chine ne peut pas se contenter d'imiter le régime politique d'un autre pays.

— Alors que penses-tu de la répression de Tian'anmen ? demande-t-elle franchement.

— J'incline à croire que si j'étais chinois, j'aurais manifesté moi aussi sur la place publique, j'aurais fait face aux blindés pour défendre ma liberté. Cela dit, je vois les bienfaits que la stabilité a apportés à la Chine depuis Tian'anmen.

— Sacha, crois-moi, j'ai vécu ici toute ma vie. Je connais le gouvernement et ses méthodes, dit-elle avec conviction. Il n'y a rien de bon à attendre de la corruption et de l'injustice.

— Mais regarde autour de toi. On crée ici de la richesse à

profusion. L'économie se libéralise toujours plus, et la Chine s'en trouve plus riche et plus puissante.

— Ce n'est pas le cas partout, dit-elle avec un petit sourire. De toute manière, tu sais que Confucius n'avait que mépris pour la quête de richesses.

— Je l'ignorais. J'avais toujours cru que Confucius nous enjoignait de rechercher l'harmonie. Et je pensais que la prospérité était une sorte d'harmonie.

— Non. Confucius dit que l'harmonie ne vient que de la vertu.

Nous nous dirigeons vers un restaurant de fruits de mer appelé Le Continent aux dix mille dragons. Après avoir traversé un vestibule joliment décoré, nous pénétrons dans une grande salle toute en aquariums. Dans les bassins découverts s'agitent toutes sortes de créatures exotiques : des poissons de toutes les tailles et de toutes les couleurs, des calmars, des pieuvres, huit espèces de crabes, quatre sortes de langoustes, une demi-douzaine de variétés de crevettes, tous les genres de mollusques imaginables et un bon choix d'insectes : des pupes, des larves de ver à soie ainsi que des scorpions à l'air menaçant. Les aquariums tiennent lieu de menu ; pour commander, on pointe un aquarium et on précise la quantité et le type de cuisson : poché, vapeur, frit, avec une sauce impériale, aux fèves noires ou à l'ail et au gingembre. La serveuse pêche votre choix et l'expédie encore vivant à la cuisine.

Pour les Chinois, on dirait qu'il n'y a pas plus grand bonheur dans la vie que de festoyer entre amis ou en famille. Même Vivien, qui est la retenue même, adore manifestement la bonne chère. Autour de couteaux tendres à l'échalote et au gingembre et de jeunes poulpes épicés, je l'interroge sur son père.

— Il était professeur de mathématiques, et plus tard, directeur de lycée.

— Et son père à lui ?

— C'était un paysan. Il travaillait la terre.

— Le père de mon père est né lui aussi dans une ferme. Mais il est mort en 1934. Donc, je peux difficilement dire que je suis de la classe paysanne. Et toi ?

— Pas vraiment, dit-elle en riant. Je suis une fille de la ville. Mais j'ai passé beaucoup de temps dans la ferme de mes grands-parents quand j'étais petite. La vie à la campagne ne m'est pas du tout étrangère.

— Tes grands-parents sont-ils toujours de ce monde ?

— Oui, tous.

— Comment c'était pour ta famille à l'époque de la Révolution culturelle ?

— Eh bien, pour mes grands-parents, à peu près rien n'a changé. Ils étaient classés « petits et moyens paysans », donc ils ont été épargnés. Quant à mon père, comme il était d'origine paysanne, il a été un des rares à l'université à profiter de la révolution. Pendant qu'on chassait les soi-disant intellectuels des universités, lui a fait son doctorat.

— Je peux le rencontrer ?

— Absolument pas ! répond Viv sans équivoque. Je ne lui ai pas adressé la parole depuis des années et je ne compte pas renouer avec lui non plus. D'ailleurs, je n'aime pas parler de lui.

Après le déjeuner, nous retournons chez Deryk pour réserver nos billets d'avion. L'ascenseur nous conduit au dix-septième étage. Je fais remarquer que nous sommes en fait au quatorzième puisque le quatrième, le treizième et le quatorzième manquent à l'appel.

— Pas étonnant que Deryk vive à cet étage et que celui-ci soit partiellement vide. Tout bon Chinois hésiterait à s'installer au quatorzième étage, même s'il est écrit que c'est le dix-septième. Quatre et quatorze sont de très mauvais chiffres. Leurs noms en mandarin évoquent la mort.

— Un peu absurde, non ?

— S'il te plaît ! C'est la tradition. Nous, les Chinois, nous sommes élevés dans la superstition.

— Mais tu as l'air si rationnelle, lui dis-je pour la taquiner.

— Tu ne comprends pas. C'est moi qui choisis d'être superstitieuse. C'est une manière d'honorer ses ancêtres que de perpétuer leurs croyances. La superstition est un acte de vénération. Il faut vénérer ses ancêtres, ajoute-t-elle dans un anglais qui paraît moins assuré.

— *Vénérer* ? Tu en es sûre ?

— Oui, ça sous-entend un mélange de crainte et de respect, non ?

— Oui. Et c'est comme ça que tu décrirais l'idée que tu te fais de ces croyances ?

— Oui, répond-elle avec aplomb.

Chose certaine, Vivien ne vénère en rien le Parti communiste chinois. Elle a même un groupe d'amis qui se sont illustrés par leur opposition au gouvernement central. Bon nombre de ses contacts dans les milieux militants et intellectuels remontent à ses années d'études à l'université de Pékin. Elle était manifestement une étudiante sérieuse et compte de nombreux amis parmi ses anciens professeurs.

Elle a organisé une rencontre avec l'un d'eux, He Weifang, en un lieu appelé Le Café du penseur, que fréquentent les étudiants en sciences humaines. Chemin faisant, elle m'explique le nom du café : « *Xing Ke* signifie "invité sobre", probablement d'après un des plus grands poètes chinois, Qu Yuan, qui fut persécuté et se suicida il y deux mille trois cents ans de cela. Il a écrit : "J'ai été banni parce que tous étaient ivres et que j'étais le seul à ne pas avoir bu." »

La porte du café est sans prétention ; elle débouche sur un escalier sale au pied duquel est assis un vieillard chauve au sourire édenté.

— J'aime cet endroit, me dit Viv en montant l'escalier.

Au deuxième étage, je note que l'atmosphère a changé ; les

murs sont peints en noir. Le café se trouve d'un côté et, en face, c'est la Librairie de tous les sages. Nous entrons dans le café. Nous longeons quelques bibliothèques où je reconnais les titres en chinois de Jared Diamond, de Milton Friedman et d'Edward Saïd.

C'est un café à la mode, manifestement populaire auprès des intellectuels. Nous nous dirigeons vers une table à la fenêtre pour y attendre le professeur He. Viv est très heureuse de le revoir et me raconte sa vie. C'est un expert en droit constitutionnel. Il a pris une part particulièrement active à des procès pour discrimination causée par le système chinois de résidence double, qu'on appelle le système *hukou*. Il ne craint pas de s'opposer à l'État et a été un des rares professeurs de droit à composer une lettre ouverte critiquant le gouvernement central.

— Il y a eu cette affaire célèbre il y a quelques années où un étudiant est mort alors qu'il était en garde à vue, m'explique Viv. Il était sorti un soir sans ses papiers. Si tu es de la campagne, il te faut une autorisation écrite pour vivre en ville, faute de quoi tu peux être mis à l'amende par les autorités locales. Si tu ne payes pas l'amende sur-le-champ, on peut te forcer à travailler. Les autorités louent cette main-d'œuvre captive aux entrepreneurs locaux. Dans ce cas-ci, le jeune homme n'a pu prouver sur le coup qu'il était bel et bien étudiant. La police a décidé de le mettre au boulot. Certains ont dit qu'il s'était montré insolent lors de l'interrogatoire de police. Il est mort en garde à vue vingt-quatre heures plus tard. Le professeur He a dénoncé la mesure qui avait causé cette mort inutile.

He se joint à nous. Il approche de la fin de la cinquantaine. Il fait vieux prof élégant. Après les formules d'usage et quelques cigarettes, il se met à me parler de la Constitution chinoise.

— Je révère la Constitution, contrairement à mon gouvernement. La philosophie politique fondamentale du Parti communiste, c'est le marxisme. Marx prônait l'abolition des lois. Voilà pourquoi le constitutionnalisme n'a jamais présenté beaucoup d'intérêt ou de pertinence pour le Parti. Une constitution définit certains droits et certaines règles. Mais peu importe ce que dit la Constitution, le Parti interprète toujours de la manière qui lui convient tous les droits et toutes les règles.

He m'explique ensuite que d'un point de vue pratique, cela signifie qu'il n'existe pas de tribune légitime pour la revendication sociale, ni aucun moyen acceptable de mettre en œuvre des modèles sociaux différents, qu'il s'agisse de la démocratie, de la liberté de parole, des droits de la personne ou même des syndicats.

He s'est taillé un créneau intéressant. Il croit à l'action législative et au droit. Il est important, à son avis, de formuler des lois qui font valoir les intérêts supérieurs de la société actuelle et future et que celle-ci pourra observer sans trop de difficulté. Ainsi, la Constitution doit, d'une part, encadrer les lois existantes et, d'autre part, prévoir un mécanisme d'élaboration législative qui fera avancer doucement la société.

He s'oppose à son gouvernement de façon stratégique. Il ne conteste pas les lois du gouvernement chinois. Tout le contraire : il avance que le gouvernement doit être le premier à respecter les lois et les règles qu'il a adoptées, quelles qu'elles soient. Ce n'est donc pas un argument moral contre son gouvernement, mais plutôt un point de vue pragmatique pour le soutenir. Il est pour la logique, non pour la vertu. En ce sens, on pourrait dire que le professeur He aide le gouvernement à obéir à sa propre logique.

Tout de même, He croit que la loi peut changer la société. La Chine n'est peut-être plus régie à partir de la Cité interdite, mais le modèle de gouvernement que celle-ci représentait a gardé tous ses droits. Le pouvoir demeure opaque et inaccessible. Il faut que cela change. Si on contraint l'empire à s'incliner devant la loi, le pouvoir réintégrera un espace où il sera transparent, qui invitera à la participation et qu'on pourra transformer.

Le professeur m'explique ensuite le système *hukou*. Aux

débuts de la République populaire, dans sa première Constitution de 1954, la liberté de mouvement était garantie au peuple. Mais cette constitution est largement restée lettre morte. Et, dès le commencement, la République populaire a entrepris de restreindre la mobilité de la population rurale. Elle avait besoin de cette population pour la défense du pays et pour la production alimentaire et industrielle.

Après l'échec de la politique industrielle du Grand Bond en avant de Mao, époque où on a contraint des millions de paysans à quitter les champs pour prendre part à une production industrielle improvisée, ces contrôles se sont resserrés. Comme ils avaient abandonné leurs récoltes, les paysans se sont mis à mourir de faim. Beaucoup ont quitté les campagnes et les famines se sont aggravées. Il fallait dès lors limiter la liberté de mouvement des gens.

Les moutures subséquentes de la Constitution n'ont cessé de restreindre la circulation des populations rurales. Au cours des trente dernières années, la tendance s'est inversée. La croissance du secteur manufacturier dans les villes exige un apport constant de main-d'œuvre, et celle-ci provient des campagnes. Les freins à la libre circulation des personnes ont été levés afin de permettre aux villes d'attirer cette main-d'œuvre. Mais celle-ci est très instable et doit être gérée avec prudence. On ne donne pas à tous le droit de s'établir en ville. La mobilité personnelle est tolérée mais on n'accorde pas aisément le statut juridique autorisant l'installation en ville. De cette manière, la main-d'œuvre reste fluctuante et peu coûteuse.

— Les meilleurs amis du Parti sont aujourd'hui les entrepreneurs capitalistes qui profitent de cette main-d'œuvre, m'explique le professeur. Cette alliance est telle qu'on fait bon marché du pouvoir de négociation des travailleurs.

— Mais cette alliance a également fait en sorte que la Chine a acquis une position enviable dans l'économie mondiale, dis-je.

— Oui, c'est la raison pour laquelle la Chine est devenue l'usine du monde. Mais sans de solides assises juridiques, la vraie stabilité est irréalisable à long terme. Les vingt prochaines années seront capitales, conclut-il avec un soupir.

Je lui demande :

— Croyez-vous qu'une démocratie libérale soit un jour possible en Chine ?

— Eh bien, une chose est sûre : il faut que ça change. Il nous faut instaurer un système politique différent pendant que nous avons encore une certaine marge de manœuvre. Ne serait-ce que pour le bien de notre économie, il nous faut une magistrature indépendante.

— N'est-ce pas un vieux leader du Parti qui a dit que les bonnes choses prennent du temps ?

— Eh bien, moi, je réponds à ce vieux leader que rien de bon ne peut sortir d'institutions qui ne sont pas responsables devant le peuple. Je n'entrevois pas d'autre solution pour nous que la démocratie. Une démocratie de type occidental.

— Tant de gens qui participeraient à un projet aussi immense ?

— Je ne dis pas que ce sera chose facile, me répond-il avec un sourire aimable.

— Ce projet a-t-il commencé ?

— Pour certains, oui.

Un autre ancien professeur de Vivien, Wang Yue, lui a enseigné l'art du documentaire et est aujourd'hui producteur de télévision à CCTV, le réseau de télévision national, qui diffuse sur des dizaines de chaînes. Wang produit une émission sur la chaîne n° 10, le canal documentaire de l'État, qui s'intitule *Les Grands Maîtres*. Vivien me dit que c'est une des meilleures émissions de la télévision d'État chinoise et qu'elle aime la regarder. Elle passe à vingt-deux heures tous les soirs de la semaine.

Viv et moi nous donnons rendez-vous devant un complexe de CCTV, dans la partie est de la ville. Elle me dit de l'attendre devant l'entrée de l'immeuble où travaille le professeur Wang. « Tu vas voir des soldats en faction devant », ajoute-t-elle.

En effet, les bureaux de CCTV sont sous la garde de l'Armée de libération du peuple. J'imagine les studios de Radio-Canada installés sur une base militaire canadienne...

Comme Viv est coincée dans un bouchon, Wang sort pour venir à ma rencontre et m'aide à franchir le point de contrôle militaire. Il est désolé pour l'apparence des lieux. « Les stations de télévision ne sont pas comme chez vous », me dit-il en montant l'escalier crasseux d'un vieil immeuble de béton. L'homme est assez jeune et en bonne condition physique.

— En fait, CCTV dispose d'une nouvelle forteresse immense pour loger toutes ses chaînes, poursuit-il. Un immeuble moderne et coûteux que vous avez déjà vu, j'en suis sûr. Mais je conserve un bureau dans cet espace plus modeste.

Le bureau de Wang est exigu et vide... si on excepte son ordinateur tout neuf. Je ne suis pas très sûr de ce dont nous allons parler, alors je lui lance quelques questions techniques sur sa chaîne, son émission et les sujets du moment.

J'apprends que son émission présente des portraits. Il n'en est devenu le producteur que récemment. Il est responsable d'une demi-douzaine de réalisateurs et d'une douzaine d'employés affectés à la postproduction. Il était lui-même réalisateur à l'émission avant sa promotion.

— De qui parlent vos documentaires ?

— De gens célèbres : des étoiles du cinéma, des cinéastes, des artistes, parfois des gens d'affaires.

— Des politiques ?

— Oui, parfois.

— Votre émission connaît un grand rayonnement.

— C'est parfois le cas, reconnaît-il avec un sourire heureux.

— Qui vous dit quoi faire ?

— Personne ne me dit quoi faire. On me dit seulement quoi ne pas faire.

— Qui est ce « on » ?

— Les dirigeants de la chaîne nº 10. Moi, je réalise l'émission *Les Grands Maîtres*. Ils sont responsables de toute la programmation de la chaîne.

Puis il ajoute curieusement : « J'ai un travail très difficile. » Et il attend mes prochaines questions.

— Pourquoi ?

— Parce qu'ils sont nombreux à croire savoir sur quoi devraient porter mes documentaires. Il y a parfois des gens qui veulent me faire des cadeaux.

— Je vois.

Il hoche la tête en souriant et poursuit :

— Je refuse, bien sûr. Mais ce n'est pas facile de composer avec cela.

L'émission de Wang est diffusée dans toute la Chine. Presque tous les postes de télévision du pays en captent le signal. Un réalisateur canadien saute de joie quand son documentaire rejoint un million de téléspectateurs. L'émission de Wang est visionnée par des dizaines de millions de personnes tous les soirs. Un sacré filon, c'est certain. De son bureau ascétique du troisième étage de l'édifice E, Wang a son mot à dire sur les valeurs du peuple chinois, sur la célébrité en Chine, sur le nouveau culte de la personnalité.

— Les étoiles du cinéma sont des valeurs sûres, dit-il. Ça marche à tout coup.

Wang m'explique qu'il en est ainsi parce qu'on peut leur vouer un culte sans que cela dérange. C'est aussi facile avec les gens d'affaires, admet-il, parce qu'on sait ce qu'ils veulent : vendre leur camelote. Les artistes et les musiciens présentent normalement plus de difficultés ; on ne contrôle pas leur message aussi aisément. Les politiques sont un cas encore plus difficile. Le pouvoir politique est chose délicate en Chine. Wang me dit que ses rapports avec certains types de personnes constituent un véritable exercice de funambule.

— Qu'est-ce qui fait un bon documentariste, professeur ? lui demande Viv à son arrivée.

— Je cherche des gens qui ont beaucoup vécu, répond Wang. Des gens qui ont souffert. Des gens qui ont vécu plein d'amours folles, qui ont divorcé, qui ont été réduits à la misère et qui ont fait beaucoup de chemin. Des gens qui ont connu l'échec et l'instabilité. Ce sont toujours eux qui ont le plus d'empathie et de compréhension pour la nature humaine.

Beijing a été bâtie sur une grande plaine cernée sur trois côtés par des montagnes. Au nord de la ville se trouve la Grande Muraille, qui s'étend à travers une chaîne de montagnes extrêmement escarpées. Une visite à la Muraille ou à ces montagnes révèle à quel point le territoire est aride. Beijing avoisine un désert. Au-delà des montagnes à l'ouest se trouve une vaste étendue de poussière et de roche aux sables mouvants. Quand le vent souffle vers l'est, la capitale de la Chine s'empoussière aussitôt.

Comme Los Angeles et Mexico, la capitale chinoise se trouve dans une vallée, piégée par les montagnes avoisinantes. Par temps calme, il se forme au-dessus de la vallée une poche d'air qui se remplit des gaz d'échappement des véhicules et des fumées âcres de l'industrie. À Beijing, on a souvent les yeux irrités et injectés de sang. Nombre d'enfants souffrent de troubles respiratoires. L'air de la ville peut parfois agresser sauvagement le corps humain. Avec les centaines sinon les milliers de nouvelles voitures qui s'ajoutent chaque jour sur les routes, la qualité de l'air n'est pas près de s'améliorer.

Mais la capitale a un autre souci encore plus important que la qualité de l'air : l'eau. Les provinces entourant Beijing sont aux prises avec une sécheresse sans précédent depuis plus de dix ans. Il y a tout simplement moins d'eau dans la région ; et la ville a toujours plus soif.

Dans les vieux quartiers de la deuxième couronne, nombre d'habitations des hutongs n'avaient pas de toilette à chasse d'eau. Plusieurs dizaines de familles partageaient une seule latrine publique. Mais puisque tant de ces vieilles habitations ont été rasées pour faire place à des constructions dernier cri, avec toutes ces nouvelles tours équipées des commodités modernes, notamment la cuvette à chasse d'eau, les canalisations d'eau vers la ville se sont multipliées.

L'eau de Beijing provient des réservoirs situés dans les montagnes mêmes où naissent les nuages de poussière. Parfois, lorsque la poussière rend l'air irrespirable, des brigades d'employés de la voirie lancent des fusées qui libèrent des cristaux d'iodure d'argent dans l'atmosphère. Ces cristaux absorbent l'humidité et la libèrent au-dessus de la capitale sous forme de pluie, qui humidifie la poussière. Mais ce curieux procédé a un prix : l'humidité étant arrachée à l'atmosphère, il y en a moins qui atteint les montagnes et les steppes de l'ouest, les asséchant davantage et ponctionnant ainsi les sources hydriques de Beijing, ce qui aggrave les problèmes associés à l'érosion et à la poussière.

Où conduira ce cycle, personne ne le sait. Une seule chose est sûre : la capitale va voir ses problèmes d'air et d'eau s'accentuer. Vivien et moi tenons à voir un des grands réservoirs de la ville, et c'est pourquoi nous louons une voiture avec chauffeur pour prendre la route du nord.

Viv m'a souvent dit que les Chinois pourraient hésiter à nous parler. « Le Chinois moyen est sur ses gardes devant l'étranger », affirme-t-elle.

Je n'ai jamais été doué pour l'abord. Et le pessimisme de Viv n'arrange pas les choses. J'insiste pour qu'elle engage la conversion. Je lui dis que je vais feindre le désintérêt total, comme si je m'ennuyais, ou que j'étais distrait ou un peu demeuré.

— Comme si j'existais à peine, lui dis-je. Comme un touriste qui te suivrait par hasard dans une visite approfondie de la Chine.

— Pas très plausible, me répond-elle. Mais on va essayer.

La ville s'étend presque jusqu'au pied des montagnes. Le smog les rend invisibles jusqu'à ce qu'on arrive tout près. Dans le piémont, les zones urbaines laissent place à la campagne, avec ici et là des vergers de pommes ou de pêches. Les empereurs Ming sont ensevelis en ces contreforts. Leurs tombeaux attirent les touristes en route vers la Grande Muraille.

La Chine vénère ses tombeaux. Ce sont des rappels de pierre de notre bref passage sur terre. La civilisation chinoise a pour fondement le culte des ancêtres ; sa continuité est cimentée par les rituels ancestraux. Les tombeaux impériaux en sont d'autant plus importants. Ce sont des reliques d'une ère passée. Mais notre voyage nous conduit vers d'autres fantômes.

Nous virons vers le nord-est, suivant la civilisation le long des montagnes, et nous atteignons un endroit qui n'est qu'un immense chantier de construction. Au travers d'immenses nuages de poussière soulevés par de gigantesques machines qui construisent de nouvelles routes et des complexes résidentiels, nous entrevoyons notre premier village ancien dans la plaine. Beijing s'arrête ici.

Plus tôt ce matin-là, nous avons bu beaucoup de thé. Nous décidons d'entrer dans le village pour y trouver un endroit où nous soulager. La route qui pénètre dans le village a déjà été asphaltée. Mais il y a des décennies qu'on ne l'entretient plus. Les voitures et les camions doivent contourner des nids-de-poule géants. Il y a maintenant plus de nids-de-poule que de route.

J'ai déjà vu ce genre de route à de nombreux endroits dans le tiers-monde. Ces lieux ne sont pas « en voie de développement ». Ils ne sont plus que ruines, décimés par la maladie, la guerre et la pauvreté. Mais ce village-ci n'a pas simplement été abandonné par quelque clique véreuse et impuissante comme dans ces autres endroits que j'ai vus ; il n'a pas simplement été oublié et privé de toute activité économique ou de soutien étatique. Ce village n'a pas été négligé. *Condamné* est le mot juste.

Heureusement, les camions ne transitent plus par le village depuis que le gouvernement a entrepris de construire la grande route. En fait, à rouler dans le village, j'ai l'impression qu'il n'y vient même plus de voitures du tout, sauf celle du livreur une fois par semaine.

La rue est bondée. Des vieillards partout. Ils nous cèdent obligeamment le passage. Ils n'ont même pas l'air de vouloir savoir ce que nous sommes venus faire chez eux. À la blague, je dis à Viv de leur annoncer que nous sommes venus pour pisser. Toute vulgarité mise à part, elle croit que ce ne serait pas une si mauvaise idée que ça.

— C'est la raison pour laquelle nous sommes ici, non ?
— Tu l'as dit !

Nous nous garons et poursuivons à pied.

La couleur du costume typique du village est le noir poussiéreux ; le style, pyjama unisexe. Mais ce ne sont pas que des vêtements, ce sont des uniformes, confectionnés par les ateliers du gouvernement il y a belle lurette. Il y a même la casquette qui va avec. Ces personnes âgées ont beau vivre dans la pauvreté, on les sent très dignes ; leur silence en impose.

Viv demande respectueusement à une vieille dame où se trouvent les latrines publiques. La dame indique un chemin de terre qui s'éloigne de la rue principale. On y trouve une toilette de briques adossée à un immeuble. Qui doit remonter à la dynastie Qing, si j'en juge d'après son apparence. Je cède la place à Viv et me dirige vers un champ vacant au bout du chemin. Elle me dit de prendre tout mon temps.

Je vagabonde un peu, je regarde les bâtiments en briques

d'argile qui bordent le champ. À mon retour, j'aperçois Viv et la vieille dame en grande conversation. Je décide de ne pas les interrompre et d'aller plutôt chercher de quoi boire. Je comprends vite que ce n'est pas ici que je vais étancher ma soif. Je me rappelle que nous avons du thé en bouteille dans la voiture. En route vers le véhicule, je remarque un groupe de vieillards. Ils sont sept, placés en rangée sur le perron d'un édifice qui ressemble à la poste. Certains sont accroupis, d'autres sont debout ou assis sur de minuscules tabourets pliants. Quelques-uns sont vêtus d'un uniforme non pas noir mais gris. Tous très bien mis. C'est manifestement la vieille garde du lieu, me dis-je.

Viv vient me rejoindre et me dit que la vieille dame est veuve et grand-mère. Ses petits-enfants sont à l'école d'à côté. Sa fille travaille en ville. Son fils travaille lui aussi mais loin d'ici. Il est revenu une fois, il y a quelques années de cela. Il est resté quelque temps, puis il est reparti. Il lui manque affreusement mais elle ignore si elle le reverra un jour. Tous les enfants du village devenus adultes sont partis travailler ailleurs eux aussi.

Viv l'a interrogée sur l'approvisionnement en eau, mais la vieille dame n'a pas bien compris la question et n'a pas donné de réponse cohérente.

— Il y a autre chose aussi, me dit Viv. Ce sont des Mandchous.

— Comment le sais-tu ?

— Par leur apparence, leur accent. Et regarde l'école, ajoute-t-elle en indiquant le haut de la rue.

Ses murs sont couverts de petits drapeaux mandchous. Ils battent au vent, mais on distingue les couleurs et les symboles. On dirait des fanions découpés par des enfants et tendus sur une corde. Nous regardons plus attentivement, puis un bruit parvient à nos oreilles. Ce sont des enfants qui chantent en mandarin, et leur écho se répand faiblement dans le village.

J'insiste auprès de Viv : « Demande à ces hommes derrière moi où se trouve le réservoir. »

Quelques-uns pointent dans une direction mais ils lui disent qu'on ne peut s'y rendre par là. Retournez sur vos pas, disent-ils. Puis ils demandent à Viv qui je suis et pourquoi j'ai l'air si sérieux.

— C'est un touriste. C'est son air normal, leur répond-elle.

Comme quoi mon petit numéro d'imbécile distrait n'a trompé personne.

Viv leur pose quelques questions sur le village, puis elle cherche à se renseigner sur leurs tribus. Les hommes ne répondent que par des haussements d'épaules et des sourires, puis ils nous souhaitent bon voyage. Nous nous retirons respectueusement.

— Les Mandchous sont venus ici comme soldats, m'explique Viv lorsque nous quittons le village. Chaque homme faisait partie d'un régiment ou d'un clan. On appelle ces groupes des « bannières », à cause des drapeaux qu'ils portaient. C'est ce que les drapeaux sur le mur de l'école représentent.

L'air circonspect avec lequel les hommes ont regardé Viv s'explique tout à coup. « Oui, tu as raison, nous sommes des hommes du clan mandchou », semblaient-ils dire dans leur mutisme chargé. Affirmation qui se voulait un avertissement aussi bien qu'une façon de demander pardon ; cela voulait dire que la question de Viv était inutile. Parce que, malheureusement, les clans ont fait leur temps par ici et qu'eux, les hommes des clans mandchous, n'ont plus l'importance qu'ils avaient jadis, d'où la futilité de sa question sur leurs bannières.

Les Mandchous sont le peuple de la dernière dynastie chinoise. Leurs immenses armées avaient fondu du nord sur l'empire Ming déliquescent. Comme les Mongols avant les Ming, le règne des Mandchous, qu'on a appelé la dynastie Qing, avait été considéré à l'origine par la majorité han comme une sorte d'occupation étrangère.

Les premiers empereurs Qing dominaient la Chine grâce à un réseau de chefs de clans mandchous, ou « hommes à bannières » comme on les appelait, qui furent placés à la tête de toutes les institutions chinoises préexistantes. Les empereurs Qing adossaient leur domination bienveillante sur une puissance tangible : leurs armées mandchoues étaient toujours prêtes et ne furent jamais démobilisées.

Les armées Qing n'avaient rien de commun avec les armées modernes. Elles ressemblaient davantage à des tribus. Quand les aristocrates mandchous imposèrent leur autorité souveraine à toute la Chine, leurs tribus les y suivirent par centaines de milliers. Les hommes à bannières se firent attribuer des terres autour de toutes les villes d'importance stratégique en Chine ; leurs camps étaient des villages de garnison.

Les villages au nord de Beijing, où se trouvent les tombeaux des Ming, sont probablement des vestiges des forces mandchoues qui s'y sont établies il y a plusieurs siècles de cela. Pendant un certain temps, elles ont maintenu la paix en Chine. Les gens de ces villages, qui vivaient aussi près de la vieille capitale que des montagnes au-delà desquelles se trouve la Mandchourie proprement dite, comptaient peut-être parmi les réserves de l'empereur Qing. Il lui suffisait de donner un ordre dans la Cité interdite pour que ces hommes se mobilisent et attendent leurs consignes de marche. Les premières armées Qing devaient être impressionnantes ; leurs soldats combattaient comme une seule unité. Elles étaient féroces, organisées et loyales. Pendant un temps, elles suffirent à défendre la Chine tout entière. Malheureusement, il leur manquait la maîtrise des mers à une époque où la suprématie maritime était devenue essentielle.

Ainsi, à un certain moment, même les drapeaux de l'ordre militaire tout-puissant des Mandchous ont fini en lambeaux. Exposés à la Chine, ayant absorbé les mœurs chinoises, les Qing ont fini par céder eux aussi au cycle des choses et se sont affaiblis. En Chine, le cycle du yin et du yang gouverne la vie depuis des temps immémoriaux. Ce qui est noir deviendra blanc, ce qui est chaud refroidira. Homme, femme ; force, faiblesse.

Nous quittons le village et nous dirigeons vers le chantier de construction des abords de Beijing. On imagine aisément le sort qui attend ce village. Il sera rasé par la machine, dévoré par la nouvelle capitale du nouvel Empire du Milieu, et à sa place surgira un nouveau mode de vie qui ne ressemblera en rien à ce que la Chine ancienne a connu jusqu'à maintenant.

Bientôt, le perron, les latrines, l'édifice aux allures de bureau de poste et les vieillards eux-mêmes auront disparu. Les enfants changeront d'école, la prochaine sera plus grande. Voilà peut-être pourquoi les drapeaux qu'on voit sur les murs de leur école actuelle sont là, pour dire : les enfants, quoi qu'il arrive, rappelez-vous que vous êtes les porteurs des bannières. Quoi qu'on dise, gardez la tête haute, car vous appartenez au clan mandchou, qui a autrefois apporté la paix et la prospérité à la Chine.

Nous voici enfin sur le bon chemin. Une grande vallée flanquée de deux crêtes s'ouvre devant nous. Elle est ensoleillée et fertile, sans villages. On voit cependant le grand barrage. C'est un immense mur de béton qui relie les sommets de deux collines. Pour monter vers le réservoir, nous suivons une route étroite qui escalade une des collines, longeant une multitude de pagodes et de restaurants attrape-touristes.

Parvenus sur une crête, la vue s'ouvre sur le réservoir. C'est vaste, et le coup d'œil est pittoresque avec les montagnes environnantes. Le chemin fait le tour du lac artificiel. Il conduit à l'arrière de la vallée, où le réservoir est alimenté par un ruisseau qui s'écoule de la montagne. En ce mois de septembre, le ruisseau semble avoir atteint son étiage. Nous décidons de nous arrêter dans un petit village sur notre route.

Le village est une grappe de maisons de briques de terre qui se serrent autour de cours centrales. Des ruelles étroites serpentent entre les cours. Au-dessus d'un mur, j'aperçois deux types de cultures : du maïs, toujours reconnaissable à ses épis élevés et emplumés, et des courges sur des tiges grimpantes. Nous enfilons une ruelle qui pénètre profondément dans le village dense et apercevons un vieil homme coiffé d'un chapeau de paille.

— Pardonnez-moi de vous déranger, vénérable vieillard, lui dit Viv afin de l'aborder comme il faut, mais j'aimerais en savoir un peu plus sur votre village. Existe-t-il depuis long-temps ?

— Ah oui, répond tout de suite le vieil homme. Il existe depuis longtemps.

— Et quel âge avez-vous ?

— Plus de quatre-vingts ans.

— Mes compliments, vous avez l'air d'être en excellente santé pour un homme qui a dépassé les quatre-vingts ans.

— Oui, vivre en montagne est bon pour la santé, dit l'homme d'un ton joyeux. Ce n'est pas comme dans les villes. Je monte dans la montagne tous les matins pour soigner mes noyers. C'est tout l'exercice dont j'ai besoin.

Il sort des noix de sa poche, qu'il nous montre avec fierté. Puis il me regarde droit dans les yeux et se met à rire.

— Ah, lui, je peux dire tout de suite que c'est un étranger. On ne s'y trompe pas.

— Oui, poursuit Viv, nous sommes venus de la ville pour voir le réservoir. Le niveau d'eau est-il toujours aussi bas ?

— Normalement, non. L'été a été très chaud. C'était même la sécheresse. Mais le ruisseau a recommencé à couler.

— Vous êtes ici depuis longtemps ?

— J'ai toujours vécu ici. Avant même la construction du réservoir. Mais quand j'étais jeune, j'étais soldat dans l'Ar-mée de libération du peuple. J'ai combattu sous les ordres de Lin Biao.

Lin Biao fut un des plus grands généraux de l'armée com-muniste. Ses armées défirent d'immenses formations nationa-listes dans une série de batailles en Mandchourie. La hardiesse était à l'honneur en ces heures de la révolution. Les victoires en Mandchourie, où des centaines de milliers de combattants du nord changèrent de camp pendant la bataille, contraignirent Chiang Kaï-chek à aller trouver refuge à Taiwan, et les communistes s'imposèrent ainsi dans toute la Chine.

En ralliant le nord, les communistes purent gagner à leur cause le clan mandchou, et Mao triompha : lui, cet homme du Hunan, avait convaincu toute la Chine, même la Chine du Nord, que les cieux s'étaient ouverts devant lui et qu'il apporterait à son pays un ordre nouveau et béni. Mao n'aurait jamais réussi sans Lin Biao et d'innombrables autres personnes. Quoi qu'il en soit, la Chine rouge était née.

Un concours de circonstances bizarre mena Lin Biao à une fin tragique. Son ascension avait été telle que, à la fin des années 1960, le général était devenu le successeur désigné de Mao et un des meneurs de la Révolution culturelle. Mais dans le tumulte dément de la révolution, Mao finit par se lasser de son favori et se retourna contre lui. Sentant le piège se refermer sur lui, Lin tenta de fuir la Chine pour l'Union soviétique. Son avion se serait écrasé dans les montagnes de Mongolie.

L'histoire va probablement perdre la trace de la série d'événements qui a conduit Lin Biao à la disgrâce, la fuite et la mort. Tel est déjà le destin de la Révolution culturelle : les grands responsables de cette folie sont tous morts ; et ceux qui y ont pris part, tout comme ceux qui en ont souffert, ne veulent pas s'en souvenir ou n'ont pas besoin de le faire, et eux aussi vieillissent.

Les historiens chinois font comme si la Révolution culturelle avait à peine existé. Les historiens étrangers la dépeignent surtout comme un événement sinistre, grotesque, puéril et bizarre. Personne ne peut l'expliquer vraiment. Mais ici, à la frontière mandchoue de la vieille capitale, ce vieillard se souvient avec fierté de Lin Biao et voit encore en lui le guerrier sous la bannière duquel on brûlait de combattre.

Deux vieilles dames portant des paniers de légumes s'avancent vers nous. Elles reprochent gentiment au vieillard de faire la conversation à des étrangers. Elles sont amicales avec nous mais nous parlent franchement.

— Qui êtes-vous ?

— Un touriste et son guide, répond Viv.

— Que cherchez-vous ?

— Un endroit où nous restaurer.

Après un long débat, elles s'entendent pour dire qu'il y a une maison à l'entrée du village où on sert peut-être à manger. Les dames sont à présent très disertes. Viv les interroge sur l'eau.

Elles ont l'eau courante le matin, disent-elles sans laisser entendre le moins du monde que cela est anormal. Peut-être qu'elles se rappellent encore l'époque où il fallait aller chercher l'eau au puits, si bien qu'un robinet dans la maison qui leur apporte de l'eau quelques heures par jour doit leur paraître comme un véritable luxe.

— Beijing s'approvisionne en eau ici, me dit Viv. Elle coule toute la journée à Beijing, mais tu vois combien elle est rationnée ici ? Plus loin, elle est encore plus rare. Je me rappelle avoir lu plusieurs articles où il était dit que les gens vivant aux abords de Beijing n'ont pas toujours assez d'eau pour leurs cultures.

Nous nous dirigeons vers la maison qui nous a été recommandée. Elle se trouve juste à côté de l'endroit où nous avons garé la voiture. Nous invitons le chauffeur à se joindre à nous pour le déjeuner. Après un bref échange, la dame de la maison comprend l'occasion qui s'offre à elle. Elle nous conduit à travers un bâtiment et nous débouchons dans une cour entourée de quelques maisons de briques. Notre hôtesse, dans la trentaine, est assistée d'une dame plus âgée. Son jeune fils est là aussi, tout juste de retour de l'école.

Ce sont des paysans, basanés, pragmatiques et coriaces. En ce jour ensoleillé et chaud d'automne, il fait bon dans la cour. La moitié du sol est recouvert de briques ; l'autre moitié, de terre en culture. La moisson de l'automne approche. Le maïs est doré et mûr. Les plantes gravissent un treillis, offrant de l'ombre à une bonne partie du sol. Les courges pendent des tiges vers le sol, grasses et appétissantes. On retire des tabourets d'un abri en bois qui a été adossé au mur arrière de la cour ; on les dispose autour d'une table sous les plantes grimpantes. On nous apporte de l'eau chaude à boire et on nous invite à nous asseoir.

J'examine le poêle extérieur. Sur une base en briques, un immense wok d'acier. Notre hôtesse allume le feu en dessous en jetant des feuilles de maïs séchées sur les cendres brûlantes. Quelques instants après, elle fait frire une poignée d'herbes séchées et de l'ail. La femme voit que j'épie tous ses gestes et éclate de rire devant mon intérêt, que je ne cache guère.

Notre repas se compose de crevettes pêchées dans le réservoir, cuites dans leur carapace avec du sel et des épices, de grosses fèves plates cuites avec de l'ail et des herbes, ainsi que d'une soupe épaisse faite de viande et de légumes.

Le petit garçon est timide mais intrigué ; il fait ses devoirs à côté de nous, mais il ne nous quitte pas des yeux. Il a le crâne rasé, le visage et les genoux éraflés ; c'est le genre de garçon vigoureux avec qui j'aurais fait les quatre cents coups quand j'étais petit.

Viv lui demande s'il apprend ses caractères. Il répond oui d'un grognement quand même amical. Sa mère lui dit que nous venons de très loin et qu'il devrait nous parler pour voir qui nous sommes. Elle nous dit qu'il apprend l'anglais et le presse de nous dire quelque chose dans cette langue. Le garçon obéit : « *One, two, three* », dit-il en y mettant toute sa concentration.

La conversation se poursuit entre nous avec peu de mots mais beaucoup de bonne humeur. Notre hôtesse veut savoir d'où viennent Viv et le chauffeur. Il s'avère que tous deux sont de la province du Shandong. Coïncidence heureuse qui nous fait tous rire, et nous portons un toast au Shandong. Le repas nous coûte en tout vingt dollars.

J'interroge Viv sur le chemin du retour :

— Parle-moi du Shandong.

— Eh bien, mes compatriotes, les gens du Shandong, sont partout.

— Pourquoi ?

— La province du Shandong a toujours été très peuplée. Les inondations, les sécheresses et la pauvreté ont toujours poussé les gens à partir. Mais c'est aussi la province où est née la religion chinoise, c'est là que sont nés Confucius et Mencius, et cette pensée ne nous quitte jamais.

— Je suis bien content que ce soit le prochain endroit où nous irons. Un endroit où nous pourrons méditer sur l'âme chinoise.

— Tu es croyant ?

— Disons seulement que je crois aux fantômes, fais-je en souriant.

— Les fantômes ! Et toi qui te moquais de moi parce que je suis superstitieuse ! Je te croyais plutôt du genre scientifique, rationaliste.

— Je voulais seulement savoir jusqu'où allaient tes croyances.

— Eh bien, je crois pour ma part qu'il est bon de rester vigilant devant la religion, dit Viv.

Elle ajoute tout de suite :

— Lao-tseu a dit : « C'est quand l'intelligence et le savoir sont apparus que le Grand Artifice a commencé. » Il nous mettait ainsi en garde contre tout système de croyances organisé.

— Pour moi, tout système de croyances organisé a quelque chose de beau. Et de fragile.

— Je dois avouer que, moi aussi, j'ai toujours été attirée par tout ce qui est d'ordre spirituel, dit-elle. Qui t'a fait découvrir ces choses ?

— Mon père.

— Moi aussi.

CHAPITRE 3

L'Orient d'hier

La tête reposant délicatement sur une lance,
dans l'attente de l'aube…

Biographie de Liu Kun, *Le Livre de Jin,* VIIe siècle

Nous sommes en route vers la province du Shandong à bord de la voiture louée. Notre premier objectif : Jinan, une ville industrielle sur les bords du fleuve Jaune. C'est à six heures de voiture au sud de Beijing. L'autoroute traverse un paysage mélancolique d'agriculture intensive. La région est d'un plat oppressant et strictement vouée à la production alimentaire. Les céréales, les choux, le soja et le maïs se succèdent, avec ici et là une peupleraie en guise de brise-vent. De la route, le territoire semble presque vide de toute habitation. Les planificateurs du parcours ont fait en sorte d'éviter la congestion des peuplements humains, qu'on ne peut entrevoir qu'occasionnellement à l'horizon.

Aux abords de Jinan, la proximité de l'eau se fait sentir. Le fleuve Jaune sert à irriguer la région depuis la nuit des temps. Il y a des digues et des canaux partout. C'est finalement le fleuve lui-même qui apparaît. De nombreux ponts à travée basse l'enjambent. Nous en empruntons un et, tout à coup, le panorama s'ouvre un peu. Jinan est blottie contre le fleuve. Ses nombreuses tours de béton et cheminées d'usine font tache sur l'arrière-plan de collines bleutées. Pour compléter ce portrait industriel, il y a un train qui traverse le fleuve et un autre qui chemine poussivement sur la rive au loin.

Plaque tournante importante, Jinan est le lieu où convergent l'axe principal nord-sud de Beijing vers Shanghai et le vieil axe est-ouest du fleuve Jaune. Quoique très peuplée et bourdonnante d'activité, la ville n'attire guère les touristes.

Nous faisons cette halte à Jinan l'industrielle pour y rencontrer un jeune homme qui est un adepte du mouvement néo-confucianiste. Nous l'avons découvert sur Internet ; le site web personnel de Wu Fei montre des modèles de robes que portaient les disciples du maître. Apparemment, Wu fabrique lui-même celles qu'il porte.

À l'approche de notre but, nous multiplions les appels téléphoniques pour déterminer précisément où il habite dans cette vaste cité anonyme. Wu n'est pas tout à fait à l'aise à l'idée de nous recevoir. Il nous adresse moult avertissements : il vit avec ses parents dans un appartement modeste ; il parle à peine l'anglais ; il n'est pas sûr s'il nous recevra habillé d'une de ses robes. Ses réserves ne font qu'attiser notre curiosité envers cet être peu commun.

Nous finissons par repérer son immeuble. C'est au cœur de la ville, dans un de ces nombreux bâtiments résidentiels sans caractère. Pour optimiser l'espace de vie dans ces logements exigus, les balcons sont souvent fermés avec des cloisons de verre ou de plastique, et on s'en sert comme lieu d'entreposage, salle de lavage, cuisine ou serre. Si bien que les façades de ces immeubles font penser à des piles de boîtes de verre remplies à craquer d'objets hétéroclites et de plantes.

De la rue, nous entrons dans un passage conduisant à une cour intérieure. Ici règne vraiment le chaos. Une partie de la cour sert de stationnement, mais les véhicules qui y sont éparpillés sont tous en cours de réparation. Il y a aussi l'espace réservé aux vélos, qui sont densément rangés. Il y a un coin où les enfants peuvent jouer. Quelques rangs de légumes, plus une multitude de plantes à courges qui grimpent partout. D'autres balcons délabrés et encombrés se dressent au-dessus de nous. On a aussi construit quelques cabanons de briques dans la cour. L'appartement de Wu est au rez-de-chaussée à l'arrière.

L'appartement est une cellule humide où se succèdent quelques pièces encombrées à souhait. Les deux premières servent de salon et de chambre à coucher. La pièce à l'arrière est la cuisine. Un minuscule placard de bois renferme la toilette. Quelques fenêtres s'ouvrent sur les murs ou sur les fenêtres d'immeubles avoisinants. Un logement crasseux.

L'apparence de Wu contraste avec celle de son habitat. Il a décidé de revêtir une de ses robes, et il nous reçoit vêtu d'une toge d'un blanc éclatant. Ses cheveux longs sont relevés en chignon. Il est jeune et porte une barbe des plus clairsemées. Il nous souhaite la bienvenue à la manière ancestrale : en s'inclinant, les poings enlacés à la hauteur de la poitrine.

Il nous dit que le néoconfucianisme est essentiellement un mouvement populaire. Puis il nous explique sa doctrine en pesant ses mots :

— Certains pourraient dire que lorsque notre pays a retrouvé la prospérité est apparu ce désir de reconquérir notre identité culturelle, de retourner aux racines de la nation. D'autres vous diront qu'il est né du cœur de tout Chinois qui espère découvrir d'où nous venons et qui nous sommes. Quoi qu'il en soit, des gens de tous les milieux sociaux ont afflué vers le mouvement. Par exemple, il y a beaucoup de jeunes, plus jeunes que moi, même, qui se sont mis à revêtir des vêtements traditionnels han. Il y a aussi des gens qui ont dix ou vingt ans de plus que moi et qui consacrent tout leur temps à l'étude des textes anciens. D'autres sont des praticiens de l'utopie. Mes amis et moi avons presque tous choisi la voie de l'étude. Quelle que soit la voie que chacun emprunte, tous les néoconfucianistes sont en marge du système. Nous voulons tous assumer la responsabilité que nous avons, en tant que Chinois, de transmettre notre culture à la prochaine génération. Bien sûr, ce n'est pas toujours facile, mais nous sommes optimistes.

Je lui demande :

— Comment t'y es-tu intéressé ?

— Quand j'ai commencé mes études, je m'intéressais à la pensée occidentale. À l'existentialisme en particulier. Je m'intéressais à la liberté et à l'égalité, ainsi qu'à l'idée de la participation individuelle au changement social. Mais à la même époque, à l'université, je trouvais que le climat éducatif était oppressant, et les entraves, nombreuses. J'étais malheureux. Je devais trouver une issue. Je me suis mis à lire les classiques. J'ai constaté avec surprise qu'ils ne ressemblaient en rien à ce qu'on nous en avait dit. J'ai été saisi d'admiration devant l'attitude positive de Confucius face à des malheurs atroces. J'ai trouvé ça inspirant. Et j'ai commencé à moduler mes propres émotions. Je suis devenu un optimiste.

Il admet ne pas avoir imaginé au début qu'il deviendrait un spécialiste de Confucius, mais il dit que son intérêt pour l'histoire chinoise n'a fait que s'accroître :

— Je me suis mis à imaginer à quoi ressemblaient les temps anciens, à quoi les gens ressemblaient, comment ils se conduisaient et ce en quoi ils croyaient. Puis, il y a quelques années de cela, j'ai fait la rencontre d'un grand maître par Internet. Il s'était confectionné une robe traditionnelle, comme celle que je porte aujourd'hui. Je me suis rendu compte que la vie de nos ancêtres et leur assurance n'étaient pas seulement des rêves lointains. C'étaient des comportements que je pouvais émuler. Je n'avais qu'à plonger.

— Est-ce qu'on s'est opposé à ta décision de vivre ainsi ?

— Mes parents m'ont toujours accordé la plus grande liberté, d'aussi loin que je me souvienne. Si mon désir était raisonnable, ils n'y faisaient pas obstacle. J'imagine que le fait

de porter des vêtements cérémoniels chinois et de lire les classiques leur a paru suffisamment raisonnable. Certains parents
éloignés me croient peut-être bizarre, mais il n'y a pas eu de
désapprobation marquée de leur part. Quant à mes amis, ils
m'encouragent tous, même si parfois ils s'éloignent de moi
quand je porte ce genre de vêtements dans la rue, admet-il avec
un sourire.

La chambre de Wu se trouve au milieu de l'appartement
et conduit du salon et de la chambre de ses parents à la cuisine.
Le passage est presque totalement obstrué par des boîtes. Son
lit est appuyé contre le mur, sous une fenêtre de verre opaque
dont plusieurs carreaux sont fêlés. La chambre est bourrée
de vêtements. Il y a un bureau minuscule recouvert de vieux
livres et de papiers. C'est tout juste s'il a de la place pour son
ordinateur.

Il me montre quelques publications en ligne dont il est l'auteur. Ce sont des patrons de robes cérémonielles, avec des ins-
tructions sur la manière de les confectionner à la main.

— Des toges pour honorer les ancêtres, précise-t-il.

— Tu honores tes ancêtres ?

— D'une certaine manière, oui. J'essaie de savoir qui ils
étaient et d'apprendre d'eux.

Comme nous sortons de la cour pour regagner notre voiture, prêts à quitter Jinan, je dis à la blague :

— Eh bien, manifestement, l'esprit de Confucius est bien
présent au rez-de-chaussée du bloc C, unité 7.

À l'est de Jinan, sur la côte, Qingdao, la plus grande ville du
Shandong, est connue en Occident pour sa bière. Viv y a déjà
vécu et y connaît deux personnes dont les profils sont proches
de sujets qui m'intéressent : l'entrepreneuriat de la classe
moyenne et la production destinée à l'exportation. Elle propose
même une troisième personne dont le profil touche un aspect

totalement différent mais fascinant de ce pays : un professeur de médecine qui publie un important magazine gay de la Chine.

Nous nous rendons à Qingdao en avion. Autrefois le symbole de la révolution communiste, le train de passagers cède le pas à d'autres moyens de transport. Tout comme la multiplication des voitures particulières sur les routes chinoises, la prolifération du déplacement aérien est un signe de la liberté naissante de la classe moyenne. Jusqu'à récemment, la vaste majorité des citoyens chinois n'avait pas les moyens de voyager par avion dans le pays. C'était le rare privilège des caciques du Parti communiste. Mais à l'heure où nous prenons l'avion, le soir, nous apercevons autour de nous des étudiants, des fonctionnaires, des entrepreneurs et même quelques ouvriers et paysans âgés.

Propre comme un sou neuf, l'aéroport de Qingdao est fait pour accueillir un volume de passagers imposant. Les leaders actuels de la Chine sont eux aussi des optimistes convaincus. Une croissance soutenue a tendance à produire ce genre d'effet. Quoi qu'il en soit, leur foi dans l'avenir a autorisé des investissements audacieux dans les infrastructures. Au cours des deux dernières décennies, des centaines de grands aéroports et d'autoroutes sont apparus en Chine.

Qingdao est une ville vallonnée. Nous filons sur l'autoroute surélevée et brillamment éclairée qui conduit de l'aéroport jusqu'à la côte, où la vieille ville se trouve. Viv m'explique qu'elle a grandi dans une ville à une centaine de kilomètres plus loin sur la côte, mais que c'est à Qingdao qu'elle a entrepris sa vie d'adulte.

Elle cause avec le chauffeur du taxi. Si j'en juge d'après le ton et le rythme de ses paroles, elle adopte la posture de la jeune fille respectueuse envers l'homme plus âgé et bourru, qui est manifestement sensible à ses compliments indirects et à sa curiosité apparemment naïve. Approche qui convaincrait même le pire rustre de raconter sa vie tout bonnement.

— Non, je ne possède pas ce taxi, lui explique-t-il. Certains chauffeurs ont acquis leur véhicule au cours des dernières années, mais récemment, les grands conglomérats compliquent les démarches que doivent faire les chauffeurs indépendants pour obtenir leur permis.

Nous avons décidé d'aller à l'auberge de jeunesse. Le tarif est dérisoire : sept dollars par personne. Elle se trouve dans une sorte de vieux hall, peut-être quelque ancien mess régimentaire ou club pour messieurs. Qingdao était autrefois un port colonial allemand très achalandé. Les bâtisseurs allemands ou leurs habiles imitateurs chinois ont construit le bâtiment qu'occupe l'auberge ainsi que bien d'autres immeubles du centre-ville. Tous en stuc de couleur crème, ils comptent trois ou quatre étages et sont coiffés de toits pentus en tuiles rouges dans le style de Brême. Il reste bon nombre de rues pavées à l'ancienne.

À l'auberge, la présence occidentale moderne prend une tout autre allure. Comme partout ailleurs, les paumés se sont donné rendez-vous dans le salon. Une Américaine s'égosille au téléphone public. Un hipster à barbichette surfe sur le net au bar. Nous montons un énorme escalier en bois qui mène à un long couloir sonore où nos chambres se trouvent, sous les pignons.

Ma chambre est ascétique ; les murs ont été malmenés. On n'y trouve qu'un lit en métal genre hôpital, un lavabo, une chaise et une table en bois qui ont l'air d'avoir été repeintes une dizaine de fois. La fenêtre en saillie s'avance dans le toit pentu. Je dépose mon sac, j'ouvre pour aérer, puis je descends rejoindre Viv au salon.

Elle n'est pas encore là. Un Californien âgé au bronzage pérenne, aux cheveux teints et percé de partout fait la conversation à deux jeunes Australiennes. Il a une expression légèrement exaltée et elles ont l'air d'en avoir assez entendu. Je plonge le visage dans un vieux magazine pour ne pas être sa prochaine victime. Viv arrive enfin.

— À compter de maintenant, on évite les auberges de jeunesse, lui dis-je en sortant.

— C'est ce qu'il y a de moins cher.

— Ça m'est égal. Nous irons là où vont les Chinois.

Nous descendons vers un quartier animé où nous espérons trouver de quoi nous restaurer. Nous n'avons pas à chercher bien loin, même s'il est tard. Nous entrons dans une rue pleine de bruit et de mouvement. En cette nuit douce, les gens mangent et boivent à des tables disposées en plein milieu de la rue crasseuse. Les ordures et les barillets vides s'empilent le long des trottoirs.

Dans tout ce chaos, nous choisissons le restaurant qui a l'air le moins décadent. La Grosse Sœur, c'est son nom. La propriétaire est une puissante matrone qui nous accueille avec chaleur. Elle donne quelques ordres énergiques, et une table est vite nettoyée pour nous. Nous nous asseyons et on s'occupe de nous tout de suite. La Grosse Sœur elle-même note notre commande tout en faisant des suggestions appuyées que nous avons la sagesse de retenir.

Le plat de résistance est une grande assiette de palourdes cuites à la vapeur et servies avec une sauce au vinaigre léger et au gingembre. Les palourdes sont sucrées et d'une belle fermeté.

— Mon genre de cuisine, dit Viv avec enthousiasme.

Une délégation de petits fonctionnaires apparaît, et la Grosse Sœur se remet aussitôt en campagne. Des tables sont nettoyées et jointes. Les pintes de bière arrivent tout de suite. Certains de ces messieurs ont déjà un verre dans le nez et portent un toast joyeux au groupe et à la Grosse Sœur.

— Ce sont des fonctionnaires du Parti de la province du Sichuan, me dit Viv. Je le devine à leur accent. Et à leurs manières grossières.

Ils sont bruyants mais manifestement de bonne humeur. La Grosse Sœur est fière d'être à leur service. Mais Viv n'a que dédain pour eux :

— Tu vois comment les fonctionnaires chinois traitent le denier du contribuable.

— Ce sont des profiteurs, tu crois ?

— Eh bien, il est évident qu'ils profitent d'un système corrompu. Et je peux t'assurer qu'ils se servent de leur autorité à leur avantage.

— Crois-tu que les petits fonctionnaires sont pires aujourd'hui qu'à une époque plus ancienne ? Ou pires ici qu'ailleurs ?

— Tout ce que je sais, c'est que le cadre moyen du Parti en Chine n'a aucun sens moral ni le moindre scrupule, répond-elle.

Observant ces hommes qui font la fête, se gorgeant de fruits de mer frais et de bière, j'ai du mal à juger ces petits bureaucrates avec la même sévérité que Viv. Ils sont au service de la conformité, ils obéissent aux ordres. Mais je ne peux pas voir, contrairement à Viv, combien ces mêmes fonctionnaires pourraient menacer ma précieuse liberté, comment leur zèle hypocrite pourrait régenter tout mon monde, me suffoquer de leur médiocrité suffisante.

— Après le lycée, j'ai été envoyée à l'école du Parti, m'avoue tout à coup Viv. J'y ai fait mon temps, j'ai lu Marx et Mao, et je suis passée à autre chose. J'ai refusé d'adhérer au Parti.

Nous rentrons à l'auberge. Je m'endors, bercé par les hurlements grossiers d'Australiens ivres titubant jusqu'à leurs chambres.

Le lendemain matin, nous quittons l'auberge dès le lever. Nous ne passerons qu'une journée à Qingdao, et un avion nous emmènera plus loin ce soir. Premier arrêt : la brasserie Tsingtao.

La marque de bière Tsingtao – nom qu'elle tient de l'ancienne orthographe de Qingdao – est un des rares vestiges de la présence allemande en Chine. C'est une lager allemande au goût rafraîchissant, brassée selon une vieille recette. Pendant de nombreuses années, la Tsingtao a été un des rares produits d'exportation reconnaissables de la Chine. L'entreprise s'affiche comme l'avant-garde de la nouvelle économie chinoise.

À la fin du XIXe siècle, les grandes puissances ambitionnaient de rivaliser avec le vaste empire maritime britannique. L'Allemagne unifiée était devenue une puissance terrestre formidable, mais elle avait compris que pour tenir son rang au banquet des nations il lui fallait des colonies et un réseau de commerce international. L'Allemagne a donc elle aussi forcé la porte de la Chine et s'est mise à ouvrir des comptoirs sur la pointe de la péninsule du Shandong. Qingdao est devenue un port apprécié des Allemands. Son occupation a marqué l'apogée de l'expansion coloniale allemande. Les vapeurs de Hambourg et de Königsberg faisaient leur dernière escale aux quais de Qingdao avant d'entreprendre le long voyage de retour vers la mère patrie. Les navires pouvaient y faire le plein de charbon, d'eau et de grain. On pouvait aussi y radouber la coque d'acier des navires. Les missionnaires luthériens et leurs familles y débarquaient. Les entrepreneurs locaux chargeaient les navires de textiles bon marché, de produits carnés ou de bière, marchandises qui seraient écoulées dans les métropoles lointaines.

À Qingdao, la brasserie est la seule activité commerciale qui subsiste de cette époque. Avec ses toits très pentus et sa cour pavée, la vieille brasserie Tsingtao est un emblème de ce temps révolu où régnaient la brique, le fer, le chêne et le charbon.

Quand le Japon s'est retrouvé maître de la province du Shandong après le traité de Versailles, en 1919, il a exploité la région de la même manière que les Allemands. Son excellent port, ses terres fertiles et sa base démographique appréciable faisaient de la région une plaque tournante industrielle naturelle pour l'expansion de l'Empire du Soleil levant. La brasserie a alors connu un vif essor, exportant sa bière le long de la côte chinoise et dans les provinces intérieures voisines.

Qu'on soit en temps de paix ou de guerre, la bière ne passe

jamais de mode. La Tsingtao est restée en production pendant toute la Seconde Guerre mondiale, fournissant aux armées sur les divers fronts de l'Asie la bière qu'elles convoitaient. La production n'a pas fléchi avec la révolution communiste. Les communistes ne pouvaient se permettre de fermer une industrie aussi essentielle. Malgré les pénuries, la forte baisse des exportations et les diverses réorganisations radicales de l'économie, la brasserie Tsingtao n'a jamais cessé de produire sa bonne lager. La bière, tout comme le charbon, était une nécessité industrielle.

Deng Xiaoping a replacé la société chinoise sur le chemin de la création de richesse à la fin des années 1970. Il a délaissé l'obsession impossible de Mao pour l'autarcie et repris le flambeau du commerce international. La brasserie était de nouveau prête à faire de belles affaires. Les mêmes facteurs qui lui avaient permis de survivre toutes ces années – une bonne eau, un bon sol, un bon port et une bonne recette – allaient lui permettre de faire un produit d'exportation concurrentiel. Dans les années 1980, la bière Tsingtao comptait peut-être parmi les premiers produits de l'industrie chinoise à reconquérir les marchés occidentaux. Bon marché, dotée d'un goût désaltérant et franc, c'était la boisson qui accompagnait naturellement les rouleaux impériaux, la soupe aigre-piquante, le porc aigre-doux et le poulet du général Tao.

À Qingdao, l'électronique, le matériel informatique et les textiles ont maintenant dépassé les exportations de bière, de thé, de pousses de bambou et de champignons en conserve, de rasoirs jetables et ainsi de suite. La ville est devenue une autre plaque tournante chinoise qui alimente le marché mondialisé en produits manufacturés.

Viv a organisé une rencontre avec un homme qui travaille pour une grande société d'exportation. Son entreprise se spécialise dans les outils de bricolage, un des créneaux qui ont explosé au cours des dernières décennies.

— Il faut que tu saches qu'il a déjà été mon petit ami, me dit Viv. Nous sortions ensemble quand nous étions à l'université à Beijing.

— Qu'est-ce qu'il étudiait ?

— Le génie.

— Quel domaine du génie ?

— Tu devras le lui demander toi-même. Mais je crois que c'était une sorte de génie mécanique.

— Vous êtes en bons termes, j'imagine ?

— Oui, évidemment. Il a une nouvelle copine maintenant, et je l'ai rencontrée.

Nous rejoignons Gan sur une place publique devant une sorte de *Rathaus* typiquement allemande, avec une grande tour à horloge. Gan est un jeune homme poli, aimable, portant des lunettes. À la manière chinoise, son aménité vibre d'une forte intensité intérieure. Nous nous dirigeons vers un restaurant tout proche pour le déjeuner. Nous parlons peu en chemin. À un moment donné, il dit même à Viv avec un sourire que je peux lui poser toutes les questions que je veux.

— Je crois savoir que tu es dans l'import-export.

— Juste l'export. Je dirige le service des ventes et de l'expédition.

— C'est une société d'État ?

— Elle a plusieurs propriétaires, dont les divers paliers de gouvernement.

Après d'autres échanges sur la structure de l'entreprise, je crois comprendre que l'employeur de Gan est le prototype de l'entité commerciale chinoise. C'est une entreprise d'État formée d'éléments des gouvernements local et central, avec une participation privée mal définie mais en expansion.

Gan a étudié le génie mécanique à l'université Tsinghua. Son doctorat portait sur les senseurs de vélocité de haute précision. Mais il a fini par se lasser et n'a pas achevé sa thèse.

— Le département accordait trop d'attention à la rétro-ingénierie, m'explique-t-il. Ça ne m'intéressait pas. À vrai dire, il n'y a pas beaucoup de place pour la véritable recherche scientifique en Chine.

— Pourquoi ?

— Pour des raisons politiques, dit Gan. Comment peut-on faire des recherches scientifiques dignes de ce nom quand les dirigeants de l'université sont d'abord et avant tout des politiciens et non des scientifiques ? Même les professeurs sont classés selon l'influence politique qu'ils exercent et non selon la qualité de leurs travaux. Les étudiants sont appréciés suivant l'avantage ou le prestige que les professeurs pourront retirer personnellement de leur travail. J'ai vu des professeurs qui vendaient les projets de recherche de leurs étudiants comme s'ils en étaient eux-mêmes les auteurs. Ça m'a dégoûté.

Viv intervient pour dire que Gan est peut-être un peu trop sévère.

— Ça me semble excessif. L'université Tsinghua a encore la réputation d'être la meilleure université technique de la Chine. On l'appelle le MIT chinois. Alors j'ai du mal à croire que ces pratiques sont monnaie courante à Tsinghua.

Gan lui répond calmement que les journaux sont pleins de récits faisant état de cas de fraude intellectuelle chez les étudiants et les professeurs. Vivien lui donne raison sur ce point.

Je lui demande :

— Donc, tu as abandonné tes études pour te lancer dans la vente ? Je n'aurais jamais cru que la vente puisse attirer un scientifique.

— C'est peu de chose, vraiment, dit-il. Mon entreprise conclut d'énormes contrats de fabrication avec des détaillants occidentaux. Je ne vends presque jamais. Ils nous commandent toute une série de produits que nous acquérons auprès des manufacturiers chinois. Je ne fais que discuter des détails des commandes avec les clients : quels produits et en quelles quantités. C'est un emploi facile et prévisible.

Il précise qu'il n'a même pas à négocier les prix. Ceux-ci sont établis en fonction des quantités. En règle générale, c'est seulement après que la vente a été conclue qu'on appose les marques des clients étrangers sur les divers outils. Souvent, la même usine produit des objets quasiment identiques qui sont vendus sous des marques de commerce différentes.

Je lui demande s'il aime son travail.

— Ça va. C'est routinier mais stable. Pas de surprises.

— La recherche ne te manque pas ?

— Un peu, mais comme j'ai dit, la Chine est encore très éloignée de la vraie recherche scientifique. Les valeurs vont devoir changer avant que de vrais progrès scientifiques se fassent ici.

— Es-tu optimiste ?

— Pas vraiment.

— Que doit-il se passer ?

Gan marque un temps d'arrêt, puis il dit avec un éclair dans les yeux :

— La guerre est toujours un bon tonique pour l'innovation. Peut-être que la Chine en a besoin d'une pour remettre les choses en perspective.

— C'est une idée audacieuse. Les guerres ont tendance à faire des dégâts.

— En tout cas, quelque chose doit changer du tout au tout, parce que cela ne se fait pas naturellement. La politique pèse trop lourd ici. Elle exerce une influence irrationnelle sur les choses. Il faut que cela cesse si la Chine veut devenir un pays sérieux sur le plan scientifique et technique.

Nous raccompagnons Gan à son bureau, qui se trouve dans un immeuble au bord de l'eau. Il nous offre du thé et me montre des catalogues des gammes de produits qu'il vend. C'est un vaste choix d'outils et de matériel à des prix défiant toute concurrence. Je ne peux pas imaginer un pays dans le monde capable de battre ces prix-là. Gan n'a même pas à faire de la vente, il n'a qu'à noter les commandes.

Son bureau dépouillé a vue sur l'océan gris. Courbé au-dessus de ses épais catalogues, Gan semble perplexe, peut-être à l'idée de sa propre destinée. Ses manières aimables ne dissimulent pas complètement son irritation profonde et latente. Il s'est assurément donné beaucoup de mal pour atteindre l'apogée dans son domaine de recherche. Il a certainement fait pour cela de nombreux sacrifices. Peut-être caressait-il des idées formidables sur la capacité qu'avait la Chine de se montrer plus ingénieuse et performante que le reste du monde ?

Une fois parvenu au sommet, Gan a jugé que son pays était indigne de sa peine. Il s'est buté à une avidité et à des rivalités mesquines qui avançaient masquées par le dogme idéologique. Aujourd'hui, il se contente de faire son travail, rouage minuscule de l'économie mondiale.

La Chine fabrique des choses. Gan nous les expédie. Nous les accumulons. Et pendant ce temps, il rêve de guerre.

Notre prochain rendez-vous est avec le docteur Zhang Beichuan, professeur de médecine et de santé publique et rédacteur en chef d'un grand magazine gay. Son bureau est situé sur le campus de l'université de Qingdao. Le repérer ne s'avère pas chose facile : son adresse ne correspond à aucun des immeubles que nous voyons de la rue. Les gardes que nous interrogeons devant plusieurs immeubles disent n'avoir aucune idée de l'endroit où se trouve le bureau du Dr Zhang. Un vieux gardien finit par nous indiquer le bon chemin. Entre deux édifices d'inspiration résolument germanique se trouvent deux rangées de bicoques en briques. Le bureau du docteur est dans une cahute à l'arrière. La ruelle qui y conduit est un mini-hutong encombré de vélos, de cuvettes d'eau et de cordes à linge. Nous voyons sur notre chemin une dame âgée à l'aspect rébarbatif qui fait cuire quelque chose sur un four de briques. Viv et moi échangeons des regards perplexes. Tu parles d'un coin pour un bureau d'universitaire…

Le bon docteur doit être dans la soixantaine. Il est mince, courbé, il a les cheveux blancs et hirsutes et porte des verres épais. Il est vêtu d'une chemise blanche boutonnée et d'un pantalon usé en polyester. Zhang nous accueille avec une chaleur tout en retenue.

Nous avons à peine assez d'espace dans le bureau pour nous asseoir. C'est une longue pièce remplie de plusieurs tables et de meubles de rangement, tous recouverts d'immenses piles de papiers et de livres. C'est dans ce fouillis que le docteur publie son mensuel sur la vie homosexuelle en Chine. L'assistante du médecin, une petite femme ronde, sort pour nous faire de la place.

— Pardonnez-moi de vous parler un peu de moi d'abord, me dit le docteur par l'entremise de Vivien. Je suis docteur en médecine et professeur à l'université d'ici. Ma spécialisation est la néphrologie. Mais au fil du temps, je me suis éloigné du traitement médical pour me pencher davantage sur les questions de santé publique.

Je lui demande si la santé publique constitue la principale vocation de son magazine.

— Le contenu du magazine est très divers, mais il est au service de la santé publique. Nous, travailleurs dans ce domaine, disons souvent que la maladie fleurit dans l'obscurité. Nous tâchons donc de faire la lumière sur certaines choses pour déstigmatiser tout ce qui favorise la propagation de la maladie. Ce fut assurément le cas du VIH et du sida en Chine pendant de nombreuses années. En fait, c'est cela qui est à l'origine du magazine. Nous voulions éduquer les gens et les professionnels de la santé à propos d'un phénomène qui était occulté alors qu'il se répandait de plus en plus.

Le docteur nous explique ensuite comment le magazine a commencé à traiter de questions liées à l'homosexualité.

— La stigmatisation de l'homosexualité présentait des points communs avec celle qui touchait le VIH et le sida. Nous jugions inquiétant de voir que l'homosexualité faisait également l'objet d'un déni institutionnel et individuel. Cela facilitait la propagation du VIH et avait aussi des conséquences importantes sur la santé publique. D'un point de vue médical, le déni cause la souffrance.

— Le magazine est donc un moyen d'éclairer un problème et de combattre le déni ?

— C'est cela.

Je lui demande :

— Comment l'homosexualité est-elle perçue en Chine ?

— Il existe des modèles traditionnels en Chine pour comprendre l'homosexualité. C'est une pratique qui a été tolérée à diverses époques. À l'heure actuelle, l'homosexualité n'est pas considérée comme une sorte de déviance pathologique, comme cela se voit souvent dans la culture occidentale. Ce qui l'emporte chez nous, c'est l'idée confucéenne du devoir filial, ce qui veut dire qu'il faut se marier et avoir des enfants. C'est un autre facteur qui encourage le déni.

— Vous dites donc que le déni est intrinsèquement malsain ?

— Oui. Tout ce qui cause la souffrance humaine est malsain, sur le plan physique aussi bien que psychologique.

— Qui sont vos lecteurs ?

— Le magazine circule dans toute la Chine grâce à nos abonnés, qui sont de simples particuliers, des institutions et des ONG. Nous tirons à quatre ou cinq mille exemplaires par mois. Mais nous encourageons aussi nos lecteurs à en faire des copies.

— Vous publiez également en ligne ?

— Non, répond le médecin avec un sourire humble, comme s'il ne savait pas ce que c'est que la Toile.

L'état du bureau indique que la revue éprouve des difficultés financières. Une publication sur Internet susciterait aussi inévitablement des obstacles politiques. Et peut-être que la lecture de la revue elle-même se prête davantage à un cadre intime qu'à Internet, surveillé de près.

Le Dr Zhang me tend un exemplaire du numéro le plus récent. « Magazine », c'est beaucoup dire quand on voit la chose : c'est plus un bulletin ou une brochure. Une demi-douzaine d'articles courts imprimés sur du papier blanc. Je ne comprends aucun des titres, mais les images sont explicites : une série d'illustrations schématiques décrivant diverses positions sexuelles. Les dessins sont cliniques, informatifs. Viv me signale un article sur le sexe oral. Un autre porte sur la prévention des infections sexuellement transmissibles.

Je remercie chaleureusement le docteur d'avoir accepté de nous recevoir. Il m'intrigue, ce médecin à tête d'intello dans le cagibi obscur qui lui sert de bureau.

— Nous, les Occidentaux, sommes tellement prudes, dis-je à Viv à notre sortie. Nous avons le don de compliquer les choses.

— J'étais *sûre* que tu le trouverais intéressant.

— Il a probablement raison : accepter la réalité permet de vivre en meilleure santé. Tu sais quoi d'autre me fascine chez lui ? Je ne pouvais même pas dire s'il était lui-même gay. J'aurais cru que c'était important.

— Oui, avant de le rencontrer pour la première fois, je me suis posé la question moi aussi.

Prochain rendez-vous : Wei Fang, un homme d'affaires que Vivien connaît. Nous nous dirigeons vers le bord de l'eau.

Je demande à Viv :

— Il est de la classe moyenne ?

— En Chine, on ne sait pas toujours très bien où se situe au juste la classe moyenne. Je ne suis pas sûre moi-même du caractère universel de telles catégorisations. Mais Wei possède une entreprise de services informatiques et de réseaux. Il a plusieurs employés. Il a une voiture, il a de l'argent.

— Eh bien, on dirait un homme d'affaires comme tant d'autres. Tu connais ses opinions politiques ? Pour ou contre le Parti ?

— Les hommes d'affaires sont tous les mêmes ici : ils s'en fichent. Tant qu'ils peuvent gagner de l'argent, ils travaillent avec quiconque est aux commandes.

Wei vient nous chercher sur la digue dans la baie. C'est un homme de haute taille, bien mis, dans la trentaine. Il porte la tenue propre de golfeur que les entrepreneurs du monde entier affectionnent. Sa voiture est de construction récente, la copie chinoise d'une berline coréenne. Il respire la confiance en soi et la libéralité. Franc et direct, il me parle avec un grand sourire. Il parle un peu l'anglais mais malheureusement pas assez pour soutenir une conversation à bâtons rompus.

— J'espère toujours apprendre un peu plus d'anglais, dit-il en portant un regard pensif sur la circulation, mais quand ?

La voiture se dirige vers le nord.

— Je vous emmène dans le plus beau quartier de Qingdao et le plus connu, dit-il.

Avec ses collines plaisantes, sa grande baie protégée et son climat maritime doux, Qingdao fut autrefois un lieu de villégiature fréquenté par les étrangers et plus tard par l'élite chinoise. On y a bâti des villas de style italien, cernées de jardins luxuriants et de bosquets proprets. Ces domaines anciens sont éparpillés sur la côte à partir du port. Après la fuite des propriétaires de ce quartier, les communistes s'en sont emparés. Ils ont gardé pour leur usage ces demeures de luxe ou les ont converties en hôtelleries pour y attirer les visiteurs de l'étranger. Nombre de ces manoirs se sont récemment retrouvés entre des mains privées.

La plus connue de ces grandes demeures sur le bord de l'eau

est le palais en pierre qui appartenait jadis à un aristocrate russe. Chiang Kaï-chek l'a occupée plus tard. Les grands jardins ont depuis été convertis en un parc public. Nous délaissons la voiture pour nous promener à pied dans les jardins néorococo qui mènent à la mer.

Même si c'est lundi après-midi, le parc est bondé. Des couples et des familles se promènent partout. Des marchands ont installé leurs étals le long des sentiers ombragés qui descendent vers la mer. Sur la plage, j'aperçois avec stupéfaction des dizaines de groupes venus pour un mariage sur la côte accidentée et rocailleuse. Dans le soleil de l'après-midi, la côte échancrée est très belle à voir : les affleurements rocheux rougeâtres contrastent joliment avec le sable blanc de la plage et la mer turquoise. Les collines boisées sont parsemées de villas de style romain couleur crème. Des photographes s'empressent autour des couples de jeunes mariés identiques, longues robes blanches et smokings blancs. C'est une scène de bonheur où percent les cris et les rires quand les jeunes époux aident les épouses en robe longue et chaussures à talons hauts à escalader les rochers pour prendre les poses voulues.

— Le Festival de la mi-automne commence bientôt, dit Wei. C'est un moment très romantique de l'année.

Viv s'arrête pour contempler des bijoux à l'étal d'un marchand. Généreux, Wei lui offre un pendentif.

Dans notre promenade le long de la côte, je compte plus de trente couples venus se marier, et le roulement est constant, de nouveaux couples arrivant pour remplacer ceux qui partent. Presque tous les éléments de la scène sont empruntés à l'Occident : le paysage romantique, européanisé, les longues robes blanches et les habits des hommes. Tout de même, tout ce joyeux conformisme a pour moi quelque chose de très chinois. Les nouveaux couples qui arrivent font tous les mêmes photos de noces, tous sont habillés de la même manière. Si l'idée est bonne, il faut l'adopter.

D'après une interprétation répandue de la pensée de Confucius, pour être heureux et respectés, nous devons tous nous conduire dans le respect de l'harmonie. Nous devons tous porter le même vêtement pour marquer notre adhésion aux idéaux communs. Nous devons tous prêter les mêmes serments. C'est la conséquence logique d'une pression démographique formidable. Vivre dans le voisinage immédiat d'un milliard de personnes, cela exige un sens aigu de l'harmonie collective. Il y a des siècles déjà, les grandes populations du fleuve Jaune étaient en friction constante. La vie doit être plus facile quand on se fait une idée très précise du rang qu'on occupe et de la coutume qu'on doit observer.

Nous poursuivons notre promenade. Wei me dit que son entreprise informatique obtient des contrats pour installer et maintenir des réseaux d'ordinateurs dans des bureaux. Il achète le matériel informatique à des grossistes ou aux fabricants eux-mêmes. L'essentiel de l'équipement est fabriqué en Chine, mais pour les éléments les plus pointus du réseautage – les serveurs et les commutateurs –, il achète parfois à l'étranger.

Il a à son service quelques employés à temps plein et confie la plupart des tâches à des sous-traitants. Il m'explique que son entreprise obtient à peu près un nouveau contrat par semaine. Mais la majeure partie du travail provient de gros clients existants qui prennent de l'expansion, déménagent ou se modernisent.

Wei me trace un portrait de la fiscalité chinoise qui me paraît plutôt arrangeant. En principe, son entreprise doit payer un impôt sur ses profits, mais en réalité, c'est davantage une somme forfaitaire minime, et le protocole de déclaration est sommaire. Il ajoute que bon nombre de ses clients sont des entités étatiques.

Je lui demande :

— Comment recrutes-tu tes clients ?

— Par l'entremise de mes relations.

— Est-ce que tu fais de la publicité ? Ou est-ce que tu proposes directement tes services à des entreprises ?

Wei sourit.

— Non. Ça ne se fait pas ici. J'obtiens des contrats de gens qui me connaissent. Ici, on n'obtient pas de commandes sans relations.

— Tu veux dire que tu n'auras pas de commandes même si tes prix sont les plus bas ou même si tes services sont d'une qualité supérieure ?

Wei sourit de nouveau, puis il secoue la tête.

— Donc, tu dois payer pour obtenir des contrats ?

— Évidemment. Quiconque aide à te fournir du travail dans son entreprise s'attend à obtenir quelque chose en retour.

Pour ce qui est de se faire payer, Wei explique que tous ses prix sont négociés, souvent après que le travail a été fait. Il avoue qu'il a souvent du mal à être rétribué. Même quand un prix a été déterminé au préalable, souvent les clients n'acquittent qu'une partie de la facture. Quand je lui demande s'il s'adresse parfois à la justice pour se faire payer, il me répond sur un ton neutre :

— Je n'ai jamais fait ça. Non, vraiment, je n'arrive même pas à l'imaginer. En plus, les clients gouvernementaux sont les plus mauvais payeurs. Je n'ai toujours pas été payé pour le travail que j'ai fait l'an dernier pour certains d'entre eux. Mais je ne peux quand même pas les menacer de les traîner devant les tribunaux.

— Alors comment te fais-tu payer ?

— Je recours à la persuasion.

Je lui dis avec sincérité :

— Ça m'a l'air difficile de faire des affaires ici.

— Oui, je travaille fort. Mais j'aime mon travail, répond-il joyeusement.

On dirait que Wei ne trouve pas cette manière de faire des affaires aussi alarmante ou difficile que moi. Peut-être que ces pratiques font partie, pour lui, de la règle du jeu. Et peut-être pour nous montrer qu'il est adroit à ce jeu et qu'il a réussi, il insiste pour nous inviter à dîner de bonne heure avant notre vol de ce soir.

Nous roulons sur la côte. Je suis étonné qu'au lieu de voir la ville disparaître au fur et à mesure que nous nous éloignons du port et du quartier historique, une toute nouvelle agglomération surgit devant nos yeux. Ce quartier commercial récent a peu à voir avec la ville ancienne. De magnifiques gratte-ciel flambant neufs s'alignent le long de boulevards spacieux. Nous nous arrêtons devant un restaurant au pied d'une tour d'appartements.

— C'est une chaîne de restaurants, mais on y mange bien, m'assure Viv.

Comme c'est souvent le cas dans les restaurants chinois, la maison étale sur des tables près de l'entrée une vaste gamme d'ingrédients ou de plats cuisinés recouverts de pellicule de plastique. Pour commander, les clients n'ont qu'à désigner le plat qu'ils désirent. Au bout de quelques minutes, des versions fraîchement préparées arrivent de la cuisine. Affable comme toujours, Wei tient à ce que je l'aide à commander. Entre autres choses, nous demandons du tofu avec des œufs de poisson, de l'aubergine à l'ail à l'étuvée et des intestins de mer, un animal marin très apprécié à Qingdao, avec des poivrons.

À table, je ne peux que remarquer la profusion de mots gentils que Wei décoche en direction de Viv. Elle ne dit presque rien et rougit la plupart du temps. Pendant que je mâchouille allègrement mon intestin de mer, délicieux mais coriace, ce qui se passe est évident : Wei fait la cour à Vivien. La timidité naturelle de Viv se change en raideur malaisée. Heureusement pour elle, notre avion nous attend, et nous aurons bientôt une bonne raison de nous en aller.

Nous nous séparons amicalement mais non sans gêne, après quoi Viv et moi montons dans le taxi. Elle pousse un grand soupir.

— Il est gentil, Wei, dit-elle, mais ce n'est pas mon genre, et il refuse de s'avouer vaincu. Je crois que je ne le reverrai plus.

— Eh bien, Viv ! Le Shandong est décidément la patrie des anciens amants et des amoureux éconduits.

— Il commençait franchement à m'énerver. Il dressait la liste de toutes ses qualités ! Tu trouves ça charmant, toi ?

— Viv, peut-être que tu devrais t'établir et faire un beau mariage avec un homme d'affaires rangé ?

— Arrête !

— Confucius ne dit-il pas qu'il faut se marier ? Mener une vie heureuse, faite de dévouement ?

— Ça suffit ! dit-elle fermement en tournant la tête vers la fenêtre, pour ajouter ensuite : Je ne me vois pas vivre ici. Chaque fois que je reviens, ça me fait toujours un peu plus bizarre. Cette fois, ça faisait encore plus étrange parce que je travaille avec toi et que nous sommes descendus dans un hôtel. C'est comme si je n'étais plus vraiment connectée à ce lieu. C'est déjà loin derrière moi.

CHAPITRE 4

Le village

Il élevait des animaux pour les sacrifices et c'est pourquoi on l'appela P'ao-hi, Victimes de cuisine.

SIMA QIAN, *Mémoires historiques,*
Ier siècle av. J.-C.

D e loin, on voit déjà les fermes crasseuses et les rizières de la Chine. De la fenêtre d'une voiture ou d'un train qui roule à toute vitesse, on aperçoit de temps à autre un homme ou une femme dans la boue jusqu'aux genoux, un outil à la main. On ne peut qu'imaginer à quoi ressemble la vie dans ces villages miséreux du cœur agricole de la Chine où les pratiques d'antan sont encore en usage.

On rencontre des paysans partout dans les villes et les bourgs. Dans certains coins, la vaste majorité des braves gens qu'on croise sont nés à la campagne : ce sont des gens qui ont tout quitté pour trouver du travail ailleurs. Ils sont avalés par la vie urbaine et ne pensent plus guère aux paysages de leur enfance.

Viv me prévient d'entrée de jeu que la vie dans les villages n'est pas de tout repos. Elle doute que je sois « à la hauteur ». Elle ajoute avec une grimace qu'ils n'ont pas l'eau courante en ces lieux, qu'ils mangent de drôles de trucs et que les maisons ne sont pas propres.

J'éclate de rire. Rien de tout cela ne me dérange.

Puis elle avoue qu'il n'y a pas que l'absence de confort qui la gêne dans notre projet.

— Les villageois ne nous accueillerons pas à bras ouverts. Les autorités locales vont nous ordonner de déguerpir. Ces gens vont penser que nous n'avons rien à faire là.

— Et si on simulait une panne ? Nous nous trouvons tout à coup coincés dans un village pendant qu'on répare notre véhicule.

Viv la trouve bien bonne.

— Les villageois vont s'organiser pour nous sortir de là plutôt que de nous offrir l'hospitalité.

Il n'y a pourtant pas de quoi rire. Vivien me décrit des villageois se méfiant instinctivement des étrangers et se demandant si notre arrivée dans leur hameau ne présage pas quelque malheur pour eux.

Cependant, en toute justice envers eux, est-ce qu'il n'est pas logique qu'on se demande pourquoi quelqu'un voudrait aller dans un lieu tout ce qu'il y a de plus ordinaire ? Qu'est-ce qu'il peut bien y avoir d'intéressant à séjourner dans un coin sale et miséreux ? Qui n'est même pas le lieu de naissance d'un être d'exception ? Où rien d'important n'est jamais arrivé ? Quel intérêt peut-il bien y avoir à aller dans un tel endroit ?

Viv et moi ne pouvons pas tout bonnement leur dire qu'en résidant quelque temps dans leur village, nous espérons en apprendre davantage sur la misère de la classe paysanne en Chine. Nous risquerions de les blesser dans leur amour-propre ou de passer pour malhonnêtes ou complètement timbrés.

— Pensons-y encore un peu, dis-je à Viv. C'est grand, la campagne chinoise. On finira bien par trouver un moyen d'y aller.

Curieusement, c'est dans une ville immense, Chongqing,

qu'une porte s'ouvre pour nous. Les Chinois disent que c'est la plus grande municipalité de Chine. Mais Chongqing, c'est plus une province qu'une ville. Elle a été taillée à même le Sichuan et on lui a accordé un statut particulier au milieu des années 1990. Son territoire englobe un immense espace agricole et de nombreux bourgs et villages qui sont très distincts de Chongqing comme telle, mais les trente millions d'habitants de cette région sont considérés comme des résidents de la ville de Chongqing et sont autorisés à se déplacer librement dans tout le territoire.

Chongqing est située profondément à l'intérieur de la Chine. Au cours de la Seconde Guerre mondiale, le gouvernement du Kuomintang de Chiang Kaï-chek s'y est réfugié pour échapper à l'occupation japonaise sur la côte. Les Japonais ayant étendu leur emprise jusqu'en Birmanie, l'aviation américaine ravitaillait la ville à partir de l'Inde en survolant l'Himalaya.

Chongqing est la porte fluviale de l'ouest mythique et énigmatique de la Chine. Un lieu unique et très représentatif tout à la fois. Unique parce que c'est une région immense et autonome sur le plan politique. Représentatif parce qu'il incarne la mégalopole chinoise : l'ancien et le neuf s'y côtoient. Chongqing a pris une ampleur incroyable, aspirant les ressources de la campagne dans des proportions qui défient l'entendement. De par son urbanisation fulgurante, c'est un bon exemple de la croissance débridée ; c'est aussi un endroit où tous les espoirs côtoient toujours un peu de désespoir.

Nous arrivons à Chongqing tard le soir ; l'aéroport est brillamment éclairé, neuf et peu achalandé. Le taxi, propre et neuf aussi, file en silence sur la belle autoroute menant à la ville. Des panneaux bien illuminés défilent le long du chemin. Les vitres du taxi sont baissées ; une brise fraîche et humide envahit le véhicule. On croit déceler des parfums de jungle dans l'air.

Dans la nuit noire et épaisse, le centre-ville où nous logerons fait penser à une forteresse perchée sur une falaise escarpée dominant des rivières majestueuses. On y accède par tout un réseau de ponts, d'autoroutes surélevées et de tunnels qui permettent d'enjamber le fleuve et d'atteindre la redoute au sommet de la montagne.

Le quartier de notre petit hôtel a l'air fermé pour la nuit. Des avenues arborées serpentent entre les denses rangées de gratte-ciel. Mais il n'y a pas ombre de vie humaine. Un Gotham City chinois, légèrement sinistre. Des volets de métal gardent des boutiques.

Notre chauffeur de taxi ne sait pas très bien où nous allons. Il nous dépose devant un immeuble qui a l'air sombre et fermé. Viv lui dit d'attendre. Nous frappons aux portes de verre de ce que nous croyons être notre hôtel – devant nous, un hall vaste, sombre et poussiéreux – puis nous retournons à la voiture en riant nerveusement.

Lorsque nous finissons par trouver notre hôtel, nous fonçons dans nos chambres. Je m'imprègne du mystère qu'impose le silence troublant du paysage urbain à ma fenêtre. À l'affût du moindre bruit, je me rappelle tout à coup que je me trouve en Chine, non pas à Beyrouth ou à Bagdad, et que ce silence n'annonce nulle violence.

Au matin, l'anxiété n'est plus. Chongqing présente maintenant un visage tout à fait différent. Il fait chaud, c'est bruyant, ça fourmille d'activité. La ville me fait penser à ce à quoi Pittsburgh a dû ressembler à l'époque de sa splendeur. Une agglomération étendue, vallonnée, surplombant d'imposants cours d'eau : le puissant Yangzi et le très respectable Jialing. Sauf que les proportions à Chongqing sont titanesques. Les grappes de gratte-ciel se multiplient sur les collines, une véritable jungle urbaine, mais à l'aspect encore très végétal grâce aux touffes de broussailles et aux bosquets de bambou qui poussent là où c'est trop escarpé pour construire. Un chaos enchanteur.

Il y a deux moyens de se déplacer à Chongqing : en voiture,

en s'engageant dans des rues tortueuses et encombrées par la circulation, ou à pied, en empruntant un écheveau d'escaliers en pierre qui relient le haut de la ville, sur les collines, au bas de la ville, au bord de l'eau. Il arrive qu'on découvre des pans de l'ancien Chongqing qui ne sont accessibles qu'à pied, trop inhospitaliers et agités pour qu'on puisse y faire respecter l'ordre. Les quelques quartiers de ce genre qui subsistent, autrefois les temples du jeu et du vice, du feu et de la magie, sont manifestement condamnés aujourd'hui.

Les gardiens traditionnels de ces quartiers étaient les porteurs. Chongqing faisait autrefois appel à la force humaine pour transporter les marchandises entre le Yangzi en bas et la ville en haut. Il y a encore des hommes qui font ce métier. C'est une caste ancienne appelée à disparaître : le porteur est un prolétaire, un travailleur migrant prototypique, issu de la classe paysanne la plus robuste qui soit et équipé d'une corde et d'une perche de bambou.

Transportant deux fardeaux sur leurs épaules, un à chaque bout de la perche, ces hommes n'appartiennent pas seulement au passé, ils sont également vieux pour un travail aussi pénible. La plupart semblent avoir la cinquantaine ou davantage. Une race mourante. Trop vieux pour être embauchés dans les usines, ce sont des hommes déracinés, qui ont perdu leur terre ou qui n'ont pas su tirer leur gagne-pain du sol ou s'intégrer dans l'économie nouvelle. Je ne peux qu'imaginer où ils vivent.

Pourtant, silencieux et consciencieux, les porteurs semblent tirer fierté de leur travail de bêtes de somme. Le Chongqing de jadis a peut-être complètement disparu, mais aussi longtemps que les porteurs rapporteront des marchandises du fleuve glauque, l'ordre ancien s'accrochera encore à la vie.

Notre voyage nous conduit vers un type plus récent de travailleur migrant. Grâce à un collègue, Viv a pris contact avec un avocat de Chongqing qui défend des travailleurs migrants accidentés. Cet avocat est aujourd'hui établi à Shenzhen, une ville manufacturière du sud, mais son frère gère son bureau pour lui à Chongqing et a accepté de nous mettre en rapport avec des travailleurs migrants.

Nous faisons la connaissance de Li Gang dans un couloir lugubre au dix-septième étage d'une tour de bureaux qui est encore en construction. Il arrache du plâtre avec un marteau. Nous descendons quelques escaliers à sa suite et, l'espace d'un moment, je ne sais plus très bien ce que nous faisons là. C'est comme si je me trouvais tout à coup dans une zone de guerre, et j'ai un mauvais pressentiment à l'idée de suivre quelqu'un que je ne connais pas vers un lieu inconnu, dans un escalier sombre. Quelques instants suffisent pour que je reprenne contenance et me rappelle que je suis en Chine et non dans quelque contrée dangereuse.

Li Gang nous mène vers un salon en désordre où nous pourrons causer plus à notre aise. La lumière extérieure inonde la pièce, et je le vois mieux. Il est petit et mince, avec des traits longs et osseux. Il porte une moustache fine et une barbichette. Il a perdu le bras droit.

Il nous raconte qu'il a eu le bras broyé par une presse industrielle défectueuse à Guangzhou, il y a quelques années de ça. Li Gang est né dans une famille paysanne très pauvre, dans un village à environ soixante kilomètres en amont de Chongqing sur le Yangzi. L'école primaire où il est allé était à une bonne heure de marche de chez lui. L'école secondaire était à au moins quatre heures de marche de là. Pour y étudier, il lui aurait fallu trouver une pension près de l'école, et ses parents n'en avaient pas les moyens.

Contraint par la nécessité, Li Gang s'est exilé en 1994, à l'âge de quatorze ans. Il s'est d'abord rendu sur la côte sud de la Chine, où le premier boom du libre marché a pris vie. Il s'est vite rendu compte qu'aucune usine n'embaucherait un adolescent comme lui. À force de traîner autour des chantiers de construction, il a fini par trouver le seul genre de travail qu'un adolescent non qualifié pouvait trouver : porteur. Travail dur, inhumain, qui l'a tout juste nourri pendant deux ans.

À seize ans, il est parvenu à trouver un travail chez un fabricant de téléviseurs où il était assigné à une presse de plastique géante qui moulait des boîtiers pour les postes de télévision. Il gagnait quatre cents yuans par mois – moins de deux dollars par jour – et travaillait sept jours par semaine. Les machines de l'usine étaient désuètes. Li Gang nous dit que, dès le départ, il a eu un peu peur de celle qu'il avait à actionner. La presse de plastique était une énorme bête de métal : vieille, méchante et bruyante. Après que le plastique avait été chauffé et pressé selon la forme voulue, Li mettait le bras dans la gueule du monstre et en retirait le boîtier.

Pendant des mois, il s'est plaint que le verrou de sûreté des mâchoires de la presse ne fonctionnait pas bien. Ses supérieurs se sont contentés de le réprimander parce qu'il se plaignait trop souvent. Puis, un jour, l'accident est arrivé. Alors qu'il mettait le bras dans la gueule de la bête, ses mâchoires gigantesques se sont refermées. Son bras était pris. Du coude à la main, son bras était réduit en bouillie.

Vivien se tortille sur son siège.

— Qu'est-ce que tu as ressenti ? lui demande-t-elle, nerveuse.

Li Gang ne bronche pas. Il a dû raconter cette histoire des milliers de fois.

— Rien, dit-il. Je n'ai rien senti. En fait, il n'y a que les petites douleurs qui font mal. Quand on a un accident épouvantable comme le mien, on ne ressent rien. C'est ça qui fait le plus peur. On aurait dit que mon bras déchiqueté ne m'appartenait même pas.

Au début, le manufacturier lui a offert l'équivalent en yuans de trois mille dollars en guise d'indemnité. Il a pensé qu'il n'avait d'autre choix que d'accepter. Mais plus tard, il a entendu parler d'un avocat spécialisé dans les accidents du travail ; on lui a dit que cet avocat pourrait lui obtenir une indemnité plus équitable. Il a communiqué avec lui, et l'avocat a accepté de le défendre. Après un long procès où de nombreux témoins ont été entendus, l'avocat a réussi à prouver que l'entreprise avait été coupable de négligence, qu'elle n'avait pas assuré le bon fonctionnement de la machine et que c'était cela qui avait causé l'accident de Li. Le tribunal a ordonné à l'entreprise de verser à Li l'équivalent de vingt-deux mille dollars, mais l'entreprise ne lui a jamais payé la totalité de la somme.

Li a fini par rentrer dans son village. Avec son indemnité, il a acheté de quoi monter une petite épicerie dans sa maison. Mais il a vite vu que le petit magasin et la culture de la parcelle de terre minuscule de sa mère ne produiraient pas un revenu suffisant, alors il est revenu à Chongqing pour trouver de l'embauche sur les chantiers de construction, laissant le magasin à sa mère et à sa femme. Il est devenu habile à manier des outils en s'aidant de son moignon.

Li Gang est peut-être un travailleur migrant pauvre comme Job, mais on sent dans tout son être une énergie étrangement paisible. Il a une certaine assurance, et il émane de lui un mélange de calme et de sagesse. Je brûle d'en savoir davantage sur ses origines. Nous parlons un peu plus de son village et de la vie là-bas.

Li a deux enfants. Il m'explique que les paysans étaient partiellement exemptés de la politique de l'enfant unique que la Chine a récemment abolie : certains étaient autorisés à avoir un second enfant. Son premier enfant, un fils, vit avec les parents de sa femme dans un village à cinquante kilomètres au nord de Chongqing. Il raconte que ses beaux-parents ne l'ont jamais aimé et qu'ils ont tout bonnement ôté l'enfant à leur fille. Comme Li devait gagner sa vie en ville et qu'il était absent de son foyer pendant plusieurs semaines d'affilée, il n'a pas pu leur faire obstacle. Il voit son fils peut-être une fois l'an.

Le cas de Li et de son fils, où les beaux-parents kidnappent ni plus ni moins le premier-né, n'a rien d'unique en Chine. Abstraction faite de la dynamique propre à la famille de Li, les enfants sont précieux, mais jusqu'à récemment, il était interdit d'en avoir plusieurs. On les cache donc en recourant à toutes sortes de ruses.

Et dans tout cela, le mode de vie confucéen garde tous ses droits. Pour les Chinois, seuls les enfants donnent accès à l'immortalité. Nous ne sommes immortels que si nous nous prolongeons par les enfants de nos enfants, croyance qu'il est difficile de réfuter.

La pierre angulaire de la morale confucéenne est le devoir filial et le respect que les enfants doivent à leurs parents. Il ne suffit pas d'avoir des enfants ; ceux-ci doivent contribuer tangiblement au bien commun, à commencer par leur famille. C'est cela qui fait que la famille a un nom, un coin à elle et peut-être un patrimoine.

Au fil des siècles, Confucius a souvent été taxé d'élitisme ou, pire, d'ami de la tyrannie et de l'oppression. Mais les enseignements du sage ont encore une forte résonance en Chine, et il faut les comprendre si on veut comprendre la société chinoise.

Dans l'idéal confucéen, l'individu est le bâtisseur de la nation. Mais toute nation se construit à partir de la famille. On construit en faisant des sacrifices pour sa propre famille et en acceptant des responsabilités toujours plus grandes, en faisant des sacrifices encore plus durs en vue de buts plus élevés. On n'est pas jugé selon ce qu'on a fait pour soi-même, mais selon ce qu'on a fait pour sa famille, sa ville et son pays. Qu'est-ce en effet que la richesse, ou la réussite, sans un lignage béni par-delà les siècles et les siècles ?

Au fond, le confucianisme se résume à une responsabilité mémorielle. Les parents enseignent à leurs enfants à assumer un jour la responsabilité qu'ils auront de leurs parents et des autres. Ils leur indiquent comment devenir de bons parents et de bons citoyens, comment accepter leur sort, obéir et respecter autrui. À un niveau plus profond, les parents enseignent à leurs enfants et à leurs petits-enfants à se souvenir, et ils leur apprennent que l'individu n'est rien seul mais que tout homme, toute femme, père, mère, fils et fille est un pilier d'un pont. On assume le poids lourd du passé et on transmet quelque chose de grand de génération en génération.

Li Gang, avec sa blessure, sa vie de famille et son village, constitue une fenêtre sur la Chine profonde. Voyant que je suis curieux, Li nous offre de nous conduire à son village. Viv et moi comprenons tout de suite que c'est l'occasion que nous attendions.

Li propose qu'on loue un 4 x 4 pour faire l'aller-retour en un jour. Trop cher et pas intéressant, à mon avis. Je demande à Viv de voir si on peut dormir au village et prendre les transports collectifs pour faire le trajet.

Li se sent obligé de mettre les points sur les *i* : nous sommes les bienvenus chez lui, mais son village et sa famille sont très pauvres. On ne peut pas s'attendre à y trouver les commodités de la ville. Une fois de plus, Viv me met en garde contre la nature de la vie à la campagne, mais je lui fais un grand sourire et c'est Li qui lui coupe la parole : « Lui, dit-il en me montrant du doigt, il m'a l'air d'un gars qui cherche la misère et qui aime ça. »

Avec l'aide de l'avocat, Li prend des arrangements pour obtenir deux jours de congé. Un taxi nous emmène dans un faubourg de Chongqing. De là, nous devons trouver un autocar qui nous conduira dans la campagne profonde. À la gare routière, Li se met en quête de l'autocar qu'il nous faut. Il revient nous dire qu'il y en a un qui part tout de suite, mais ce n'est pas un véhicule neuf et, encore une fois, il se demande si nous pourrons endurer le rude voyage qui nous attend. Cette fois, Viv et moi éclatons tous les deux de rire en allant vers le guichet prendre nos billets. Li hoche la tête amicalement, l'air de dire : « Je sais, je sais, vivre à la campagne, ce n'est rien pour vous, mais ne m'en voulez pas : je vous aurai prévenus. »

C'est un autocar qui a du vécu. L'intérieur a été dépouillé au minimum et on y a entassé le plus grand nombre possible de sièges en métal. Nous le trouvons déjà à moitié plein d'un assortiment pittoresque de paysans : ceux qui sont vieux et édentés s'amusent à ma vue ; les jeunes en santé sont trop concentrés pour nous faire l'aumône d'un regard. Je prends un siège à l'arrière et suis enchanté de découvrir que, même si je suis loin d'être de haute taille, l'espace entre le dossier de mon siège et celui qui est en face de moi n'est pas assez grand pour que j'y glisse mes cuisses. Je devrai donc m'asseoir en diagonale, les genoux pointés vers le siège à côté du mien.

Tout de suite après avoir quitté la gare routière, l'autocar s'arrête pour prendre à son bord une dame avec de grands paniers de provisions. Peu après, la police nous fait signe d'arrêter. Une scène bizarre s'ensuit. Un policier monte à bord, équipé d'une caméra. Énumérant les infractions qu'il constate, il filme le chauffeur et la nouvelle passagère. Puis il note leurs renseignements personnels et cite l'infraction : être montée à bord de l'autocar à un arrêt improvisé.

Viv me dit que ça arrive souvent en Chine. En montant hors de la gare, la dame pourrait voyager sans billet, pour moins cher. Si le chauffeur accepte de prendre cette passagère sans billet, l'exploitant n'a pas à verser à l'État sa part gourmande du prix du billet. Li ajoute que l'autocar appartient en fait à un cousin mais que celui-ci va bientôt le vendre.

Les coûts d'exploitation ont augmenté dans l'industrie, et les interventions de la police font en sorte qu'il est plus difficile pour les exploitants de se faire payer au noir. Il y a une entreprise dans le coin qui est en train d'acheter tous les permis d'exploitation. Cela signifie qu'il y aura de nouveaux autocars mais des prix de transport plus élevés, conclut Li, philosophe.

— Tu peux être sûr que quelqu'un a versé un pot-de-vin à un fonctionnaire pour monopoliser le circuit, dit Viv. Grâce à des pièges comme celui-là, la police aide à évincer les indépendants du marché.

Pendant que nous attendons que le policier en ait fini avec son procès-verbal, une minifourgonnette nous dépasse en faisant un raffut de tous les diables. C'est un de ces véhicules qui servent de crieurs publics à l'ancienne mode, avec d'énormes haut-parleurs multidirectionnels montés sur le toit.

Je me demande à voix haute :

— On est en campagne électorale ?

— Non, dit Viv en pouffant de rire. On annonce un spectacle de strip-tease quelque part en banlieue.

L'autocar quitte la ville et progresse de plus en plus profondément dans la campagne. Au bout d'une heure environ, nous descendons à un carrefour dans le secteur neuf d'un petit bourg. Même si c'est un trou perdu, on ne se sent pas vraiment à la campagne. C'est fort bâti. La rue n'a pas encore été asphaltée comme il faut, mais il se dresse déjà plus d'une demi-douzaine d'immeubles de trois ou quatre étages, récemment construits en béton, la plupart inhabités.

Li m'explique : « Des logements pour les personnes déplacées par l'inondation du Yangzi à cause du grand barrage qu'on y construit. »

À l'approche du centre du village, Li dissimule son avant-bras amputé en mettant son moignon dans la poche de sa veste. Il nous conduit au meilleur restaurant du coin. Viv et moi haussons les sourcils quand nous constatons que les seuls autres clients sont le commissaire de police et quelques fonctionnaires municipaux.

— Assure-toi que l'étranger passe s'enregistrer le plus tôt possible, aboie l'un d'eux en quittant le restaurant.

— Il ne fait que passer, lui répond Li poliment.

Il n'a même pas fini sa phrase que le fonctionnaire est déjà sorti.

Li nous emmène prendre un autre autocar qui nous rapprochera de son village natal. Un autre véhicule déglingué où s'entassent des gens du coin s'arrête pour nous prendre. Il s'engage dans la campagne vallonnée, sur une vieille route de terre.

Viv me dit : « Tu vois comme le pays est aride. Je l'ai même entendu aux nouvelles : la région traverse la pire sécheresse de mémoire d'homme. »

Dans le soleil de l'après-midi, les couleurs du paysage sinistré ont quelque chose d'enchanteur. La terre nue et desséchée est d'un joli brun chocolat. Les champs sont profondément crevassés. Les plants de maïs et de riz restent debout, dorés et luisants. Ici et là, un bosquet de bambous ajoute une touche verte au panorama.

La route est cahoteuse et accidentée. Nous longeons des fermes à n'en plus finir. Leurs murs de briques rouges et leurs toits gris sombre ajoutent d'autres nuances au portrait. Viv me signale quelqu'un qui marche à côté de son vélo avec deux paniers accrochés de chaque côté. Dans chaque panier, un cochon. « Des paniers à cochons ! s'exclame-t-elle. Je n'en avais jamais vu avant aujourd'hui. On nous disait que, dans l'ancien temps, on y mettait les femmes adultères pour les jeter ensuite dans un étang. Pas sympa ! »

Nous parvenons enfin à un autre village. Nous ne sommes pas arrivés à destination, me dit-on, mais nous en approchons. Nous allons du côté de la rue où se trouvent des commerces. Un paysan âgé me regarde tout surpris et lance joyeusement : « *Aïeee ! Yang da ren.* »

Viv ne peut s'empêcher de rire. « Je n'ai jamais entendu salutation aussi vieillotte : Votre Altesse l'Étranger ! »

Viv et moi devons attendre dans un magasin où on vend de la nourriture pour les porcs. Nous nous assoyons sur de gros sacs qui en contiennent. Li va voir à ce qu'on nous conduise à son village. Il revient avec trois hommes montés sur des vélomoteurs.

— Excusez l'attente, dit-il, mais je voulais trouver de bons conducteurs. Ils demandent plus cher que les autres mais ils sont moins susceptibles de se casser la figure sur le sentier.

Le sentier est en effet un peu traître. Il serpente sur le terrain vallonné en longeant des ravins. Avec ses plaques de pierres exposées, il est parfois très cahoteux. Nous nous accrochons aux sièges pendant que les vélomoteurs bondissent sur le chemin accidenté. Finalement, au bout de six ou sept kilomètres, nous nous arrêtons devant une dizaine de cabanes de briques et de pierre : le village de Li.

Li vit dans un taudis. C'est une vieille maison en pierre d'une seule pièce, au toit de chaume. C'est, dirait-on, la hutte la plus pauvre du village, et c'est très encombré. Le lit de la famille occupe le tiers arrière de la pièce. D'un côté, un divan en bois sert de salon. À l'avant de la hutte, à côté de la seule fenêtre – sans vitre –, se trouve l'épicerie minuscule de Li. Il y vend des nouilles séchées, quelques aliments en conserve, des piles et un choix limité de bonbons. La femme de Li est très jeune et a un joli minois. Dans la pièce sombre et exiguë, elle s'occupe en silence de leur fille d'un an.

Les habitants du village ne sont pas sympathiques, c'est le moins qu'on puisse dire ; ils ne se donnent pas la peine de venir nous saluer. Ils nous étudient à distance, fugacement, sans broncher, puis ils retournent vaquer à leurs affaires.

Quelques minutes après notre arrivée, je remarque qu'il y a deux parties de mah-jong en cours à côté. Ces villageois jouent avec sérieux, prestement et énergiquement. Ils échangent à peine quelques mots en jouant. Chacun joue dès que son tour arrive. Les tuiles de mah-jong claquent sur la table. On dirait que le but consiste à les poser en produisant un bruit clair et sec.

Ils ont bien raison de jouer au mah-jong : quoi faire d'autre au village quand il n'y a rien à semer ou à récolter ? Amusé par cette oisiveté forcée, je demande à Viv en souriant :

— Qu'est-ce que tu en penses ?

— En fait, ce n'est pas très différent du village de mes grands-parents. J'y ai passé plusieurs mois quand j'étais petite. Bien sûr, le paysage n'est pas le même. On ne cultive pas les mêmes choses. Ils construisent différemment, aussi. Mais c'est un village très similaire.

Tout à coup, droit devant nous, au milieu du village, une altercation éclate entre un paysan d'âge mûr et un homme un peu plus jeune à la mine patibulaire qui tient un vélo. Ils se hurlent des invectives sans arrêt, les syllabes s'enfilent sans fin. C'est comme deux mitraillettes qui tirent l'une vers l'autre, et je n'y comprends rien. Parfois, leurs insultes partent comme des pétards ; parfois, elles coulent comme des cataractes ; parfois, ils attendent leur tour pour se crier après. Mais le plus souvent, ils s'abreuvent simultanément d'injures à tue-tête. Chose étonnante, leur échange corsé dure plus d'une demi-heure. Je suis sidéré. Je n'ai jamais vu ça, deux personnes qui s'insultent aussi copieusement pendant aussi longtemps.

Le paysan porte un pyjama loqueteux coupé court et va chaussé de sandales. Il traîne une houe de trois mètres. Il est petit et sec. L'autre homme est de carrure plus forte et affiche un air coriace avec sa chemise et son pantalon noirs. Mais on ne dirait pas du tout qu'ils vont se taper dessus. Le paysan finit par s'en aller vers les rizières desséchées mais sans mettre fin à sa harangue. L'autre homme poursuit son chemin droit devant. Pendant encore dix minutes, ils s'insultent de fort loin. Ce qui est le plus curieux, c'est que j'ai l'air d'être le seul au village à les observer.

Épuisée par le rude voyage, Viv somnole sur le divan de Li. Dès que je la vois remuer, je la réveille pour qu'elle puisse m'expliquer ce qui se passe. Elle a du mal à comprendre leur dialecte, mais elle sait qu'ils répètent sans cesse « cent trente-cinq yuans ». Ainsi, ils se disputent pour une vingtaine de dollars.

Peut-être qu'ils veulent seulement faire étalage de leur discorde. Et alors, que ça leur plaise ou non, tout le monde au village connaîtra les motifs de leur dispute. C'est peut-être ainsi que va commencer la longue marche de la justice où les gens seront tenus responsables de leurs méfaits et sanctionnés subtilement. Ou, plus probablement, ils sont de sale humeur comme tout le monde à cause de la sécheresse, qui a mis fin à la saison plus tôt et ponctionne leurs revenus déjà maigres.

Li nous emmène aux champs. Il nous montre la rizière desséchée de sa mère. Le sol est vraiment aride.

Je lui demande :

— Où prenez-vous votre eau potable ?

— Les autorités du comté nous la font livrer par camion.

Au-delà des rizières, le plateau recule tout à coup et une vaste gorge s'ouvre à l'horizon. Nous y descendons, et Li nous montre un petit temple bâti dans la falaise.

— Le sanctuaire du village, nous explique-t-il.

Un homme travaille dans le sanctuaire ; il sculpte des statuettes d'argile.

— Certaines figurines anciennes étaient abîmées. C'est pourquoi le village a engagé cet artiste pour en tailler de nouvelles, nous dit Li.

Le sanctuaire n'est pas voué à une religion en particulier. On y honore des ancêtres lointains. Il y a des éléments de bouddhisme mêlés aux légendes locales, avec un peu de taoïsme pour faire bonne mesure, histoire d'obtenir un brin de protection et de bienveillance de l'au-delà en ces temps difficiles.

À notre retour au village, je constate qu'il n'y a presque pas de jeunes gens. Le lieu est habité par des enfants en bas âge, des nourrissons, des personnes d'âge mûr et des vieillards. Exception faite de Li Gang et de sa femme, je n'y vois pas âme qui vive ayant plus de cinq ans ou moins de quarante.

Vers la fin de l'après-midi, un des groupes démographiques manquants fait enfin son apparition. Ce sont les écoliers qui ont parcouru à pied les sept kilomètres les séparant de l'école primaire et qui sont accueillis avec joie par leurs grands-parents.

J'apprends que les adolescents sont en pension dans le bourg le plus proche ou qu'ils parcourent le vaste monde, à faire de petits boulots comme Li jadis. Les parents des enfants, qui sont dans la vingtaine ou la trentaine, sont surtout dans les villes, où ils travaillent en usine. Les enfants sont souvent élevés par les grands-parents.

Alors qu'approche l'heure magique où les ombres s'allongent et où, pendant quelques précieuses minutes, les rayons du soleil sont presque parallèles à la terre, je décide d'aller faire un tour hors du village. Pour avoir un bon aperçu de la campagne environnante, je gravis une colline toute proche. Du sommet, je peux voir à des kilomètres à la ronde.

Partout dans les collines, du plus loin que je peux voir, il y a des fermes et des champs. Je compte une douzaine de grappes de maisons comme le village de Li. Il n'y a qu'une centaine de mètres entre chacune. Pas un centimètre de ce vaste pays n'est laissé à lui-même. La moindre parcelle de sol est exploitée. Les contours de chaque ferme sont terrassés et mis en culture. Chaque exploitation n'est qu'une parcelle minuscule de quelques centaines de mètres carrés.

J'écoute les bruits ambiants : les chiens qui aboient, les poules qui caquètent, les enfants qui pleurent, le martèlement des outils, les coups de brosse. Les bruits, distincts, font vibrer la terre d'activité. J'entrevois avec angoisse le peuplement dense de cette campagne et j'en conclus que j'ai devant moi l'espace agricole le plus fortement peuplé que j'aie jamais vu, et que ce territoire est pleinement habité depuis plusieurs millénaires.

J'imagine alors cette campagne s'étendant sur des dizaines

de kilomètres dans toutes les directions, tout cet espace étant intégralement recouvert de fermes et de villages. J'élargis mon horizon pour y inclure aussi les quelques petits bourgs que nous avons traversés en venant ici, chacun comptant des dizaines de milliers de personnes, chacun cerné d'une campagne très habitée. Puis j'entrevois une ville comme Chongqing : un regroupement de gens qui vivent entassés les uns sur les autres, par millions. Je songe au territoire que j'ai survolé pour aller de Qingdao à Chongqing, les mille et quelques kilomètres de terrain, le cœur de la Chine, où se succèdent, l'une après l'autre, des campagnes comme celle-ci : village après village, regroupés autour de grandes et de petites villes et de cités gigantesques. Je souris en me rendant compte qu'après tant d'années j'ai enfin une bonne idée de ce que cela veut dire, un milliard d'habitants.

À mon retour au village, je constate à quel point ma promenade a pu déranger les gens du lieu, une autre preuve de leur humeur massacrante. En plein jour, ma présence les gêne un peu, mais si je m'éloigne pour me promener seul dans la campagne, absent mais tout de même là, ça doit vraiment leur taper sur les nerfs.

Dans ce paysage densément peuplé où les gens cohabitent dans un équilibre précaire, tout compte, jusqu'aux vingt dollars que le boucher doit encore au paysan s'il veut obtenir le prix du fourrage de maïs de cette année pour la récolte de l'an dernier qui a été livrée mais qui n'a pas encore été payée. Les nouvelles variables qui pourraient compromettre cet équilibre sont considérées avec appréhension. Le manque persistant de pluie cette année est une source constante de souci. Cette pénurie pourrait tout faire basculer. Mais ce Blanc isolé pourrait aussi perturber l'équilibre. Il pourrait attirer l'attention gênante des autorités ou déranger quelque chose sur son passage.

Cela ne revient pas à dire que cette campagne est vaccinée contre le changement. Il y a le téléphone dans la hutte de Li. Au retour de ma promenade, il me demande si j'ai un ordinateur portable. Quand je lui réponds que je ne l'ai pas emporté, il me dit qu'on aurait pu le connecter à Internet au moyen de sa ligne téléphonique. Je note aussi que mon téléphone capte un signal.

C'est un village perdu, vraiment, mais qui est connecté au reste de la Chine par toute une série de raccords, avec ou sans fil. C'est la patrie de gens qui vivent à des milliers de kilomètres de là, qui séjournent dans des dortoirs et peinent dans des usines ou qui campent dans des masures improvisées à proximité d'immenses chantiers de construction. À sa manière, le village est un élément actif de l'ensemble. On ne saurait en faire abstraction ou le négliger. Il a son importance. Il a pour vocation de fournir des aliments ou du travail du mieux qu'il peut, un enfant à la fois. En contrepartie, la Chine doit combler de ses bienfaits ce village et ses habitants.

La croissance démographique de la Chine ne s'est pas faite sans heurts, il n'y a pas eu ici de courbe fine où la population aurait augmenté graduellement au fil des siècles. Il n'est jamais facile de mesurer historiquement la progression démographique, mais les archives révèlent que la population chinoise a été très stable pendant de longues périodes. Les vivants y remplaçaient simplement les morts. Par temps de maladie, de bouleversements et de famine, la population baissait et les morts se faisaient souvent plus nombreux que les nouveau-nés. Et parfois, les vivants redevenaient légion, et l'expansion démographique soudaine était telle que la population croissait par bonds de géant.

Mais sur une telle échelle, la croissance peut aussi masquer des phénomènes désastreux. Des villages entiers peuvent être oblitérés par la famine ou la guerre pendant qu'ailleurs les enfants du pays se multiplient. Nombreuses sont les familles qui peuvent vivre dans une misère permanente mais survivre quand même assez longtemps pour procréer à profusion, à l'instar de celles qui les ont précédées. D'immenses gains démographiques peuvent être réalisés alors que cinq enfants sur dix périssent de violence, de faim ou de maladie.

Sous les derniers Qing, il y a un peu plus d'un siècle de cela, le gros de la campagne chinoise était sous la coupe de grands propriétaires fonciers qui contraignaient les masses paysannes pauvres à travailler la terre. Le revenu annuel de ces petits agriculteurs se résumait à tout juste un sac de riz et au loyer d'une hutte. Les paysans propriétaires étaient eux aussi pauvres comme la gale, et les maigres excédents qu'ils pouvaient engranger servaient souvent à ne payer que l'impôt. Ceux qui étaient dans le dénuement total hantaient les grands chemins, et l'insécurité était généralisée. Les naissances étaient nombreuses, mais les décès tout aussi fréquents.

Fils d'un paysan fortuné et né dans un pays de violence et de misère, Mao Zedong était très à l'écoute de la Chine rurale. Contrairement aux fils privilégiés nés en ville, il était viscéralement conscient de la rage et de l'endurance de la paysannerie. Il se fit l'ardent avocat d'une révolution agraire lors des premières assemblées du Parti communiste chinois, mais il fut réprimandé ou laissé pour compte par l'élite du mouvement, dont les vues épousaient la doctrine marxiste de la révolution ouvrière selon laquelle il fallait au préalable harnacher les ressources de la nation et s'emparer de la production industrielle. Les intellectuels communistes urbains voyaient dans la fraternité des travailleurs d'usine éclairés des fondations beaucoup plus solides pour la société future que la paysannerie déshéritée.

Mais Mao était têtu. Même s'il fut marginalisé au sein du Parti tout au long des années 1920, il ne renonça jamais à son idée d'une révolution paysanne. Il demeurait convaincu que seule la misère paysanne, née d'une souffrance immense, portait en elle la force voulue pour en finir avec la pauvreté et l'exploitation en Chine et permettre à une nation nouvelle de fleurir. Il avait compris d'instinct que la révolution devait commencer dans les campagnes.

De 1928 à 1933, époque difficile et sombre pour le Parti communiste chinois, Mao forma une petite bande de partisans et se mit à parcourir les collines de la région frontalière du sud du Jiangxi, de l'est du Hunan et de l'ouest du Fujian. Dans ces régions reculées de la Chine, il en vint à parfaire sa compréhension de la société rurale et fit l'expérience de la violence paysanne.

Partout où il alla, il trouva sans mal des mécontents : tous ces gens qui survivaient à peine et n'attendaient rien des puissances gouvernantes, qui les traitaient non pas comme des humains mais comme une marchandise consommable et échangeable. Il y avait donc moyen de recruter parmi eux des hommes et des femmes. On pouvait aisément les ameuter, surtout s'il s'agissait de s'attaquer aux causes les plus visibles de l'injustice : le marchand local avare, le magistrat corrompu ou les propriétaires vénaux. Mao promit aux mécontents une Chine nouvelle et un monde nouveau ; il les encouragea à se montrer hardis et décidés, à mettre leur force au service de la justice – une nouvelle armée du peuple – et à purger leur pays de ses fléaux.

Il joua habilement du chaos et de l'ordre. S'adressant aux populations des campagnes, il s'employa à canaliser leur colère et à déclencher des vagues de violence contre ce qui avait l'apparence de l'ordre. Au même moment, il tenta de galvaniser et d'unifier en une seule force harmonieuse la culpabilité du peuple et la volonté de survivre et de prospérer. Après s'être rendus coupables d'atrocités, les paysans pouvaient difficilement revenir en arrière : ils étaient entièrement acquis à la révolution.

Élaborant ce principe de village en village, commune après commune, Mao se retrouva avec une arme puissante entre les mains. Même si personne ne savait quelle société émergerait de la destruction, on en vint à voir que Mao et ses paysans pouvaient détruire tout ce qui se mettait en travers de leur chemin et, un jour peut-être, vaincre le Kuomintang et s'imposer dans toute la Chine.

La violence paysanne présentait des avantages mais aussi des inconvénients. Elle était sourde et débridée. Les paysans n'étaient pas des soldats aguerris. Leur comportement était imprévisible. Et quand on les arrachait à leurs fermes déjà miséreuses pour les envoyer au combat, où ils périssaient en grand nombre, il en résultait souvent de nouvelles pénuries et des souffrances accrues. La violence pouvait également être provoquée par des rivalités factionnelles et occasionner des contre-coups ravageurs. Dans les régions sauvages, les camps opposés au sein du Parti communiste qui étaient à la tête des populaces paysannes se livraient souvent à des purges atroces et à des campagnes fratricides.

Mao fut le témoin attentif de tout cela. Il en vint à conclure que la discorde entre paysans n'était que le miroir de celle qui déchirait la Chine elle-même. Une fois unifiée, la nation serait affranchie de ses contradictions et trouverait l'équilibre voulu.

Mao croyait profondément en la terre. Il était convaincu qu'une fois la Chine purgée de ces fléaux qu'étaient la cupidité et la décadence, elle parviendrait à nourrir sa population. Si les forces de la production alimentaire étaient rationalisées et débarrassées de leurs éléments parasitaires, le peuple vivrait mieux, la nourriture serait abondante et on pourrait mettre en œuvre des modes de production plus avancés.

La vision de Mao n'avait rien de très nouveau : on croyait depuis longtemps qu'une société vertueuse, libérée de tout vice, apporterait l'abondance à tous. Mais Mao était un conquérant aussi bien qu'un philosophe et, comme Alexandre, Gengis Khan et Napoléon, il croyait dur comme fer dans les bienfaits de la violence cataclysmique. Un ordre nouveau, pensait-il, ne saurait naître que de la bataille, à la faveur de grandes destructions et de bouleversements profonds. Mais les audacieux seraient récompensés.

Dans toute conquête, il est naturel et logique d'adhérer à l'idée d'une croissance démographique ambitieuse. Un mouvement trouve son expression ultime de réussite dans un monde nouveau regorgeant d'enfants en santé, des enfants qui grandiront pour devenir les serviteurs robustes et dévoués d'un nouvel ordre harmonieux. Mao encouragea donc vivement la procréation, et la population chinoise connut une croissance fulgurante dans les premières années de la révolution.

Lors du Grand Bond en avant, qui commença à la fin des années 1950, Mao conclut que la force paysanne seule ne suffirait pas à protéger la Chine de ses ennemis. Il décida alors que la Chine devait être en mesure de combler tous ses besoins par ses propres moyens. Il promulgua ainsi un train de réformes qui visaient principalement les campagnes. Mao rêvait de voir la campagne devenir le nouveau cœur de l'industrie chinoise, une source généralisée et inépuisable de produits essentiels. Les paysans reçurent ainsi l'ordre de bâtir des fonderies.

Le Grand Bond en avant était né de l'urgence qu'il y avait à rattraper les réalisations de l'Occident et de l'Union soviétique à l'ère nucléaire. Mais le Grand Bond trouvait aussi son origine dans l'idéal de Mao selon lequel le communisme ne pouvait faire autrement que d'apporter de grandes améliorations et innovations matérielles. Ce n'était qu'une question de vertu. Et il s'agissait simplement d'enseigner cela aux gens.

Mao, cependant, s'était éloigné de son peuple. Ses idées étaient de plus en plus abstraites et philosophiques. Si on les mettait en œuvre, elles ne faisaient que causer des absurdités dévastatrices. Le plus souvent, elles n'étaient pas complètement mises en application. Des sociétés entières les portaient aux nues et feignaient d'y croire, mais ces idées n'avaient rien de concret et ne pouvaient pas l'être.

Les slogans se multiplièrent, et les villages partout au pays furent mobilisés dans une campagne nationale pour l'instauration rapide de l'autarcie. On leur imposa des quotas de production impossibles à atteindre. Non seulement la population rurale se révéla incapable de produire en quantité et en qualité les biens qui auraient fait de la Chine une puissance industrielle moderne mais, ayant été éloignés de leurs fermes, les paysans qui nourrissaient la Chine se mirent également à subir eux-mêmes des pénuries alimentaires massives. Le Grand Bond en avant fut la cause de grandes famines.

À ce jour, le Parti empêche qu'on sache exactement combien de Chinois sont morts à cause de ces famines. Mais la population continua de croître sous le président Mao. Même dans l'erreur et la calamité, il réalisa son rêve du royaume milliardaire en humains.

Toutefois, la réussite en Chine ne s'est jamais résumée au seul objectif démographique ou à une simple question d'arithmétique. Il subsistait une interrogation plus subtile et plus grandiose à laquelle Mao et son parti devaient trouver réponse.

Il est dit que les empereurs de la Chine gouvernaient le pays en vertu d'un mandat céleste. Voilà pourquoi leur autorité était sacro-sainte. Mais ce mandat voulait également dire que, grâce à l'empereur, le peuple devait être le premier bénéficiaire des bénédictions du Ciel. L'empereur était au-dessus de tout reproche, mais seulement tant et aussi longtemps que son règne était bénéfique. Bien sûr, personne ne pouvait affirmer seul que le règne de l'empereur était mauvais ; seule la Chine, collectivement, était en mesure de conclure qu'elle ne profitait pas de la bonté des cieux sous le règne de tel ou tel empereur. Le cas échéant, cela pouvait seulement signifier que la dynastie avait perdu son mandat céleste et l'empereur sa légitimité. C'est ainsi que nombre de dynasties prirent fin en Chine.

Dans les quelques décennies qui suivirent la révolution de 1949, le Parti communiste disposa généralement de l'appui des populations parce qu'on lui prêtait le mandat céleste en vertu duquel ce peuple qui avait souffert longtemps jouirait enfin des bénédictions divines. Pour la première fois depuis des siècles, le grand territoire chinois était gouverné uniquement par des Chinois. Et, pour la première fois depuis longtemps, la Chine était unie et offrait un espoir nouveau à la classe la plus pauvre du pays : ces paysans sans terre, qui se comptaient par centaines de millions. Le Parti était également capable d'une violence telle que personne n'osait s'y opposer.

Mais lorsque Mao mourut, au milieu des années 1970, on ne comptait plus les tentatives qui s'étaient soldées par des revers désastreux. Le Parti ne pouvait plus prendre appui sur le peuple comme avant. Même s'ils étaient plus nombreux que jamais, les gens étaient fatigués, malheureux et craintifs. Ils commençaient à penser que le Parti allait perdre son mandat céleste.

Cependant, la dynastie conservait ses protecteurs discrets. Mao ayant sombré progressivement dans la sénilité, son bras droit, le sage et vénérable Zhou Enlai, permit à un mouvement réformiste de survivre malgré une opposition féroce au sein du Parti. Certains disent même que Zhou était au fond un réformiste. Mais lui-même était épuisé. Il ne joua pas un rôle prépondérant dans l'avènement du changement mais il usa de son autorité pour protéger ceux qui allaient le rendre possible. L'un d'entre eux avait pour nom Deng Xiaoping, un petit homme intelligent qui avait compté parmi les premiers adhérents du Parti.

À la mort de Mao, une coterie d'extrémistes appelée la Bande des Quatre (qui comptait en son sein la veuve monstrueuse du président Mao, l'ancienne actrice Jiang Qing) chercha à s'emparer du pouvoir. Mais dans une succession rapide et inattendue d'événements, la Bande des Quatre fut écartée sommairement par des dirigeants militaires effacés qui faisaient encore partie de la vieille garde et Deng Xiaoping fut tiré des oubliettes et propulsé à l'avant-plan. N'ayant plus Mao pour chef, Deng allait imposer sa vision pragmatique à la Chine. Il devint la deuxième figure dominante du Parti communiste après Mao Zedong, le deuxième empereur de la dynastie communiste.

Deng n'était pas un homme qui aimait les slogans tapageurs. Son mantra le plus connu révèle une souplesse que Mao n'aurait jamais montrée. « Peu importe que le chat soit blanc ou noir, pourvu qu'il attrape des souris » : tel fut le mot d'ordre de la politique pragmatique qu'il préconisa de préférence à une idéologie rigide. Deng dit aussi que Mao avait commis des erreurs mais qu'il avait eu raison sept fois sur dix. Un appui curieux quand on considère les divergences marquantes qui séparaient les deux hommes et les malheurs qui s'étaient abattus sur Deng pendant la Révolution culturelle. En vérité, Deng savait que sa propre autorité et la stabilité politique dont il avait besoin pour opérer ses réformes devaient revêtir la légitimité dynastique de Mao. Ainsi, Deng fit en sorte que le parti de Mao, le Parti communiste chinois, et que l'image de Mao, sinon ses idées, président à la prochaine phase de transformation de la Chine. Encore aujourd'hui, le visage iconique de Mao orne les billets de banque chinois et domine la place Tian'anmen.

La phrase la plus célèbre de Deng – « s'enrichir est une belle chose » – annonça l'avènement d'une nouvelle logique : la recherche de la prospérité. La prospérité a peut-être même éclipsé toutes les autres vertus du pouvoir communiste en Chine. Pour beaucoup, elle est devenue le seul critère de légitimité. Le souvenir des guerres, des maladies et des famines s'estompant, quoi de mieux pour motiver le peuple ?

Le pouvoir communiste sera toléré tant et aussi longtemps qu'il propagera la création de la richesse en Chine. Donc, selon le plan de Deng, depuis quatre décennies, le gouvernement central chinois s'est rapproché des gens, non pas en leur imposant des exigences idéologiques impossibles, ni même en exigeant des bonds énormes dans la capacité de production, mais en investissant méthodiquement dans les infrastructures et les moyens de production tout en permettant graduellement aux principes du libre-échange de reprendre leur place dans la société chinoise.

Dans ce nouvel ordre, le village de Li, par exemple, n'est plus une minuscule entité abandonnée à son sort, comme c'était le cas il y a un siècle de cela, et on ne lui demande plus de produire des êtres humains nouveaux et plus accomplis, comme Mao l'avait espéré. Les divers paliers du gouvernement chinois ont apporté au village de Li l'électricité et les télécommunications. Ils lui ont donné accès à la télévision et à un réseau de téléphonie mobile. Ils y envoient de l'eau potable par camion en cas de besoin. Un jour, on construira une route convenable pour accéder au village afin de faciliter la livraison de l'eau et l'exportation des fruits de la terre. De plus en plus guidée par une main invisible, la Chine puise dans ses ressources, prend et donne à son peuple, et elle s'en trouve plus unie que jamais.

Deng renonça également au rêve d'autarcie alimentaire de Mao. Il avait conclu que la Chine n'avait pas à combler ses multiples besoins ; elle pouvait concentrer son attention sur ce qu'elle faisait de mieux et pratiquer l'échange pour trouver ce qui lui manquait. Une telle économie d'échange est devenue plausible quand les relations se sont normalisées avec l'Occident au début des années 1970. S'il était bien géré, calculait Deng, l'immense réservoir de main-d'œuvre de la Chine pourrait former la base d'une économie manufacturière tournée vers l'exportation.

Quarante ans plus tard, on voit que Deng a gagné son pari : tout ce qui manque à la Chine – les denrées alimentaires, les matières premières et l'énergie – est largement compensé par les produits manufacturés qu'elle vend au reste du monde.

Si Deng a d'abord entrepris de libéraliser l'économie dans les villages en permettant aux paysans d'écouler leurs excédents, la richesse massive de la Chine nouvelle provient davantage de son industrie urbaine que de sa main-d'œuvre agricole.

La Chine n'a peut-être pas tourné le dos à son secteur agricole millénaire, mais dans la plupart des régions, il semble que l'agriculture ne soit désormais qu'un débouché pour la main-d'œuvre qui n'est pas employée par l'industrie : c'est le cas dans le village de Li, où seuls les adultes d'âge mûr et les personnes âgées travaillent la terre, alors que les jeunes et les personnes valides peinent dans les centres manufacturiers.

Et pourtant, étant donné qu'une bonne part de la main-d'œuvre manufacturière provient des villages, la richesse ne reste pas piégée dans les villes. Li et les cent millions de travailleurs comme lui envoient une partie de leurs revenus aux personnes à leur charge dans les villages.

Cette redistribution de la richesse est également due au système de résidence double. La situation de Chongqing est unique en ceci que, en principe, les paysans du village de Li ont le statut d'habitants de la municipalité de Chongqing et ont à ce titre le droit de travailler et de résider en ville. Mais dans le reste de la Chine, les villageois n'ont pas le droit d'habiter dans les villes. Comme travailleurs migrants, ils y vivent quand même, mais clandestinement. La loi ne leur permet pas d'y avoir un logement officiel ou d'y acquérir des biens immobiliers, privant ainsi leurs revenus d'un débouché important. S'ils veulent économiser ou investir leurs gains, les travailleurs migrants doivent le faire dans leurs villages.

Ce soir-là, Viv et moi sommes les invités de Li. Il a décidé de mettre les petits plats dans les grands. Sa table minuscule n'a sûrement pas vu pareille abondance depuis longtemps : canard rôti à l'oignon vert, porc confit, bouillon maraîcher, champignons au gingembre, deux plats de légumes verts sautés et du riz. Li a eu la sagesse d'inviter le secrétaire local du Parti et sa femme à dîner avec nous.

Le festin compte aussi un invité encore plus surprenant : le type patibulaire de l'altercation de l'après-midi, qui se trouve être le boucher du village et qui est à ce titre un homme d'un certain rang. Le désaccord animé avec le paysan ne semble pas l'avoir ébranlé. Il a même l'air plutôt joyeux. Li m'explique que le boucher va me recevoir chez lui pour la nuit, alors que Viv ira chez la mère de Li, dans la maison voisine de la sienne. Je regarde le boucher et le vois tout rayonnant, fort heureux à l'idée d'accorder l'hospitalité à un étranger venu de l'autre bout de la planète.

Le secrétaire du Parti tient à en savoir davantage sur Viv et moi-même. Viv répond à la plupart de ses questions. Elle explique que je suis un touriste en vacances et que je l'ai recrutée pour me servir de guide et d'interprète. Toute la situation me semble farfelue. Mais Viv arrive, je ne sais trop comment, à lui donner une explication qui paraît satisfaisante. Sauf que le secrétaire tient à m'entendre.

— Que faites-vous dans votre pays natal ?

Tout en traduisant, Viv me dit qu'il vaudrait mieux que j'invente quelque chose. Toutefois, surpris comme je le suis, je ne sais pas quoi répondre. Je finis par bredouiller que je suis réalisateur de télévision. Ce n'est pas un mensonge à proprement parler, mais ce n'est pas exactement la vérité non plus. J'aurais dû profiter de l'occasion pour poser en architecte à la George Costanza. Viv s'empresse d'ajouter que je réalise une émission qui traite d'art et de culture dans mon pays afin de nous éloigner le plus possible de l'idée du reportage et du journalisme.

— C'est votre premier séjour en Chine ?

— Dis oui, me presse Viv.

Je dis oui.

— Où êtes-vous allé ailleurs dans le monde ?

— Ah, je suis allé dans de nombreux pays : en Europe, en Asie et en Afrique, lui dis-je, refusant de continuer à mentir. J'ai pas mal voyagé.

— Et que pensez-vous de la Chine ?

— C'est tout simplement immense, dis-je en toute sincérité. Je pourrais parcourir la Chine le reste de mes jours et je n'en verrais pas la moitié.

Le secrétaire semble aimer ma réponse quelque peu vague, qui combine l'admiration craintive et l'humilité. Ayant gagné son estime, je hasarde une manœuvre flatteuse.

— Votre village a-t-il envoyé beaucoup de jeunes gens à l'université ?

— Ah oui, plus d'une dizaine. Notre propre fils est à l'université en ce moment.

— Tous mes compliments. J'entrevois un bel avenir pour votre village.

Le repas finit bien. Le secrétaire du Parti et sa femme prennent congé et nous font leurs meilleurs vœux, à Viv et à moi. Le boucher rentre lui aussi chez lui. Nous prenons le thé avec Li. Tout à coup, sans prévenir, il dit : « Je sais que je suis pauvre et que je ne ferai probablement pas grand-chose de ma vie, mais je vois tout ce que j'ai, ma femme et ma fille, et vous savez quoi ? Je suis heureux. Je ne désire rien d'autre. J'ai déjà tout ce dont j'ai besoin. »

Viv et moi échangeons des regards étonnés. Ce Li Gang est vraiment un être unique. Un homme libre, peut-être ? Nous l'envions presque.

Ma nuit chez le boucher s'avère amusante. Cet homme est vraiment un joyeux gaillard. Et il incarne mieux la prospérité du village que Li. Sa maison sert de point de rencontre pour le village ; elle sert aussi de bar et de salle de mah-jong. La maison est assez grande ; elle fait deux étages et est construite de blocs de ciment. Une grande pièce au rez-de-chaussée s'ouvre sur la rue, comme un garage ou un atelier de réparation de voitures. C'est plein de tables et de chaises.

À mon arrivée, les derniers joueurs de mah-jong s'apprêtent à partir. Il y a une énorme télévision au fond de la pièce. Le boucher me montre avec fierté que sa télé est connectée à une antenne parabolique. Il fait défiler les chaînes en arborant un large sourire édenté. Dix chaînes de l'Inde, quatre du Pakistan, onze d'Arabie, vingt d'Europe, et ainsi de suite. Il me remet la télécommande et je me branche sur TV5 Monde, qui m'annonce qu'il y a toujours plus de morts en Irak.

La salle de séjour du boucher est d'une saleté inimaginable. C'en est même impressionnant. La terre séchée et les crachats se sont solidifiés sur le plancher de ciment, qui est jonché de mégots de cigarettes et d'os de poulet, avec des taches de sang et des feuilles de thé. Pendant que je me pénètre des lieux, deux immenses cafards volants plongent en piqué dans la salle et atterrissent près de mes pieds.

Le boucher m'arrache à ce spectacle et m'invite instamment à le suivre. Il m'emmène à l'arrière du bâtiment, où il garde ses cochons. Même si ça sent les déjections porcines partout dans la maison, l'odeur est à ce point concentrée dans la cuisine et la porcherie attenante qu'elle est à vous flanquer par terre. Trois porcs fourragent dans le noir. Par une série de gestes, le boucher parvient à m'expliquer qu'il va abattre ses bêtes à quatre heures et demie du matin. Il m'invite à le regarder faire. J'ai déjà vu comment on abat des cochons ; c'est quelque chose à voir. Le porc est un de ces animaux qui ressentent l'imminence de la mort. Il hurle au meurtre. En m'inclinant et en ouvrant les mains, je fais comprendre au boucher que je préfère passer mon tour. Me réveiller avant l'aube pour être témoin des derniers moments misérables de quelques cochons, je peux vraiment m'en passer.

Le boucher me conduit alors à ma chambre. En fait, la pièce n'est pas reliée aux autres pièces de la maison ; on y a accès par l'extérieur. Elle est occupée par un immense lit à baldaquin et un panier géant de riz non décortiqué. Le panier doit faire un mètre et demi de large et un mètre de haut. Il déborde de grain.

Il n'y a pas de matelas ou de draps sur le lit. Ce ne sont que des lattes de bois recouvertes d'une paillasse. Viv et moi avions décidé à Beijing que nous n'emporterions pas nos sacs de couchage. « Même dans les villages, a-t-elle erronément prédit, ils auront de la literie pour nous. » Pour dormir au chaud, je m'enroule dans la paillasse comme un burrito. L'oreiller est un rouleau de lattes de plastique dures que je place sous mon cou.

Bien sûr, au cœur de la nuit, je suis réveillé par les hurlements à vous glacer le sang des cochons qu'on s'apprête à égorger. Puis, au petit matin, je me réveille et me rendors plusieurs fois, mon combat pour gagner le sommeil étant gêné par l'activité bruyante de quelques rats. Non loin de ma tête, quelque part sur le tas de riz, ils festoient. On dirait quelqu'un qui mange du popcorn au cinéma. Je ne prends pas la peine de regarder. Je conclus silencieusement avec eux un pacte de non-agression et me répète que, lorsqu'on est en voyage, une nuit où on n'a pas à craindre pour sa vie ou à composer avec des intestins troublés ou une fièvre infectieuse est une bénédiction.

Le matin, je vais rejoindre le boucher, qui taille joyeusement dans les carcasses de porc étalées sur les tables de la salle de mah-jong. Je lui souris, je m'incline et je retourne à la maison de Li.

Viv est déjà debout, prenant le thé sur le seuil. Elle me dit que la mère de Li avait bien des choses à dire.

— Tu te rappelles, hier, quand les enfants sont rentrés de l'école, ce jeune garçon assis sur le perron de Li Gang et qui faisait ses devoirs ? Eh bien, hier soir, avant d'aller au lit, la mère de Li m'a expliqué que ce garçon est le fils de son plus jeune frère et le cousin de Li. Le frère de la vieille dame avait enlevé une femme dans la province du Yunnan, dans le sud. Mais après avoir donné naissance à son enfant, la femme a fui pour retourner chez les siens. Le père du fils est alors allé travailler dans une ville lointaine pour gagner de quoi assurer la subsistance du petit et financer ses études. Donc, Li Gang et la famille de sa mère ont assumé la responsabilité de cet enfant abandonné.

— Étonnant, en effet !

— En fait, c'est monnaie courante dans les campagnes de Chine. Puisque les paysans voulaient des fils qui veilleraient sur eux dans leur âge avancé, ils se débarrassaient des filles en faisant avorter les mères ou même parfois en les tuant après leur naissance. En conséquence, on manque de femmes aujourd'hui. Il n'est donc pas rare que des femmes soient enlevées ou achetées dans des coins pauvres partout dans le pays.

La veille, Li nous a proposé de rentrer à Chongqing par un chemin différent de celui que nous avons emprunté à l'aller. Nous ne savions pas trop ce qu'il avait en tête, mais j'ai fini par comprendre que le retour comprendrait un voyage en bateau. J'étais pour à cent pour cent.

Après un petit déjeuner avalé en vitesse, nous nous dirigeons vers la gorge. Nous descendons jusqu'au fond. En dévalant le sentier abrupt dans le brouillard matinal, je finis par deviner les contours d'un lac en bas. Li me dit que c'est un réservoir. La veille, il a téléphoné au batelier sur son portable et lui a dit de venir à notre rencontre à huit heures. Pas de trace du bateau ou du batelier sur la rive. Pour passer le temps, nous lançons des pierres sur l'eau pour faire des ricochets. Li explique que le réservoir a été creusé manuellement dans les années 1950. « Il a fallu à mille hommes quelques années, mais ils y sont arrivés. » C'est difficile à imaginer. La végétation sur les rives indique aussi que le réservoir n'est plus à son niveau maximum depuis des années.

Li finit par rappeler le batelier. Il est toujours au lit, il se remet péniblement d'une cuite, mais sa femme est en chemin. En effet, peu de temps après, je distingue le battement de ses rames au loin. Elle rame vite, debout, face à la poupe, faisant de grands mouvements avec les rames. La femme atteint bientôt la rive.

Il nous faut une bonne demi-heure pour traverser le réservoir. Nous quittons la gorge pour un bassin plus grand. J'aperçois des élevages de poissons et de canards sur les berges. La batelière nous parle d'elle. Le gouvernement central a un programme de reboisement. Sa ferme a été désignée secteur à reboiser et expropriée. Le gouvernement lui verse une maigre indemnité annuelle, l'équivalent de soixante dollars. Pour vivre, il lui faut compléter son revenu avec ce qu'elle et son mari gagnent en faisant traverser le lac aux gens.

Notre destination est un bourg qui a été bâti à côté du barrage du réservoir. Du bateau qui file sur l'eau, je vois que le niveau de l'eau est très bas; le fond n'est qu'à neuf mètres de la surface. On ne voit pas très bien à quoi sert ce lac artificiel. Avec tout le bétail qui broute sur les rives, il est évident que ce n'est pas une source d'eau potable. Je ne vois pas non plus de travaux d'irrigation pour l'agriculture. Perché comme il l'est au-dessus du réservoir, le village de Li n'a sûrement pas accès à son eau. D'ailleurs, la campagne environnante est bien trop vaste et aride pour être bien alimentée par le réservoir. J'en conclus que c'était probablement quelque projet de création d'emplois et que le lac ne peut servir que de réserve de poissons et de réserve d'urgence pour irriguer les potagers qui se trouvent sur ses rives. Il y a peut-être aussi une petite centrale électrique cachée de l'autre côté du barrage.

C'est jour de marché en ville. Des dizaines de cochons sont parqués sur les rives du réservoir, attendant les acheteurs. Nous gravissons la berge pour atteindre l'artère principale qui déborde de marchands. Li part louer une voiture.

Nous nous dirigeons d'abord vers le sud, en direction du puissant Yangzi, puis faisons une halte pour visiter un ancien temple bouddhiste creusé dans la falaise au-dessus de la rive du grand fleuve. Abrité sous le toit de bois du temple, un bouddha géant taillé dans la pierre trône paisiblement. Nous lui rendons hommage, songeons aux voies possibles de l'illumination, puis nous poursuivons notre route en autocar.

De retour à Chongqing, nous descendons à une grande

gare routière le long du fleuve. Pour regagner la haute ville, Li nous guide vers une attraction intéressante de cette mégalopole immense et bizarre : l'escalier mécanique le plus long du monde. Il part de la basse ville et monte jusqu'à une crête élevée qui traverse la haute ville. Une fois au faîte de la crête, l'heure est venue pour Viv et moi de prendre congé de notre sage ami, Li Gang.

Je sors une centaine de dollars en monnaie locale pour dédommager Li de sa peine. Mais celui-ci s'incline et file aussitôt sans même regarder ce que je lui offre. Je dois lui courir après pour le forcer à accepter l'argent, ce qu'il fait à contre-cœur.

— Un oiseau rare ! me dit Viv.

— Nous ne reverrons jamais homme plus paisible, fais-je en songeant à nos âmes affamées et agitées.

— Les taoïstes disent qu'il faut être comme le rocher dans la rivière. Le rocher ne bouge pas même si toute l'eau de la terre lui passe dessus, répond Viv, songeuse.

CHAPITRE 5

Le fleuve

Les singes se dirent : « D'où vient toute cette
eau ? Nous n'en savons goutte : puisque nous
n'avons rien d'autre à faire aujourd'hui, sui-
vons le torrent en le remontant pour voir où il
prend sa source. »

Wu Cheng'en, *La Pérégrination vers l'ouest*, 1592

L e port fluvial est situé très en contrebas de la ville. Observant le terminal depuis le sommet de la falaise, j'ai l'impression qu'il a pour vocation d'accueillir des zeppelins et non des
bateaux. Les rives du fleuve sont si élevées et si escarpées que
c'est un funiculaire qui conduit les passagers du terminal vers
les quais.

Je demande à Viv :

— Qui fait de telles croisières ?

— Des touristes, j'imagine. C'est-à-dire des touristes
chinois. Les paysages du Yangzi sont célèbres en Chine. Tout le
monde veut les contempler au moins une fois.

— Peut-être qu'à cause du barrage sur le Yangzi, les gens
veulent voir les gorges avant qu'elles ne soient défigurées par la
montée des eaux ?

— Ça, c'était sûrement vrai il y a quelques années, avant

qu'elles ne commencent à monter, dit-elle, mais le barrage est presque achevé, et je pense que les eaux ont déjà monté de plus d'une centaine de mètres. Peut-être que c'est même le contraire maintenant. Peut-être qu'ils s'intéressent moins aux secteurs inondés. On verra bien.

La nacelle vitrée glisse vers les quais sur un rail presque vertical. La lente descente offre une vue spectaculaire sur le point de confluence du Jialing et du Yangzi à Chongqing. Notre voyage nous conduira sur le Yangzi, mais l'aire de mouillage est sur le Jialing. D'en haut, on voit que les deux grands cours d'eau n'ont pas du tout la même couleur : le Jialing est d'un bleu foncé ; le Yangzi est brun et vaseux. À l'endroit où ils se rejoignent, le Jialing limpide disparaît dans le Yangzi boueux, comme s'il n'avait jamais existé.

Viv et moi allons descendre le Yangzi jusqu'au grand barrage. Quatre jours de voyage. Nous voulons nous aussi voir le fleuve, le paysage et le barrage des Trois-Gorges.

— Ce sera comme une leçon de géographie chinoise, dis-je à Viv, énumérant les éléments de la géographie physique, bien sûr, et humaine aussi, car le Yangzi a des répercussions sur l'habitat, l'agriculture, les transports et l'énergie.

— N'oublie pas l'art, ajoute Viv, tous ces beaux poèmes et ces tableaux qui dépeignent le Yangzi.

— C'est juste, n'oublions jamais l'art.

— Franchement, je me demande si ce n'est pas un voyage triste qui nous attend, dit-elle. La destruction d'une merveille naturelle.

Sur le bord du fleuve, le funiculaire débouche sur un réseau de quais flottants élevés. Derrière nous, un mur immense de terre brune s'élève jusqu'à la cité tout à coup mystérieuse au-dessus de nous. Nous nous engageons sur la passerelle qui mène à notre navire et je regarde derrière moi, vers la rive en bas. C'est comme si elle n'y était pas, comme si le paysage était incomplet. Ce n'est plus qu'une ligne où l'eau sombre rejoint la terre à la verticale. La rive opposée est floue au loin, d'un vert teinté de gris. Tout autour de nous, le fleuve immense, la montagne immense, la ville immense. On a le cœur qui bat plus vite tout à coup.

Le navire fluvial qui flotte devant nous fait près de soixante-quinze mètres de long et quatre étages de haut : c'est un bâtiment à fond plat avec un plat-bord bas, peint de noir au bas et de blanc partout ailleurs. Le premier niveau, au ras de l'eau, est réservé à la quatrième classe : deux grandes cabines collectives avec quelques bancs en bois. La salle des machines et les quartiers de l'équipage s'y trouvent aussi. Mais tout cela est au-dessous de nous, étant donné que la passerelle débouche sur le deuxième étage et le hall principal, une aire ouverte au centre du navire où on trouve le guichet et un petit magasin. Les coulisses mènent à l'avant comme à l'arrière vers les dortoirs de troisième classe qui contiennent chacun une douzaine de couchettes superposées. Pour ceux et celles qui voyagent à la dure.

Vêtues d'uniformes de polyester blanc et bleu marine, portant calot et foulard, deux jeunes femmes nous accueillent dans le hall, prennent nos billets et nous dirigent vers l'escalier principal en nous servant ce chant d'oiseau qu'est le mandarin des hôtesses. La deuxième classe, un étage plus haut, est fruste elle aussi. Je regarde par les portes ouvertes et vois des couchettes du genre auberge de jeunesse, peut-être six par chambre. Enfin, sur le pont supérieur, dans la section avant, se trouve la première classe. Des chambres doubles, simples, à peu près propres, avec des salles d'eau minuscules comme je n'en ai jamais vu : une douche, un lavabo lilliputien et une toilette à la turque.

— D'après ce que je vois, dit Viv, ce navire n'est pas fait que pour les touristes. Je ne crois pas que les passagers de troisième ou de quatrième classe prennent ce bateau pour l'agrément. C'est plutôt un moyen économique de se rendre quelque part si on a le temps.

— Même la première classe est bon marché pour un voyage de trois nuits long de plusieurs centaines de kilomètres.

— Et nous avons un accès privilégié aux ponts d'observation avant et arrière, dit-elle. Les meilleures places sur le bateau, j'en suis sûre.

Peu de temps après, nous avons pris position sur le pont avant, curieux de voir notre grand navire prendre son élan. Pendant quelques minutes règne une activité fébrile sur le quai et les ponts inférieurs ; c'est le moment de larguer les amarres ; puis on entend les machines gronder et le navire se jette dans le courant. Il traverse rapidement le Jialing et entre dans le Yangzi parallèlement au courant, laissant vite derrière lui la ville péninsulaire et les quais.

Avec sa silhouette adoucie par un brouillard blanchâtre, Chongqing continue de bourdonner pendant un bon moment au-dessus de nous, mais vue du Yangzi en bas, elle m'est bientôt une abstraction. Le fleuve insondable, laiteux et brunâtre, devient notre seule réalité. Les renflements et les ondulations du fleuve, qui surgissent comme le dos de serpents et de dragons à la surface, nous rappellent que le fleuve est en mouvement constant.

Les rivières offrent un spectacle singulier. Elles ne sont bien sûr, au départ, que des gouttes d'eau ou des flocons de neige. Et, avant cela, des nuages survolant les montagnes. Et, avant cela, des océans sous le soleil. Toutes ces choses si diffuses et multiples, qui s'unissent pour n'en former qu'une seule : un fleuve. Quand on regarde la surface ondulante, la masse d'eau en mouvement mais stable, est-ce un moment que nous avons devant nous ? Un instant de toutes ces choses qui avancent toutes du même pas vers l'aval ? Non : nous contemplons un mouvement continu dans un circuit, sous nos pieds et au-dessus de nos têtes. C'est un mouvement spontané dans les cieux et sur terre. Quelque chose qui commence et se termine dans un mouvement perpétuel. Quelque chose d'intemporel et de complet.

L'arrière du pont supérieur est muni d'un toit mais celui-ci est ouvert. On y trouve un certain nombre de compartiments et de tables. À un comptoir, des boissons et des collations à vendre. Deux étages plus bas, il y a le restaurant du navire, un espace vitré à l'arrière de la troisième classe. Miteux mais splendide, avec les traditionnelles tables rondes chinoises recouvertes de nappes maculées, mais heureusement, le restaurant n'est jamais plein. La plupart des passagers ont apporté de quoi se nourrir ; ils se restaureront dans leurs chambres. Quant à nous, nous irons au restaurant trois fois par jour pour sa bière froide en grandes bouteilles et ses plats salés, huileux mais assez variés et pas chers.

Après le dîner, je vais me balader sur le pont inférieur. Contrairement aux ponts supérieurs, où les cabines à fenêtres se trouvent sur les flancs du navire, le pont inférieur comporte des coulisses qui font tout le tour du bateau. La salle des machines et les cabines des passagers sont enclavées au centre du navire ; le lieu est lugubre et vide. Une brise vive balaie les couloirs, mais le bruit des moteurs et l'odeur du diésel ne vous lâchent pas. L'eau obscure, si proche, coule des deux côtés. Nous descendons la rivière et nous enfonçons dans la nuit.

La Chine est un pays montagneux, un pays tout en montées. Des rives du Pacifique à l'est, les montagnes s'élèvent progressivement au fur et à mesure qu'on avance vers l'ouest. Le long de sa frontière sud-ouest se trouve la montagne la plus haute de la Terre, le mont Everest, qui culmine à 8 848 mètres. Simple pic dans une forêt de montagnes, ce n'est qu'un élément parmi d'autres d'un des reliefs topographiques les plus importants de la planète Terre : la chaîne de l'Himalaya et le plateau tibétain.

Viv me regarde d'un drôle d'air quand je lui dis que c'est peut-être l'Inde qui explique le mieux la Chine. Je la laisse se gratter la tête : elle pense peut-être au bouddhisme. Puis je lui dis que c'est une réalité géographique et non un fait historique ou culturel. L'Inde est une plaque tectonique qui s'est enfoncée dans le flanc sud de la plaque eurasienne il y a près de cinquante millions d'années, faisant en sorte que la terre s'est soulevée sur un vaste espace. Les conséquences de ce phénomène sont incalculables. Le fleuve Yangzi n'est qu'une des conséquences mineures de cet événement topographique gigantesque.

Non seulement le Yangzi mais tous les grands fleuves de l'Extrême-Orient naissent en fait dans ces montagnes : l'Indus, le Gange, le Brahmapoutre, l'Irrawaddy, la Salouen, le Mékong, la rivière des Perles, le fleuve Jaune et même peut-être l'Amour. Chacun tire son eau des pluies qui tombent des nuages s'élevant au-dessus du relief ascendant de l'orogenèse indo-chinoise, l'événement qui a fait surgir les montagnes.

Les montagnes constituent une force climatique. Les nuages qui s'écrasent contre elles se libèrent de leurs eaux. Voilà pourquoi plus on monte, plus l'air est sec. Au-dessus des nuages, l'Himalaya et le plateau tibétain sont de vastes déserts glacés et élevés, rappelant davantage l'Arctique que les régions subtropicales du nord de l'Inde et de l'est de la Chine, qu'ils bordent. De grandes civilisations sont nées au pied de ces montagnes parce que sur leurs épaules tombent des océans d'eau évaporée, et de leurs ventres émergent les grands fleuves qui vont irriguer de nombreuses plaines fertiles.

Dans l'histoire humaine, cette masse terrestre saillante s'est installée pour toujours dans notre géographie, devenant même un obstacle mythique. D'un point de vue afrocentrique, la Chine est de l'autre côté des montagnes. Pour les contourner ou les franchir, il faut faire un long voyage ardu. Ce qui ne veut pas dire que les humains n'ont pas réussi à gagner la Chine à répétition. Il n'y a qu'à imaginer l'*Homo erectus* contournant les montagnes pour aller mourir dans les grottes de Zhoukoudian sous le nom d'homme de Pékin et son semblable d'il y a sept cent cinquante mille ans. Ou, des centaines de milliers d'années plus tard, l'*Homo sapiens* qui s'est enfoncé vers l'est à travers l'Inde, puis qui a continué vers l'Asie du Sud-Est ou a remonté vers le nord en longeant la côte du Pacifique.

Les montagnes n'ont pas empêché les humains de parvenir à la Chine. Mais leurs allées et venues étaient entravées par elles. La Chine était le bout de la route, et ses approches étaient bien gardées. Elle allait ainsi évoluer dans un isolement relatif par rapport au territoire situé entre l'Indus et le Gange, à la vallée du Nil et aux plaines de la Mésopotamie et du Danube, terres envahies par des vagues humaines successives qui ont provoqué maints brassages génétiques, culturels et linguistiques.

Je me réveille pour découvrir notre navire amarré à côté d'un autre bateau. J'ouvre le rideau et vois une autre fenêtre dont le rideau est tiré. J'entends un couple qui se chamaille, invisible dans la cabine d'en face. Notre navire reprend sa course. Le fleuve demeure insondable, son fonds masqué par la masse liquide et vaseuse qu'il charrie.

L'air du matin est chaud, et même si nous avançons, on dirait que nous ne bougeons pas. Un brouillard blanchâtre recouvre encore le paysage. En milieu de matinée, cet effet n'a rien de plaisant, c'est plutôt engourdissant. L'air épais brouille les contours du ciel, de la montagne et du fleuve et en efface les couleurs.

Je demande à Viv :

— Quand allons-nous atteindre la zone inondée ?

— Je pense que nous y sommes déjà.

— Ce qui veut dire que nous naviguons sur un lac. Ou un réservoir.

— Oui, j'imagine.

— Incroyable. Nous venons de partir. Nous avons encore trois jours de navigation devant nous. D'après ce que je vois, le réservoir va atteindre Chongqing s'il continue de monter.

— Non loin d'ici se trouve une célèbre sculpture en pierre qui représente un poisson ; c'était le lieu qui indiquait autrefois le niveau le plus bas du fleuve. Cette structure est aujourd'hui entièrement recouverte d'eau.

— Ouais. Tu parles d'une noyade…

— Tous les villages riverains sur plusieurs centaines de kilomètres ont aussi disparu. C'est triste, ajoute Viv.

— J'ai lu que, dans les gorges, les cargos remontaient autrefois le courant grâce à des hommes qui les tiraient avec des cordes.

— C'est vrai.

— Ils devaient mener une existence plutôt misérable.

— Bien sûr. La pire qui soit, admet Viv.

— Et aujourd'hui, des porte-conteneurs remontent le fleuve du Pacifique jusqu'à Chongqing. Et dans une tour d'appartements quelque part vivent les arrière-petits-enfants de ces tireurs de bateaux, sans conscience de toute la souffrance physique de leurs aïeux. Ils travaillent peut-être dans quelque usine qui fabrique des objets qui aboutiront sur les marchés occidentaux. Peut-être qu'ils consomment eux-mêmes des produits qui ont été fabriqués dans des pays lointains et qui leur sont livrés par bateau. C'est un progrès, non ?

— Je n'ai pas la nostalgie des jours d'antan, Sacha, mais on peut déplorer la disparation de la vie riveraine sans exalter les misères de jadis.

— Mais ne sommes-nous pas tous un peu nostalgiques ? La beauté n'était-elle pas chose plus aisée à apprécier quand les humains étaient encore peu de chose ?

— Oui. Comme les peintures montrant les paysages d'autrefois : des portraits idéalisés de l'harmonie dans la nature sans la présence humaine.

Je lui dis avec un sourire :

— Nous devons maintenant rechercher la beauté dans les gratte-ciel et les immenses barrages.

— Je préférerai toujours le roseau bercé doucement par le courant au béton et à l'acier, rétorque-t-elle.

— Oui, mais à quel prix ? La crasse et l'obscurité pour les tiens ?

L'histoire de la Chine est celle d'une longue métamorphose géographique. D'aussi loin que la dynastie semi-mythique des Xia, vers le deuxième millénaire avant Jésus-Christ, la Chine a lutté pour dompter le fleuve Jaune, sur les rives et les affluents duquel s'assemblaient depuis longtemps des tribus disparates. Ces immenses cours d'eau, le fleuve Jaune et le Yangzi, proviennent des profondeurs de chaînes de montagnes vastes et élevées. Ils conservent quelque chose du torrent printanier, mais sur une échelle titanesque. Leurs sources se trouvent toutes dans des cirques montagneux abrupts, et, sans plaines paresseuses ni terres humides pour absorber ou tempérer l'écoulement des eaux, l'eau surgit avec force sur le territoire qui a si bien nourri les premières tribus chinoises.

Les dépôts de limon qui sont à l'origine de la fertilité du sol doivent leur existence au même mécanisme qui est source de danger : des cours d'eau rapides qui usent les flancs des montagnes, puis qui se jettent sur un relief plus plat, déposant leurs richesses minérales et organiques sur une vaste région et détournant périodiquement leur cours quand les eaux débordent les rives et créent de nouveaux canaux. Ces inondations pérennes, si nécessaires à la fertilisation des sols, dévastaient régulièrement les bourgades agricoles établies le long des rives.

Les annales racontent comment la famille Yu s'est consacrée à la maîtrise des inondations sur les ordres d'un antique potentat du fleuve Jaune. Le père avait fait ériger des murs contre le courant, mais ceux-ci avaient cédé sous la pression des eaux, ce qui avait d'ailleurs aggravé les inondations. Ayant échoué, le père Yu avait été mis à mort. Enjoint de réussir là où son père avait échoué, Yu le jeune a canalisé le courant là où il cherchait à déborder. La manœuvre a réussi. Cet exploit lui a valu le titre de Yu le Grand, et il a été désigné successeur du roi. Il a ainsi fondé la dynastie Xia, moment fondateur pour l'histoire chinoise, associant pour toujours la maîtrise des eaux au pouvoir politique en Chine.

À la fin de notre première journée complète sur l'eau, Viv et moi avons fait le tour du navire et nous trouvons à faire une sorte de va-et-vient inutile entre le pont avant et le pont arrière, le restaurant et nos cabines. Même si nous sommes entourés de montagnes, le paysage a l'air plat à côté de la vaste étendue d'eau sombre au-dessous et le ciel blanchâtre au-dessus de nous. Je ne peux contempler la vue avec intérêt que pendant de brefs moments, après quoi l'ennui me submerge.

Vivien et moi avons tout le temps qu'il faut pour échanger des idées.

Je lui demande :

— Ai-je raison de croire que les montagnes et les dieux ont un rapport étymologique en chinois ?

— L'écriture chinoise est pictographique. L'origine du caractère et celle du mot se confondent. Nous employons quelques caractères différents pour exprimer le concept de dieu. Nous employons surtout le mot *shen*.

— Est-ce qu'on y trouve le caractère pour *montagne* ?

— Non, on utilise ici le radical pour *esprit*. Tu veux dire *xiãn*, qui signifie « immortel ». Oui, le caractère pour *montagne* y est. Peut-être parce les taoïstes associent dieux et montagnes.

— Ressens-tu la présence divine dans les montagnes ? Ou, quand tu vois des montagnes, penses-tu aux dieux ?

— Les nuances sont historiques. Si on dit *xiãn*, « immortel », on ne pense pas vraiment aux dieux dans les montagnes. Nous pensons à leur immortalité.

— Donc, l'association de la divinité et des montagnes ne tient pas pour toi ?

— À quoi veux-tu en venir ?

— Je ne sais pas…

J'hésite à lui expliquer le désir que j'ai de comprendre la place qu'occupent les montagnes dans la cosmologie chinoise.

— As-tu déjà entendu parler de la phénoménologie ?

— Oui, c'est une notion dont j'ai entendu parler. Mais je dois admettre que j'ignore ce que ça signifie.

— C'est la description de la forme d'une notion dans toutes ses expériences vécues. Comment nous faisons l'expérience d'une chose non seulement directement mais aussi en mots ou en images, comme dans les peintures dont nous parlions. Même dans nos rêves. Partout où s'exerce notre conscience.

— Et que te dit la phénoménologie ?

— Toutes sortes de belles choses. La phénoménologie te dit ce que tu sais d'un sujet avant même que tu commences à y songer. Certains disent que les phénoménologies racontent même la façon dont la réalité se construit.

— Et toi ?

— Oui, j'y crois. La réalité se fait, et nous pouvons en déconstruire la fabrication.

— Et que conclus-tu au sujet des dieux et des montagnes ?

— Qu'ils doivent être soudés dans la pensée chinoise. La Chine est une civilisation agricole et la maîtrise des eaux est depuis toujours un trait définisseur de cette civilisation. Les rivières ont toujours été importantes. Surtout leurs crues et décrues saisonnières, ainsi que leurs surgissements soudains, qui causent des inondations. Il fallait dès le départ porter une attention particulière aux causes de l'écoulement des eaux. C'est pourquoi la source des rivières, les montagnes impénétrables et inhospitalières, qui piègent les nuages, a pris des proportions divines.

— Un des grands classiques chinois, *La Pérégrination vers l'ouest,* traite d'un voyage vers les montagnes, dit Viv. C'est l'histoire d'une ascension physique mais qui suppose aussi une ascension spirituelle bouddhiste vers l'illumination. Cependant, ces liens nous apparaissent démodés aujourd'hui : ce sont des associations littéraires et historiques.

Je préviens Viv :

— Derrière les idées d'aujourd'hui, il y a toujours d'autres idées, plus anciennes, enfouies depuis longtemps. Comme des montagnes cachées où résident les dieux.

Après le déjeuner, le mauvais temps s'installe et des nuages gris annonciateurs d'orage menacent d'éclater sur le Yangzi. Notre navire s'arrête devant un bourg riverain et on nous encourage à descendre à terre. L'équipage nous distribue des parapluies bon marché. Des escaliers en pierre conduisent du bord du fleuve à une série de temples sur la colline. Les marches sont glissantes à cause de la pluie. Viv et moi nous rendons au premier groupe de temples à mi-colline, mais une grande partie du complexe est en train de fermer à cause de la pluie. Sous les avant-toits des temples, les marchands se pressent pour vendre des bibelots aux touristes. Je trouve un stand où je fais provision de collations : de la peau de tofu, des croustilles aux crevettes et des œufs durs à la sauce soja. La pluie tombe dru.

Je cherche autour de moi des signes d'une végétation ancienne, puis je dis à Viv :

— Je préfère les jardins aux temples. Surtout quand il y a de vieux arbres.

— Eh bien, il ne semble pas y en avoir beaucoup par ici. J'imagine que tout le secteur a été rebâti récemment pour les touristes. Peut-être qu'il n'y a rien ici d'ancien ou d'authentique.

La pluie tombe à verse. D'un commun accord, nous regagnons le navire.

De retour à bord, nous revoyons les visages familiers des autres passagers. Nous semblons partager le restaurant avec des personnes qui changent sans cesse, mais il y a un groupe qui est toujours présent : une bande d'hommes d'âge mûr. Ce sont des passagers de troisième classe qui profitent de la croisière pour se payer du bon temps.

Du milieu de la matinée à la fin de la soirée, ils occupent une des grandes tables du centre du restaurant. Ils boivent beaucoup de bière, fument comme des pompiers et s'amusent ferme. Le plus bruyant du lot est un homme rond à la peau bronzée, au crâne chauve et au grand sourire édenté. Il porte sa chemise enroulée jusqu'au cou, exhibant ses seins et son gros ventre, signe de détente qui ne trompe pas en Chine.

Chaque fois que nous entrons dans le restaurant, l'épicurien au crâne chauve semble en mener toujours plus large : il régente ses camarades, rit plus fort qu'eux, donne de grandes claques sur la table et ne se gêne pas pour se curer le nez ou les dents. Je l'imagine contremaître d'un abattoir ou opérateur de machinerie lourde dans une équipe de voirie. Quoi qu'il fasse à terre, j'ai la conviction que c'est un travail incessant, salissant et ardu. Soulagé comme il l'est ici de toute responsabilité et ayant tout son temps pour boire de la bière et causer avec ses copains, il a l'air heureux comme un pape.

La vie sur le navire n'a pas le même effet sur moi. Le confinement me pèse. Le monde extérieur s'éloigne et le voyage prend la place de la vie elle-même. Dans notre avancée monotone, la métaphore devient réalité et le périple prend la couleur de l'inévitabilité philosophique. Comme je ne suis pas le capitaine du navire et que je ne joue aucun rôle dans le pilotage sur le fleuve, n'étant qu'un sujet passif du voyage, une légère panique existentielle s'installe en moi : le sentiment que la vie n'est pas que passagère et vide. Que je gâche ma vie, que je m'avance inexorablement vers la mort.

Mon énergie commence à me déserter, les longues conversations avec Vivien se font plus tendues. Je crains de l'embêter avec ma mauvaise humeur et je trouve toujours plus difficile de passer simplement d'un pont à l'autre sur le navire. La futilité de ces déplacements me glace. Le paysage et la lumière commencent à m'oppresser. Même la présence des autres me pèse de plus en plus.

Je me retire dans ma cabine et j'installe mon ordinateur sur le bureau avec l'intention d'écrire. Mais dans ma morosité, l'inspiration me fait défaut et je me mets à regarder des DVD piratés, échappant momentanément à mon existence maussade en la comblant d'illusions. Je regarde parfois par la fenêtre. À l'autre bout de la pièce, derrière le rideau partiellement tiré, les tons durs du ciel blanc s'adoucissent. Dans ce cadre, la vue est un peu plus supportable. Parfois, avec ses montagnes, ses ponts et la pléiade d'embarcations qui avancent, la vue sur le fleuve est même belle. Mais je ne peux pas regarder bien longtemps et cherche vite à regagner ma concentration en me divertissant encore un peu.

Telle une infirmière, Viv vient faire son tour de temps à autre, comme si elle avait senti quelque chose d'anormal dans mon comportement.

— Je fais connaissance avec nos compagnons de première classe, me dit-elle. À l'autre extrémité du hall, il y a une famille de Mongolie intérieure. Trois générations. Le grand-père est un militaire retraité. Un vieux bonhomme amusant, qui pose toutes sortes de questions à ton sujet, et il se demande ce que tu fais dans ta cabine toute la journée.

— Dis-lui que j'écris.

— Il ne comprend pas pourquoi tu écris ici sur le Yangzi. Lui passe son temps assis, tranquille sur le pont avant, à contempler le panorama et à grignoter des arachides.

— J'ai tout le panorama qu'il me faut à ma fenêtre.

— Tu as probablement remarqué aussi que les cabines avant sont des suites. Elles ont leurs propres grandes fenêtres qui font face à l'avant. Il y a un couple dans l'une d'elles. L'homme a tous les traits d'un fonctionnaire véreux. La femme est beaucoup plus jeune que lui, probablement sa maîtresse. Ils ne sortent pas beaucoup de leur cabine eux non plus.

Ma question fuse toute seule :

— Il t'énerve, hein ?

— Je sais que ça ne me regarde pas, admet-elle, mais oui, ces deux-là m'énervent. Il me rappelle mon père. Quand il est devenu directeur de son école et qu'il a acquis du pouvoir, il a quitté ma mère pour une femme beaucoup plus jeune. Et ce, après m'avoir fait la morale pendant des années pour faire de moi une jeune femme vertueuse.

— Ah bon ? Alors je comprends tout maintenant ! Mais les gens sont partout les mêmes. Nous sommes des singes, tu te souviens ?

— Quand même, j'en attends davantage des humains. Il me semble que nous pouvons faire mieux.

— C'est bien d'espérer ainsi.

— J'ai aussi passé du temps sur le pont inférieur, me dit-elle. Il y a là quelques vieillards très pauvres qui dorment sur les bancs en bois. Ils n'ont pas de bagages, ils n'ont rien. Je ne crois pas qu'ils aient payé pour monter à bord, et c'est pourquoi ils ne quittent jamais le pont inférieur. Ce sont probablement des migrants déracinés, qui se déplacent toujours en quête de travail, qui mendient en chemin pour se procurer du riz. Ce qui m'attriste, c'est de voir qu'ils sont si vieux. Ils sont parvenus au terme de leur vie et ils n'ont rien. Tu penserais qu'ils ont une famille qui pourrait s'occuper d'eux, ou quelque chose comme ça.

Je l'écoute sans broncher et elle change de sujet tout à coup.

— Dis, tu comptes moisir ici longtemps ?

— Ça va. Je suis bien ici.

— Tu ne déprimes pas à force de passer tout ton temps ici ?

— Je suis déprimé. Ce navire, ce fleuve, tout ça me donne le cafard. Mais t'en fais pas, ça va aller. On se revoit au dîner.

— D'accord. À plus.

Je mets de la musique triste pour tenter de restaurer le côté romantique du voyage, pour faire en sorte que mon état pitoyable prenne un aspect vraiment tragique. Je regarde dehors et remarque qu'on emploie souvent des repères pour indiquer le niveau de l'eau. On dirait des règles géantes disposées contre les rives escarpées. À un endroit, la marque indique que le niveau de l'eau fait un peu moins de cent trente mètres ; le haut de la règle indique cent soixante-quinze mètres. Je ne sais pas si la marque commence à zéro, mais cette règle qui disparaît sous les eaux suggère des profondeurs immenses.

Apparemment, une bonne part du relief inondé a été bull-dozée et dynamitée avant la montée des eaux. J'imagine quand même quelques maisons et structures qui subsistent sous les eaux opaques café au lait. Sauf les repères, rien n'indique la transition entre les zones submergées et les terres au-dessus. Il n'y a pas de route qui descend dans le fleuve. Il n'y a pas non plus de structures submergées visibles. Rien qui rappelle un monde qui a cessé d'exister.

Je me rappelle mes travaux de déboisement. Dès qu'on abat les arbres, la lumière et l'espace créés ainsi choquent un peu, c'en est même dérangeant. Puisque tous les arbres abattus sont vite débités et enlevés, en peu de temps on ne peut même plus visualiser le boisé qu'il y avait là auparavant ; c'est comme s'il n'avait jamais existé. On ne peut même pas imaginer l'obscurité fraîche et humide de la forêt, ce qui fait qu'elle ne nous manque pas.

Cette nuit, je n'arrive pas à fermer l'œil. Le navire s'est arrêté une fois de plus et a jeté les amarres. Ils font vraiment traîner cette croisière en longueur. Je décide d'aller me promener sur le navire alors que tout est tranquille et que presque tout le monde dort. Je vais peut-être tomber sur quelque fantôme.

Je me rends vite compte que l'accès aux postes d'observation avant et arrière est verrouillé, donc je descends. Une hôtesse somnolente me jette un regard désapprobateur quand je traverse le hall, mais elle ne bouge pas, elle ne fait que lever la tête.

Je poursuis ma descente. Avec les machines au repos, le pont inférieur est beaucoup plus silencieux. Je sens de la fumée de cigarette et j'entends les hommes d'équipage qui causent le long du côté où le bateau est amarré. Je passe de l'autre côté pour observer le fleuve ou, plutôt, le réservoir. Au loin, quelques lumières signalent le passage d'autres bateaux.

Les lumières sont tout le temps allumées dans les cabines de quatrième classe. Un des petits vieillards frêles de Viv est là, étendu de tout son long sur un banc en bois dur, et il dort. Les jambes de son pantalon court sont relevées, révélant des chevilles osseuses et des pieds nus dans ses sandales usées. Au lieu de me réjouir à l'idée que j'ai plus de chance que lui, que ma vie n'est pas aussi inutile que la sienne, ma mauvaise humeur aplatit tout et je ne vois plus ce qui nous différencie, lui et moi. Qu'est-ce qui me dit que je vais être mieux portant que lui ou que ma vie sera plus remplie que la sienne quand j'aurai son âge ? Et à quoi serviront les possessions matérielles quand nous aurons tous deux atteint notre destination finale ?

Je remonte péniblement à ma cabine et me recouche. Si ce n'est pas pour dormir, ce sera pour rester étendu dans le noir, espérant repousser les visions qui pourraient m'assaillir.

Le lendemain matin, le navire s'est remis en route. Au petit déjeuner, Viv me dit que, plus tard dans la journée, le navire va faire halte de nouveau et qu'on organise une expédition sur de petites embarcations qui iront sur un affluent du Yangzi où les paysages sont magnifiques.

— On appelle le secteur les Trois Petites Gorges, m'explique-t-elle, et il paraît qu'il rappelle le Yangzi d'avant les inondations.

Je dis tout de suite :

— Vas-y. Je vais rester ici.

— Allez, viens. Ça va te faire du bien.

Je lui réponds aussi sec :

— Comment sais-tu ce qui est bon pour moi ?

— Bon, d'accord, reste ici.

Pendant que Vivien est en expédition, je me recouche pour rattraper le sommeil perdu de la nuit. Mais le temps moite, la lumière vive et le navire à l'arrêt me plongent dans un sommeil malaisé et des rêves fébriles, un peu trop proches de la réalité.

Pendant que je flotte dans mon monde de rêves, le même navire, la même cabine et les mêmes cris de l'équipage m'accompagnent. Puis je me retrouve en train de gravir péniblement la rive en terre meuble d'un chantier de construction géant, vaste comme une mine à ciel ouvert. Le terrain instable entrave mon ascension et on dirait que je glisse vers le bas au lieu de monter, à mon grand désarroi d'ailleurs, car une vague menace m'attend au fond.

Est-ce la machinerie de construction bruyante que je crains en bas ou est-ce simplement le fait que je ne devrais pas me trouver dans cette zone ? Je ne saurais le dire. Je débouche alors du mauvais côté d'une imposante clôture de sécurité. Vivien est de l'autre côté, elle me dit que je ne devrais pas être là. Je lui réponds avec colère que je ne le sais que trop bien et que je veux passer de l'autre côté mais que j'en suis incapable. J'essaie d'escalader la clôture mais les barbelés du dessus déchirent mes vêtements : impossible de me faufiler. Puis arrivent des gardes chinois agités qui me crient après. Je comprends tout à coup que la clôture est électrifiée et que je suis coincé à quelques centimètres du fil sous tension.

Assez ! Je m'arrache à mon sommeil et me retrouve trempé de sueur. Je passe le reste de l'après-midi étendu sur mon lit, les yeux ouverts.

Vivien rentre de son expédition d'excellente humeur.

— J'avais besoin de ça, me dit-elle en faisant irruption dans ma cabine. Les Trois Petites Gorges étaient absolument splendides. D'une pureté parfaite. Comme si l'espoir existait.

— Ouais. Je comprends pourquoi on veut tant y organiser des expéditions.

— Les montagnes sont très escarpées de chaque côté. L'air dans le canyon était agréable et frais. Je ne devrais peut-être pas dire ça, mais tu aurais dû venir. Ça t'aurait peut-être remis de bonne humeur.

— Peut-être. Au lieu de ça, je suis resté au lit, tourmenté par des rêves déplaisants. Il faut vraiment que cette croisière sur le Styx prenne fin.

— Le Styx ?

— Une rivière de la mythologie grecque qui relie le monde des vivants et celui des morts.

— On arrive demain.

Dans le dernier droit du voyage, notre navire s'éloigne des montagnes pour s'engager sur ce qui semble être un vaste lac. Le lac prend fin au barrage des Trois-Gorges, mais on n'en voit nulle trace sur les eaux. Le navire se dirige vers la rive et accoste à un grand terminal moderne où d'autres navires semblables sont déjà amarrés. On nous conduit à des autocars de tourisme qui nous mèneront d'abord au barrage, puis à Yichang, la grande ville de l'autre côté. Quand nous approchons du barrage, celui-ci est encore masqué par ce brouillard blanchâtre si commun en Chine, qui nous empêche d'embrasser toute la structure du regard. Sa taille massive est rehaussée par toute cette blancheur qui l'enveloppe.

On nous mène à un belvédère panoramique sur un tertre surplombant la structure. On peine à entrevoir toute la masse de béton qui enjambe le fleuve ou le profond canyon artificiel et les écluses permettant de franchir le barrage. Puis on nous dirige vers un sentier riverain en contrebas du mur géant qui retient l'eau. Ici, le brouillard n'est pas aussi opaque, et nous pouvons enfin voir tout le barrage.

Je ne peux m'empêcher de dire :

— C'est intense.

— Plusieurs générations de gouvernants chinois ont rêvé de ce projet, m'explique Viv. Sun Zhongshan, que vous appelez Sun Yat-sen, a écrit sur l'érection d'un barrage sur le Yangzi. Les Américains et les Japonais y ont songé eux aussi. Mao a écrit un poème là-dessus. Le projet paraissait inéluctable depuis des décennies. Puis il a finalement été mis en branle sous Li Peng qui, de tous les dirigeants récents de la Chine, fut sûrement le plus dogmatique et le plus répressif. Autant dire que rien ne pouvait entraver ce projet.

— Un chantier aussi immense aurait été impossible dans une région habitée de mon pays, lui dis-je. Les gens seraient morts de peur.

— Eh bien, le projet a quand même suscité une vive opposition, même au sein du Parti. Mais cela n'a rien empêché. Rappelle-toi que Li Peng était un des purs et durs, un de ceux qui ont réclamé qu'on fasse donner les chars d'assaut contre les manifestants de la place Tian'anmen.

— J'imagine que les besoins en électricité de la Chine primaient tout.

— Même ça, c'est controversé, m'explique Viv. Les détracteurs du projet rappellent les projets hydroélectriques qui ont échoué sur le fleuve Jaune. Apparemment, toute la vase que charrient ces grands fleuves s'engorge dans les turbines et les immobilise. Les tenants du projet disent que la conception est meilleure ici et que la situation sur le fleuve est différente. Mais comment en être sûr ? Il faudra attendre encore quelques années pour voir.

— Peut-être que l'électricité produite par le barrage vaut mieux que les centrales au charbon ?

— Eh bien, voilà un problème de plus. Les chiffres ne tiennent pas. La capacité de production du barrage sera d'environ quatre-vingt-sept térawatts à l'heure. On dit que la Chine consomme environ cinq mille térawatts à l'heure. Donc, avec tout ce que tu vois, malgré toutes les inondations et les destructions, on comblera moins de deux pour cent des besoins actuels du pays. Les besoins de la Chine augmentent plus vite qu'au rythme de deux pour cent par année. Ce qui veut dire qu'il y aura d'autres centrales au charbon.

— Je vois.

— Pour moi, conclut-elle, ce n'est pas une question d'électricité. C'est seulement que l'idée de construire nous obsède. C'est pour faire mousser le prestige des gouvernants qui ont à mobiliser toutes ces ressources, à graisser la patte de tant de gens, et qui, au bout du compte, se retrouvent avec un monument illustrant leur puissance aux yeux du monde.

— Mais songe aussi au risque immense que le barrage pose pour la Chine, lui dis-je. Pense à ce qu'une frappe nucléaire pourrait faire ici et aux centaines de millions de gens qui vivent en aval.

Viv a l'air inquiète tout à coup :

— Mais ça ne risque pas d'arriver ?

— Nous vivons dans un monde violent où s'agitent d'immenses forces sinistres. Et la Chine vient de se doter d'un nouveau talon d'Achille.

— La Chine devra seulement apprendre à devenir une force au service de la paix dans le monde, me répond-elle.

— Ouais, eh ben bonne chance alors…, fais-je en riant.

Une dernière monstruosité m'attend au terme de notre voyage sur le Yangzi. Avant de nous laisser à Yichang, notre autocar fait une halte à un musée local. De l'extérieur, on dirait un institut de recherche délabré, dépouillé de tout ornement qui pourrait attirer de joyeux touristes. Mais l'emplacement est impressionnant : l'édifice est blotti contre un talus escarpé qui domine le fleuve.

Le musée est aussi morne en dedans qu'au dehors. On n'y trouve qu'une petite salle poussiéreuse avec cinq ou six cabinets de verre. Quelques documents et cartes, un diorama. Une section sur l'écologie du Yangzi attire mon attention. Il y a là un dauphin du Yangzi, le baiji, préservé dans un cabinet qui a l'air d'un cercueil. Sa peau plissée lui donne une allure décrépite et misérable.

— Pauvre bête, dit Viv. On croit que l'espèce est éteinte.

— Oui, rayée de l'existence.

La taille minuscule de son œil confirme que cette créature était presque aveugle, adaptée aux eaux vaseuses. Son sonar perfectionné lui permettait d'utiliser à son avantage les eaux troubles : il surprenait les poissons et les attrapait de son long museau fin.

Je dis à Viv :

— J'ai lu le texte d'un biologiste de la vie marine qui a interrogé des gens le long du Yangzi qui auraient été les derniers à voir les dauphins. Il était à la recherche de témoins récents pour attester l'extinction du baiji. Un des pêcheurs du Yangzi lui a dit que le baiji était un « poisson fille » parce qu'il était aussi timide qu'une jeune fille à une fête et qu'il se sauvait vite quand on l'appelait. Eh bien, les jeunes filles ont filé et la fête est finie, conclus-je sur le ton de la blague.

— Je trouve ça déprimant, répond Viv, qui ajoute aussitôt : *Voilà* un sujet lugubre pour tes exercices phénoménologiques : l'extinction d'une espèce.

— Oui, voyons voir… Un dauphin qui est témoin de sa propre annihilation : je vois des filets, des moteurs à hélice, la pollution, la maladie, une grande solitude, la famine, puis l'inondation. Sa dernière pensée : « Oh, singe, qu'as-tu fait ? »

— C'est épouvantable, dit Viv en secouant la tête.

Devant la créature ratatinée et ses petits yeux mi-clos, nous ne disons plus un mot et ressentons une vive sympathie pour cet animal insolite mais intelligent qui n'existe plus.

Viv dit :

— On devrait dire une prière pour lui.

— Oui, tu as raison.

Nous nous recueillons comme si le dauphin était quelque messager des dieux des montagnes. Nous devons prier pour leur faire savoir que nous ne les avons pas oubliés. Mais en vérité, nous les avons oubliés. Le monde poursuit sa marche. Nous ne savons même plus comment prier. Et, tout comme leur envoyé, le baiji, les immortels sont maintenant disparus eux aussi.

CHAPITRE 6

Shanghai

Connaissance et action sont toujours indispensables l'une à l'autre, comme les yeux et les jambes. Sans jambes, les yeux ne peuvent pas marcher ; sans yeux, les jambes ne peuvent pas voir.

ZHU XI, érudit confucéen de la dynastie Song

C'est jeudi : Viv et moi quittons l'intérieur du pays à destination de Shanghai. Il en faut du temps pour faire toutes les correspondances en autocar à partir du haut Yangzi. Les journées sont longues et nous changeons souvent d'autocar.

Quoique située dans le centre de la Chine, région névralgique s'il en est, Shanghai n'a jamais été une capitale. Shanghai n'est pas non plus un symbole d'unité. Elle n'abrite pas quelque haut lieu traditionnel auquel les Chinois doivent une partie de leur identité. C'est une ville unique en son genre, et sa fondation est récente ; tout ce qui s'est passé à Shanghai est arrivé au cours des deux derniers siècles. Pourtant, ces deux siècles ont été importants et ont changé en profondeur le monde et la Chine.

Je dis à Viv :

— À Shanghai, nous allons assister à un mariage.

— Qui sont les mariés ?

— Un Anglais. C'est un ami proche de Deryk. Il va épouser une Chinoise.

— Oh oh ! dit-elle en riant. Les filles de Shanghai font des épouses capricieuses, c'est connu.

— Eh bien, je crois que la future mariée a passé son adolescence à Kashgar.

— Ah ! alors je suis sûre qu'elle est différente. Kashgar, c'est le contraire de Shanghai.

Kashgar est la grande ville la plus à l'ouest de la Chine, une ville en haute altitude où il fait très chaud, une ville poussiéreuse d'Asie centrale, le territoire traditionnel des tribus turciques. Dans la Chine nouvelle, c'est une ville champignon.

— J'ai remarqué que les Chinois médisent de Shanghai et de ses habitants. Est-ce parce qu'ils sont jaloux de sa richesse et de sa réussite ?

— Oui, peut-être, admet Viv. Mais il y a aussi que les natifs de Shanghai ont la réputation d'être arrogants, matérialistes et superficiels.

Nous rions et nous mettons d'accord pour taire nos préjugés. Avec ses quelque vingt-quatre millions d'habitants, Shanghai est un des centres urbains les plus peuplés du monde et dispose du plus grand port de la planète. Il faut être fou pour ne pas prendre cette ville au sérieux.

Nous passons mais ne nous arrêtons pas à Nanjing, ville qui est en soi un sujet de méditation grave ; Shanghai mobilise déjà notre attention. À la radio, une nouvelle importante : le leader du Parti communiste à Shanghai, le secrétaire régional, a été inculpé de corruption et de comportement déshonorable envers le Parti et la nation. Il a été arrêté.

— C'est étonnant, dit Viv, mais non sans précédent. Imagine le pouvoir dont cet homme disposait il y a à peine quelques heures de cela.

— Et maintenant ?

— Eh bien… Sans doute qu'on n'en entendra plus jamais parler. Officiellement, ce sera comme s'il n'avait jamais existé.

— Sera-t-il exécuté ?

— Peut-être. Plus vraisemblablement, il finira là où on expédie tous les dirigeants disgraciés du Parti.

— Est-ce qu'il y aura un procès ?

— Un procès ! Ici, quand tu es inculpé, tu es déjà réputé coupable. Il y aura une audience privée, mais son issue est déjà décidée.

— Donc le public ne saura jamais exactement ce qu'il a fait de mal ?

— Rien que des approximations. D'une certaine manière, tout le monde est déjà censé savoir à quel point il est coupable.

— Dans quel genre de corruption aurait-il trempé ?

— Il se sera conduit comme tous les leaders du Parti dans toutes les grandes villes de Chine.

Viv m'explique ensuite qu'à Shanghai, les tentations et les récompenses sont plus grandes que partout ailleurs. Elle me décrit comment le secrétaire du Parti à Shanghai a le dernier mot sur tout ce qui se fait là.

— Rien de grand ne se bâtit, aucune grande fortune ne se fait sans son approbation. L'autorité centrale du Parti doit toujours intervenir ainsi dans les grands centres de richesse. Les caciques du lieu deviennent trop puissants. Ils cessent d'obéir aux ordres ; ils constituent une menace à l'unité du pays. Le sort de cet homme est un avertissement pour les autres grands dirigeants régionaux.

Bien sûr, son arrestation ne changera rien pour les gens. Il n'y aura pas de réaction publique. À part le sourire qu'il a esquissé au début, notre chauffeur, par exemple, ne semble pas troublé outre mesure. On ne tirera aucune leçon de cet événement. La corruption gardera tous ses droits. Il s'ensuivra un petit jeu de chaises musicales et l'emprise de la vénalité se desserrera momentanément. Cela s'inscrit tout simplement dans un cycle qui se poursuit sans cesse, presque dans l'harmonie. Ce qui était grand et fort hier sera petit et faible demain.

C'est une tendance bien définie en Chine : Shanghai prend trop de place, et Beijing doit frapper un grand coup de temps à autre pour rétablir son autorité. À maints égards, Beijing est marginale. La capitale, dans son fief du nord, peut paraître distante et négligeable dans le riche delta du Yangzi. Le nord est froid, sec et fruste. Il est également vulnérable. C'était, traditionnellement, le flanc exposé de la Chine, qui s'ouvrait sur la steppe et les vastes forêts indomptées au-delà. Le nord, royaume des chevaux et des grandes armées, était le théâtre privilégié des mutations radicales.

Au centre, la culture du riz dominait tout. Grâce à des techniques de gestion des eaux toujours plus pointues, la production de riz a soutenu la croissance formidable de la Chine. Sous la dynastie resplendissante des Tang, vers la fin du premier millénaire, le Grand Canal et un réseau complexe de voies navigables ont permis au grain de circuler dans toute la Chine pour nourrir les sujets et les soldats, pour maîtriser le pays, le coloniser et le conquérir. Les cultures du Yangzi et du fleuve Jaune ont formé un seul peuple unifié.

À son apogée, la Chine des Tang avait tous les atouts dans son jeu : l'art et la technologie. Le rayonnement de ses armées et de ses flottes était tel qu'elle captait dans son orbite des pays lointains qui venaient enrichir son savoir. Les Tang commerçaient et communiquaient avec les Indiens et les Arabes. De grandes idées neuves étaient débattues à la cour et trouvaient vite un écho dans toute la Chine. Ce fut une époque de puissance et de lumière.

Dans la Chine des Tang, la maîtrise des eaux était synonyme de maîtrise de la nourriture, d'où son pouvoir incontesté. Une civilisation qui apprend à déplacer des denrées alimentaires en grandes quantités se dote vite d'une économie commerçante avancée. Mais l'harmonie finit par passer, comme les saisons, et tout ordre finit par s'effondrer. Au cours de la dynastie Tang, le monde s'est aussi rétréci. Les montagnes n'offraient plus la protection d'autrefois. Dans les cours des rois barbares, on parlait de la richesse de la Chine. La convoitise devait bientôt s'emparer de ses voisins, qui voulurent éprouver sa force, laquelle s'avéra de moins en moins suffisante. Dans cette dynamique, le centre offrait un refuge. Rien que le grand nombre de Chinois et la production colossale de grain dans le bassin du Yangzi faisaient en sorte que ces populations étaient inassimilables.

La dynastie Song émergea après la brève période chaotique qui suivit la chute de la maison Tang. La prétention au mandat céleste des Song n'était pas fondée sur des considérations aussi basses que la suprématie militaire mais sur le raffinement culturel. Même si elle hérita de l'intérêt des Tang pour la technologie, la fabrication et l'invention, la période Song fut une ère de contraction inévitable. Le centre perdit le contrôle des extrémités septentrionales de l'empire et ses forces eurent du mal à contenir les armées étrangères qui y rôdaient.

La Chine des Song assemblait parfois des armées et les lançait contre l'ennemi, qui arrivait invariablement à dos de cheval, mais c'était chaque fois une tactique risquée. Plus rapides que les armées chinoises, les cavaleries ennemies n'avaient qu'à battre en retraite vers quelque champ de bataille de leur choix et contre-attaquer de là. Les formations chinoises étaient forcées de se retrancher aussitôt en terrain défavorable. Les cavaliers en armure harcelaient les fantassins avec leurs flèches, les contraignant à rompre les rangs et à ouvrir le champ de bataille. Puis les guerriers montés perçaient le front des grandes armées, semant le désarroi et les mettant en pièces.

Les Song préféraient donc se retrancher derrière les murs de leurs villes. Un vaillant officier qui avait veillé au maintien des fortifications pouvait tenir en respect les armées montées suffisamment longtemps pour les contraindre à lever le siège et à regagner leurs lointains pâturages où ils verraient à leurs familles et à leurs troupeaux. Mais les élites des Song dédaignaient le service militaire, et bon nombre de leurs villes avaient débordé leurs vieux murs en ruine. Les populations étaient plus enclines à faire des fêtes et des festivals qu'à livrer combat.

Les Song n'ayant pu imposer leur paix, ils durent l'acheter des envahisseurs du nord. Mais ces arrangements ne durèrent pas longtemps. Les Song ne s'intéressèrent pas davantage aux affaires militaires et ne témoignèrent guère de respect aux diverses hardes de cavaliers. Les Song se révélèrent aussi des protecteurs fourbes, tentant fréquemment de jouer une tribu soumise contre une autre. Lorsque la capitale des Song, Kaifeng, tomba enfin aux mains des Jürchens, d'anciens vassaux qui avaient fini par en avoir assez des machinations des Song et s'étaient livrés à une attaque audacieuse contre l'empire, la ville fut mise à sac avec la dernière brutalité.

Les Jürchens décidèrent de purger Kaifeng de ses classes dominantes. Dans leur colère, ils durent penser que les Song étaient mous et véreux, et ils décidèrent qu'ils seraient menés à coups de trique dans les profondeurs du pays jürchen, où on leur montrerait à vivre à la dure manière de ce peuple. Des nobles, des érudits, leurs concubines et leurs enfants furent conduits à pied au nord de la capitale, emportant avec eux leurs trésors et leur raffinement. Ceux qui survécurent furent accueillis à la cour des Jürchens à la manière des chasseurs : nus, à part leurs fourrures.

Le reste de l'élite des Song s'enfuit vers le sud, de l'autre côté du Yangzi. Ces nobles rétablirent leur cour sous le patronage d'un parent des Song qui se fit empereur à Hangzhou, à l'extrémité sud du Grand Canal. Diminuée mais restée immensément riche, la dynastie des Song du sud encouragea vivement les arts et l'avancement des idées pendant encore cent cinquante ans. Mais la menace qui pesait sur elle ne faiblit nullement pendant toutes ces années.

Les tribus mongoles vivaient pour leur part une période

d'unité et d'expansion, se déployant toujours plus loin sur le continent eurasien, dans la vaste steppe reliant l'Amour au Danube, un véritable boulevard de conquête. Les hordes mongoles ne furent pas longues à descendre vers la frontière nord de la Chine. Leurs conditions étaient simples : la soumission totale ou l'annihilation complète. Les grandes armées ne s'arrêtèrent pas dans le nord : les riches centres des Song du bassin du Yangzi étaient trop tentants. Là aussi, les assauts répétés des hordes eurent raison de toute résistance et les Song tombèrent aux mains des Mongols en 1279.

Comme les envahisseurs précédents, les Mongols étaient considérés comme des barbares par les Chinois. Mais leurs armées étaient invincibles : elles soumirent toute la Chine, s'emparèrent du centre et interrompirent le cycle ancien du règne des Han sur la Chine.

Les Mongols établirent d'abord leur capitale à Yanjing, dans le nord, qu'ils appelèrent Dadou, cet avant-poste bien connu aujourd'hui sur les marches nordiques de la Chine traditionnelle, devenu depuis lors la grande capitale de l'Empire du Milieu, Beijing. Mais à l'instar des autres princes chevaliers avant et après eux, les chefs mongols conquérants, une fois initiés à la culture chinoise, tombèrent vite sous l'influence des vaincus. Ils s'appuyèrent de plus en plus sur la main-d'œuvre chinoise et les céréales pour leur alimentation et en vinrent à préférer la vie au centre, à Hangzhou, la capitale des Song, près de leurs sources alimentaires et loin des marches.

Au bout de trois générations, les grands khans parlaient et écrivaient essentiellement en chinois. Sous le nom de dynastie Yuan, ils favorisèrent le rayonnement des institutions chinoises et se mirent à prêcher la supériorité culturelle de la Chine, discours qui mina leur autorité tant auprès des Chinois que de leurs cousins mongols des grandes steppes. Même si le territoire conquis par les Mongols était plus vaste que n'importe quel empire dans l'histoire du monde, les Mongols étaient restés le peuple du cheval. Les pâturages arides de l'Eurasie centrale ne convenaient pas aux coutumes chinoises et l'islam finit par s'y imposer.

N'étant ni tout à fait chinois ni vraiment mongols, les descendants de Gengis et de Kubilai Khan – les empereurs de la dynastie Yuan – se détachèrent graduellement des affaires du monde. Leurs gouvernements se montrèrent de moins en moins capables de garantir l'harmonie et la prospérité. Quand les régions prospères du centre se mirent à subir de grandes calamités, les peuples de toute la Chine se durcirent et donnèrent libre cours à leur colère. Ce fut donc un chef paysan han du centre de la Chine, Zhu Yuanzhang, qui prit la tête de la révolte contre les Yuan et mit fin au règne des Mongols en Chine.

La dynastie Ming inaugurée par Zhu marqua le début d'une nouvelle expansion de la culture chinoise ; les traditions du centre fleurirent de nouveau dans le vaste empire. Pour marquer cette expansion, le premier siège du pouvoir des Ming, Nanjing, sur les rives du Yangzi, finit par être déplacé à Beijing. Il s'élevait au-dessus de la vieille capitale mongole, Dadou, où la capitale des Jürchens, Zhongdu, avait autrefois remplacé la forteresse Tang de Yanjing. En bâtissant cette nouvelle capitale au nord, les Ming effacèrent presque toute trace de l'occupation étrangère en Chine. On retrouve aujourd'hui encore des reliques de la Chine des Ming partout dans le pays, mais pour avoir une idée de la gloire des Yuan – ou des Song avant eux –, il faut retourner au centre.

Viv et moi sommes encore à des heures de Shanghai. Les montagnes de la région centrale du Yangzi cèdent le pas à la plaine côtière, un territoire enrichi par les dépôts minéraux qui s'y sont accumulés pendant quarante-cinq millions d'années. La terre est humide et fertile. Le climat est également propice à la culture : étés chauds et humides, hivers doux.

Nous sommes dans les derniers jours de septembre, me dis-je en scrutant l'horizon. Mais rien n'indique encore l'arrivée de l'automne. Cependant, la grande ville se fait sentir. Nous circulons sur une autoroute importante et longeons des zones de culture extrêmement intensive, des plaines riches. La vie villageoise n'a peut-être pas disparu, mais elle a changé. Le béton est partout ; les usines et les complexes immobiliers se multiplient sur les bords de l'autoroute. La circulation est dense et rapide. C'est un aimant puissant qui nous attire.

À l'échelle de l'histoire chinoise, Shanghai est encore un enfant, né d'un tout petit village sur les rives boueuses d'un affluent du Yangzi il y a à peine deux siècles de cela. Mais cette ville devait naître envers et contre tous. L'ère du commerce maritime mondialisé venait de commencer, au grand avantage des puissances occidentales, qui avaient besoin d'un point d'entrée comme Shanghai pour prendre pied dans l'économie chinoise.

Exception faite de son emplacement sur la rivière Huangpu, un affluent du Yangzi, Shanghai n'est nullement favorisée par la géographie. Le pays est plat. C'est aujourd'hui une immense étendue de tours de béton et de verre. S'enfonçant dans la ville, la rivière ressemble davantage à un canal qu'à un cours d'eau.

Quand j'ai vu Shanghai pour la première fois, en 1990, la rive orientale du Huangpu, appelée Pudong, était encore en friche. La gigantesque tour de la télévision n'avait pas encore été érigée dans le sol marécageux. On n'y trouvait que des habitations délabrées. Mon père m'avait dit que lors de son premier séjour à Shanghai, à la fin des années 1940, les communistes menaçaient la ville ; l'exode des Occidentaux et des industriels venait de commencer. Vidés de leurs habitués, les grands hôtels occidentaux du Bund, le boulevard en bordure de l'eau, étaient donc abordables pour le jeune voyageur indépendant qu'il était. La vue de sa chambre luxueuse, racontait-il, était inoubliable : au-delà de la rivière, il pouvait voir la Chine rurale, avec ses rizières, ses huttes et ses rudes paysans. Le sol des rives orientales étant détrempé, la ville avait dû s'étendre à l'ouest à partir du Bund, en terrain plus ferme. Encouragées par le boom immobilier de l'époque Deng, les autorités ont fait drainer la rive orientale et y ont installé l'emblématique tour de la télévision en 1991. Il n'y a pas symbole plus parlant de la prospérité de la Chine nouvelle ; là où il n'y avait autrefois que boue et misère à Pudong apparaît aujourd'hui une richesse étincelante. La tour elle-même n'est pas très belle : une immense boule scintillante sur trois minces piliers de béton. La boule est coiffée d'une antenne géante qui perce les nuages.

La nuit tombe quand Viv et moi arrivons à Shanghai. Nous avançons dans la ville immense en empruntant des autoroutes surélevées et des boulevards titanesques bondés de monde. Les villes prospères de l'Asie aiment illuminer la nuit avec éclat. Les gratte-ciel de Shanghai ne sont pas aussi lumineux que ceux du Shinjuku de Tokyo ou de Times Square à New York, mais dans la soirée moite, les enseignes lumineuses des grandes entreprises installées au sommet des tours sombres sont très imposantes. Tapis dans l'obscurité, les colosses de béton ressemblent à des cyclopes de pierre regardant dans toutes les directions. Shanghai est un complexe urbain gigantesque et puissant, au pouls intimidant.

Les rues géantes de Shanghai sont chaotiques. Tout sert, rien ne chôme. Tout ce qui était jadis au service de la beauté est maintenant envahi par la ville. Dans ce qu'elle a de mieux, Shanghai est une ville magnifiquement arborée. En contrebas de l'étalement urbain vertical, certaines rues et certains quartiers ont été conservés tels qu'ils étaient à l'époque coloniale. Dans ces lieux, les murs de pierre et les manoirs de taille modeste sont restés tels quels. Les platanes et l'éclairage tamisé ont presque pour effet de faire reculer la ville massive, créant quasiment l'illusion du silence et de la sérénité. Mais la vibration lourde des innombrables ventilateurs et moteurs se répercute dans l'air épais et semble prendre plus d'ampleur quand, dans le creux de la nuit, on cesse d'entendre les klaxons, les sirènes, le crissement des pneus et le bruit des gens. Le ciel n'est pas noir mais vaguement pourpre et rosé avec le halo des lumières colorées dans l'air dense et humide. À Shanghai, il n'y a pas moyen de fuir l'énergie de la ville ; elle est omniprésente.

Nous sommes descendus à un hôtel bon marché. Partout en Chine, y compris à Shanghai, trente dollars ou moins vous procurent une chambre avec salle d'eau et draps propres. Les halls des hôtels ont souvent été récemment recarrelés et sont toujours bien éclairés. Les réceptions sont bordées de dorures et encadrées de tentures de velours rouge. Le personnel est habituellement nombreux, bien mis et avenant.

Les ascenseurs sont modernes et rapides. Nos chambres sont au cinquième étage de cette modeste tour de béton. La fenêtre de ma chambre est en haut du mur et donne sur l'immeuble d'à côté. Contrairement au hall, la chambre est terne et impersonnelle. Pas de problème : elle servira fort bien ainsi. Je dépose mon sac à dos, prends une douche rapide et me précipite dehors. Je suis attendu à une fête qu'on donne en l'honneur du marié. Viv ne m'accompagne pas. On n'invite pas une jeune femme à un enterrement de vie de garçon.

Je me joins à la fête dans un grand restaurant à plafond élevé où on sert des mets du Guizhou, une des provinces du sud de la Chine. C'est une région très montagneuse, recouverte par la jungle, où vivent des minorités ethniques. Les habitants y mangent une cuisine simple, fraîche et épicée : idéal pour qui consomme de la bière en grande quantité.

Presque tous les invités sont anglais. Des grands gaillards dans l'ensemble. Un mariage à Shanghai n'est pas sans attrait ; les membres de la famille et les amis sont venus de loin. Le groupe grossit au cours de la soirée, mais il y avait déjà un noyau imposant au départ. Le cercle intime du marié est constitué d'expatriés. On pourrait dire qu'ils ont fait naufrage en Chine, comme mon ami Deryk. Lui et le marié, James, sont des captifs heureux en Chine depuis plus de dix ans. Ils ont vécu nombre d'aventures dans le pays et percé beaucoup de ses mystères. Ils sont profondément amoureux de la Chine. Un amour fou, brûlant, mais ils ne sont pas les seuls dans ce cas, surtout à Shanghai, où, au fil des ans, des contingents d'Occidentaux se sont établis pour de bon.

Les Anglais aiment boire. Les Chinois, bien sûr, le savent et tolèrent volontiers les excès collectifs. S'ils ont de la bière et de quoi manger devant eux, ils s'amusent de la gaieté des étrangers, peut-être heureux de partager leur bonne humeur. Eux-mêmes ne dédaignent pas les festivités bruyantes. Ce soir, notre groupe est particulièrement agité. Ce sont des garçons bien bâtis. Ils s'interpellent avec bruit et renversent des choses. Leurs gestes sont exubérants, maladroits. Le chahut est un rite bien chinois. Mais je me demande un instant si la turbulence d'une dizaine d'hommes venus d'ailleurs ne risque pas de rappeler de mauvais souvenirs. Shanghai était autrefois sous la coupe des diables blancs, me dis-je, soldats, marins, marchands et banquiers de l'étranger qui, à l'occasion, infligeaient toutes sortes de souffrances aux Chinois, le plus souvent en toute impunité.

Heureusement, le décalage horaire commence à peser sur l'honorable compagnie. Et les naufragés sur place ont déjà jeté leur gourme trop de fois en Chine pour n'écouter que le barbare en eux. Afin de tempérer les choses, les deux meilleurs amis chinois du marié font leur apparition. Allen est un jeune homme d'affaires intelligent, originaire d'un village près de Ningbo, une ville prospère au sud de Shanghai. James y enseignait l'anglais à son arrivée en Chine, il y a dix ans de cela ; Allen était un de ses étudiants les plus doués et James a séjourné dans la famille d'Allen à maintes occasions. Allen a une allure princière. Il est athlétique, il paraît bien, il est courtois et patient envers tous, ses manières sont impeccables. Il est toujours prêt à aider, à rendre service au besoin. Premier de classe et élève

modèle, il a été remarqué par le Parti et a accepté l'honneur de
se joindre à ses rangs. Cela l'a aidé à se tailler une place dans
la jeune élite d'affaires de Shanghai. Tout de même, l'ascension d'Allen a été rapide, même pour ceux qui le connaissent et
l'admirent.

Sa réussite financière semble avoir épousé la fortune de la
ville. Il conduit une belle voiture neuve et exhibe le téléphone
intelligent dernier cri. Il est vêtu avec goût et voyage beaucoup.
Son charme et sa bonne humeur ne se démentent jamais. Il
vient d'arriver du Sichuan en avion, explique-t-il, et demande
pardon pour son retard. Tous lui font fête.

Le marié, originaire du centre de l'Angleterre, est un
maniaque de football. Bon nombre de ses copains jouent avec
lui. D'ailleurs, un match est prévu pour le lendemain. Allen a
été désigné capitaine de l'équipe chinoise, et c'est à lui qu'incombe le pénible devoir de trouver les joueurs chinois pour ce
match qui mettra aux prises les deux races. Si ça gêne Allen, ça
ne se voit pas. Quelques fêtards vantent avec bruit la supériorité
évidente des Anglo-Saxons. Allen leur oppose un sourire
enthousiaste.

Puis arrive un autre homme, qu'on connaît seulement par
son surnom : Lito. Il a le pas incertain et dégage une intensité
nerveuse. Peut-être qu'il a déjà un verre dans le nez. Il a l'air
d'un intellectuel, il porte les cheveux longs et son allure est
quelque peu débraillée.

Pendant quelques années, après avoir fait leurs débuts
comme professeurs d'anglais, Deryk et James ont été actifs dans
le milieu du cinéma de Shanghai. Originaire de cette ville, Lito
était allé faire ses études dans la capitale et sortait tout juste de
la prestigieuse académie de cinéma de Beijing. Son dernier
court métrage avait marqué le milieu et il avait été décidé, de
l'avis général, que Lito était en route pour la gloire.

Dans ce temps-là, Lito était un personnage en vue à Shanghai. C'était un jeune homme brillant, poétique et charisma-

tique. L'underground était nouveau alors. Et la première avant-garde d'artistes donnait le ton. Lito était l'homme à suivre dans les profondeurs de la nuit à Shanghai. Pour Deryk et James, qui se débrouillaient en chinois, Lito était par-dessus tout un homme avec qui causer. Au milieu de la nuit, Lito était capable de réflexions profondes et franches. Il avait la vérité coupante. Et il adorait Shanghai.

— Mais il a toujours eu ce côté casse-cou, dit Deryk, qui est venu de Beijing pour le mariage.

Il me raconte la fois où Lito et son demi-frère policier, tous deux fin soûls, se sont mis à engueuler un étranger qui, croyaient-ils, insultait le peuple chinois avec son comportement déplacé.

— Ce Blanc ne faisait rien de trop exceptionnel, remarque, me dit Deryk. Il buvait, il lorgnait les femmes et il prenait beaucoup de place. Les Blancs font tout le temps ça à Shanghai. Mais tout à coup, sans prévenir, Lito lance une bouteille à la tête du gars. J'attrape Lito juste au moment où il se jette sur le pauvre Néerlandais. Puis le frère de Lito me flanque par terre à son tour et je dois me protéger du mieux que je peux d'une volée de coups de poing. La soirée s'est plutôt mal terminée.

En y repensant, Deryk avoue que le souvenir de cette querelle de bar l'amuse. Elle illustre bien les qualités de son ami ainsi que ses défauts : son idéalisme combatif et son sens poétique du chevaleresque combinés avec une tendance à l'irresponsabilité et à l'excès.

Même si tout le monde jugeait que Lito promettait beaucoup à la fin de ses études, le destin ne l'a pas favorisé. Très tôt, il a refusé quelques offres d'emploi sérieuses qu'il jugeait indignes de lui, mais aucune de ses idées n'a trouvé d'auditoire réceptif. Il lui a fallu attendre cinq ans pour mettre en scène un autre film. Il a vu des réalisateurs plus jeunes que lui, tout frais sortis des grandes écoles de cinéma, remporter les succès qu'il avait espérés pour lui-même. Et récemment, il s'est mis à accepter toutes les offres qui passent, essentiellement du travail de bas étage et d'un commercialisme tapageur.

— Ceux d'entre nous qui rêvaient de réussir en tant qu'artistes le comprenaient, évidemment, dit Deryk, mais il y est allé à fond la caisse. Maintenant que nous avons des femmes dans nos vies et des emplois plus stables, ça cause des problèmes. Je suis franchement surpris de voir qu'il a été invité au mariage. Mais je suis content de le voir : il me manque.

Lito m'intrigue. Toutefois, ça ne s'annonce pas très bien : son anglais est mauvais. On me dit qu'il n'a jamais été particulièrement bon mais que ça s'est dégradé ces dernières années. Lito est assis de l'autre côté de la grande table ronde. J'amorce la conversation.

— Tu as vu de bons films dernièrement ?

Il me décoche un sourire intéressé et m'invite à répéter ma question à cause du bruit ambiant, ce que je fais. Il me lance le nom d'un célèbre réalisateur italien des années 1970.

— Ouais ! Mais rien de plus récent ?

Il n'arrive pas à déchiffrer ma question. Je la répète, mais en vain. Une personne assise entre nous nous vient en aide.

Lito finit par répondre. Notre interprète samaritain traduit pour moi. C'est un titre récent de Hollywood dont j'ai entendu parler mais qu'on a classé comme navet, une comédie romantique juvénile, je crois.

— Donc, tu aimes la culture pop ? LA CULTURE POP ? que je lui crie, pour me faire entendre.

— Oui, la culture pop, dit-il en souriant gentiment.

Je reste intrigué, peut-être mystifié aussi, parce qu'il a vraiment l'air bohème. Mais nous avons tous deux conclu que la communication, dans les circonstances où nous nous trouvons, est peine perdue. Avec un hochement de tête résigné, Lito est d'accord pour différer notre entretien. Il rentre chez lui lorsque nous quittons le restaurant.

Peu importe. C'est un week-end de festivités. Nous sommes

à la veille du Festival de la mi-automne et du jour de la Fête nationale, un temps pour la famille et les amis. Nous quittons le restaurant pour nous diriger vers les anciens repaires des naufragés.

En sortant de nos taxis, la déception est immédiate, comme si quelqu'un s'était trompé, avait mal choisi. Deryk et James constatent une fois de plus combien les choses changent vite en Chine. Mais il est trop tard : les gars soûls s'éparpillent déjà dans le secteur.

— Je savais bien que nos vieux cafés-terrasses étaient devenus des trous, se lamente James.

— Bah, ça va aller, dit Deryk en riant. L'expérience va peut-être en brasser quelques-uns.

C'est une rue illuminée et plantée d'arbres, avec des commerces d'un seul étage à toutes les portes. Chacun d'eux est un bar en train de se métamorphoser en cabaret. Les fenêtres et les terrasses sont presque toutes fermées. Des portiers cousus de cicatrices et à l'air fourbe gardent les entrées. C'est une rue manifestement destinée aux étrangers en mal de plaisirs illicites. On y croise des Occidentaux errants qui ne sont pas venus en bateau, comme dans l'ancien temps, mais qui sont quand même arrivés à Shanghai avec une grande soif causée par un long voyage ardu. C'est ici qu'on revoit l'homme d'affaires esseulé qui a laissé entendre au chauffeur de taxi à l'hôtel qu'il cherchait de la compagnie.

Les étrangers fraîchement arrivés se mêlent à ceux qui ont fait naufrage depuis longtemps à Shanghai, les habitués des cabarets, qui ne sont jamais nombreux mais qui sont toujours là. Ils y viennent peut-être pour y rencontrer des étrangers comme eux, de n'importe quel acabit. Ce sont des hommes au visage hâlé et morne, de vieux garçons qui ont la mine du désespoir réprimé, qui ont besoin de se souvenir… ou peut-être d'oublier.

Ici, les Chinois sont à votre service : les petits voleurs qui vous ouvrent les portes et dont le travail consiste à neutraliser toute violence ; les serveurs dont les manières aimables font en sorte que les consommations sont payées rubis sur l'ongle ; le barman, les serveuses, les jeunes hommes et les jeunes femmes presque invisibles qui débarrassent les tables ; et, bien sûr, les courtisanes. Certaines sont à leur compte, et elles offrent peut-être quelque chose de plus que de la gratification sexuelle. La plupart, cependant, sont des travailleuses urbaines, assujetties à une guilde et maigrement entretenues. Parmi elles, quelques femmes plus âgées, qui en ont vu bien d'autres et qui sont coin-cées pour toujours dans ce métier, qui surveillent les femmes plus jeunes, pour la plupart originaires des régions éloignées de Chine ou d'ailleurs. Des femmes venues des montagnes ou des déserts de l'ouest. Elles appartiennent à des minorités ou sont originaires de Mongolie.

On se trouve ici devant une économie qui fonctionne comme un procédé de production. La main-d'œuvre est com-binée avec des matières premières et on en retire de l'argent. Mais c'est un sale métier, sur lequel règnent des puissances obscures. Un monde de trafic humain, de contrebande et de violence.

Dans ce genre d'endroit, on peut être tenté de conclure qu'après une période de répression puritaine, le vice a refait surface dans la Chine nouvelle. Mais il est absurde de croire qu'il y a moyen de réprimer le vice intégralement. On gère sim-plement les passions humaines. On cherche à équilibrer les choses. À ses débuts, la Chine communiste faisait sans doute preuve d'un certain puritanisme envers la sexualité, mais elle embrassait d'autres aspects de la nature humaine autrement plus pervers.

Une fois de plus, le lieu n'est pas propice à la conversa-tion. Les gars sont déjà à moitié soûls et boivent encore plus. Je m'accroche à Allen, qui boit à peine, et à Deryk, qui n'est pas soûlable.

Je demande à Allen :

— Où vont les jeunes Shanghaïens qui veulent sortir ?

— Ah, je ne sais pas.

Deryk ne le croit pas.

— Et ce grand bar à côté de Julu Lu ? demande-t-il pour le relancer.

— Il a changé de nom. Ça s'appelle maintenant Armani, lui répond Allen.

— Et alors ?

— Je n'y suis pas encore allé, mais il paraît que ça marche très bien, admet-il.

— Eh bien, je propose que vous y alliez tous les deux, dit Deryk. Je vais raccompagner le marié chez lui et vous y rejoindrai un peu plus tard.

Ça me va. J'aimerais repartir avec une impression moins sordide de la vie nocturne de Shanghai, et Allen est toujours prêt à m'accommoder.

Le taxi file à toute allure dans la nuit de Shanghai. Les lumières, les couleurs, les gens défilent à côté de nous. Après un moment, nous nous arrêtons sous une immense enseigne de néon jaune : Armani.

À en juger d'après la façade, c'est une sorte de superboîte. Des basses profondes s'entendent de l'extérieur. Le portier nous dévisage, après quoi nous pénétrons dans l'antichambre, où nous payons tout de suite les frais d'entrée, puis nous nous rapprochons de la musique. La première salle est un immense dancing bondé. Une lampe stroboscopique marque le rythme rapide, saisissant les poses des figures dansantes. Les gens suivent le rythme. Ils sont tous jeunes et chinois. Le long des murs, il y a de petits salons où les gens traînent autour des tables basses. Beaucoup ont les yeux rivés sur le mouvement dans la salle. La foule a un aspect frais et honnête, comme si ces gens ne se racontaient pas d'histoires.

Il y a un deuxième étage. On peut voir les passerelles au-dessus du dancing. Allen semble croire que nous serons mieux dans cette section plus sélect ; nous montons l'escalier. Nous traversons un bar plus intime et allons jusqu'au bout d'un long couloir. Une série de petites pièces s'ouvrent sur ce couloir. Certaines portes sont ouvertes et je vois que ces petits salons ont des fenêtres qui donnent sur la piste de danse. Je comprends que ce sont là les salons VIP, pour les fêtes intimes.

Nous nous installons dans un salon en face, une cellule sans fenêtre mais luxueusement décorée. Le haut des murs est presque totalement recouvert de miroirs. Trois côtés du salon sont occupés par un divan rouge et une table basse. De l'autre côté, la console : l'écran à cristaux liquides et la machine à karaoké.

Maggie, notre hôtesse, se présente. Elle est de très grande taille et fort extravertie. Elle nous déclare en anglais qu'elle a du mal à parler cette langue et qu'elle n'y prend aucun plaisir. Elle poursuit donc en mandarin et nous souhaite une belle soirée, nous invitant à nous adresser à elle si nous avons besoin de quoi que ce soit. Des serveuses nous apportent des bouteilles de jus de fruits, de l'eau et des canettes de bières étrangères. Elles sélectionnent aussi une liste de chansons karaoké sur le poste de télévision.

Puis les entraîneuses arrivent. Tout en pouffant de rire, elles s'assoient poliment à côté de nous et nous versent de la bière. L'une d'elles se lève pour danser au son de la musique. Elle est gauche, comme une couventine qui ferait ses débuts dans le monde. Son amie la rejoint bientôt et toutes deux se donnent beaucoup de mal pour chanter un morceau de pop américaine. Nous sommes d'humeur indulgente et les applaudissons de bon cœur. Bientôt, nous sommes tous là à faire la chenille, trébuchant dans notre espace restreint. Pendant un bon moment, nous nous amusons ferme.

Mais je retourne vite à la piste de danse pour me plonger dans l'anonymat de la musique électronique. Ici, la danse remplace les lourds sous-entendus du traitement VIP. Dans leurs exhibitions et leurs échanges, les danseurs jouissent de la possibilité du contact et non de sa réalité. Je suis davantage une créature de ces fantasmes fugaces, inassouvis, heureux de danser seul dans la foule, la tête débordant d'idées qui resteront sans suite.

Autour de moi, je sens une adhésion croissante aux mêmes idéaux. Ces danseurs n'ont rien à voir avec les hôtesses des salons rouges au-dessus. Ils ne sont pas là pour le plaisir des clients payants. Ils sont ici pour fuir leur travail ou même l'éviter en vivant aux crochets de leurs parents. Mais on ne saurait amalgamer la fête à l'irresponsabilité économique. Ce sont des personnes qui projettent leur corps dans le vide, laissant furtivement entendre que leur corps et la personne qu'il y a en dedans sont uniques, qu'ils ont rompu avec leur milieu et qu'ils sont momentanément exemptés de toute obligation.

Quelques-uns s'abandonnent corps et âme au rituel. Les yeux clos, ils recherchent le rythme comme les moines l'illumination. D'autres sont venus communier. Deux jeunes femmes à côté de moi sont manifestement de proches amies ; les sourires qu'elles échangent attisent leur fébrilité. Elles prennent des poses de plus en plus osées, ravies d'exhiber le potentiel de leur corps.

Mais beaucoup d'autres jeunes gens semblent aborder l'expérience avec plus de circonspection ; ils sont en groupe, ils pouffent souvent de rire. La danse est un art qu'ils apprennent à petits pas bien comptés. Certains s'avéreront doués ; d'autres préféreront retourner à des pratiques plus sages, plus conformes à leur milieu.

La Chine n'est guère puritaine lorsqu'il s'agit de sexe, mais même dans un bar tendance de Shanghai, l'abandon individualiste que requiert la danse demeure rare, bien qu'il soit manifestement de plus en plus présent.

Pour moi qui voyage seul et qui suis trop timide pour me

porter à la rencontre des autres, la piste de danse a souvent été un moyen de communier, voire de communiquer avec les natifs de l'endroit. Un genre de complicité s'installe entre les danseurs sans qu'on ait besoin de mots. Pendant un moment, étourdi par le rythme, je sens presque que j'appartiens au lieu. Pour un peu, j'aurais l'impression d'être connu et aimé des beaux étrangers qui m'entourent. Invariablement, cependant, mes nuits se terminent dans la solitude. Un peu fatigué, moyennement heureux, un peu plus sage peut-être, j'avance dans la nuit vers ma cellule.

Dans l'aube douce, le taxi est un véhicule rassurant. Les villes actives sont momentanément vides de gens et de voitures. Le taxi file à toute allure. Le chauffeur est silencieux et pourtant plein de sollicitude, offrant le passage à l'âme seule qui chemine.

C'est vendredi matin et j'ai besoin de chaussures de sport pour le match de football. Je dois aussi refaire le plein de DVD. Cela me permettra de jeter un coup d'œil sur l'économie de consommation en pleine ascension à Shanghai.

Après notre voyage éprouvant sur le fleuve, Viv a sûrement besoin de repos. Elle va revoir aujourd'hui une copine d'école près d'un monument au centre. Nous nous y rendrons ensemble, puis nous nous séparerons là. Nous allons à pied vers le nord, en direction du nouveau centre-ville.

Notre quartier est assez moderne, résidentiel et chinois. Fort laid aussi. Mais on dirait que, d'une certaine façon, ce lieu me parle. On n'a rien bâti ici avec l'art en tête. Partout autour de moi, des tours de béton. À leurs pieds, un pot-pourri de structures : de vieux immeubles en pierre ou en briques, noircis par des années de pollution. Ici et là se démarque une nouvelle tour habillée de verre et de plastique pâle. Ou encore surgit un nouveau supermagasin, tout en blanc et scintillant dans son armure de lumières savamment dirigées, tel un phare, rayonnant d'optimisme matérialiste dans la grisaille ambiante, comme pour dire que la consommation est le remède souverain à tous les problèmes du monde.

Tout de même, le quartier m'intéresse parce que nous sommes dans le Shanghai authentique. C'est un endroit où il y a des gens qui vivent et qui, par centaines de milliers, y retournent pour manger et dormir, entassés dans des appartements minuscules empilés les uns sur les autres. Leur milieu est vide d'histoire mais déjà âgé et usé. Je ne peux pas deviner qui sont ces gens, ce qu'ils font, pourquoi ils vivent. Dans leur nombre et leur densité, ils sont anonymes, menant leur petite vie sans se faire remarquer, chacun étant le maître d'un microcosme minuscule.

Il apparaît bien sûr des types reconnaissables : les retraités, les jeunes couples qui travaillent. Mais parmi eux, ceux qui sont différents, dissidents ou déviants, peuvent faire leur vie sans se soucier des ennuis ou des intérêts des autres. Les gens se rendent au travail dans toutes les directions possibles à toute heure du jour, se croisant dans les rues et les ascenseurs sans jamais savoir qui est qui.

Il manque aussi de services dans le quartier. Il n'y a que quelques restaurants et magasins. Sur cinq cents mètres dans les deux directions à partir de l'hôtel, on ne trouve qu'une laverie rudimentaire et un magasin d'appareils électroniques. Ce commerce est une ruche de cinq étages dont tous les comptoirs sont encombrés d'accessoires informatiques et d'appareils photo. Plus loin, il y a un centre commercial plus neuf avec des agences immobilières et un supermagasin Carrefour où on vend des aliments produits en masse et des électroménagers ; c'est un lieu populaire où se déploie la même consommation frénétique qu'on voit dans des magasins semblables en Occident.

Pour ce qui est des aliments cuisinés, ce qu'on offre – et le choix est pourtant abondant en Chine, d'habitude – est vraiment maigre : un café, quelques comptoirs de prêt-à-manger occidentaux bas de gamme et des chaînes de restos de nouilles chinoises. Cette carence souligne le caractère profondément résidentiel du coin mais fait en sorte que les habitants en sont encore plus détachés. On ne voit personne en train de faire quelque chose. Ils préfèrent rester cachés dans leurs logements, ils y vont ou en sortent. Leurs besoins doivent être comblés derrière des portes closes ou ailleurs.

Après dix minutes de marche, nous parvenons à un quartier différent. Ce nouveau secteur a deux visages : le vieux et décrépit, et le magnifiquement restauré. En y pénétrant, nous voyons qu'il s'agit d'un ancien quartier commercial. Les entrepôts en briques y abondent. Les premiers qu'on voit sont encore occupés par de petits magasins et des logements collectifs. Dans un espace exigu le long d'une rangée particulièrement sale, je repère un magasin de DVD. Comme d'habitude, il est géré par un jeune.

Je connais le manège : on se plante devant un des bacs et on regarde vite les titres en retirant tout ce qui pourrait présenter de l'intérêt. En quelques minutes, on se retrouve avec une dizaine de titres à un dollar pièce. Le seul problème, c'est que les films très récents ont généralement été enregistrés avec une caméra pointée vers un écran ; le son et l'image sont lamentables. On n'achète pas ceux-là. On pourrait se plaindre de l'atteinte au droit d'auteur dans la vente et l'achat de ces DVD piratés. Mais ce qui me frappe, c'est de voir toute la richesse médiatique offerte à la consommation. Les gens sont ainsi exposés à une grande variété d'histoires qu'ils ne pourraient pas connaître autrement.

Ces films et séries télévisées sont un moyen de communication ; si les prix étaient plus élevés, la communication n'aurait tout simplement pas lieu. Les investisseurs ne tirent aucun profit de ces ventes. C'est peut-être injuste, mais tout de même, les rêves et les idées de ceux qui ont fait ces films trouvent une résonance toujours plus grande grâce à ce mode de distribution.

Viv se moque de moi et de ma quinzaine de titres choisis à la hâte. « Le gouvernement chinois n'importe officiellement que dix films étrangers par an, dit-elle, et ils sont lourdement censurés. Pas étonnant que notre appétit pour le divertissement doive être satisfait par ces moyens interlopes. »

Après quelques autres pâtés de maisons crasseuses où officient d'autres petits marchands comme mon pirate de DVD, le quartier change d'allure. Une rangée de vieux entrepôts en briques a été réaménagée en centre commercial piétonnier de luxe. Une fois remis à neuf et équipés de jolies fenêtres et d'un bel éclairage, ces vieux bâtiments prennent un air élégant.

Il faut en fait effacer le passé pour que la nostalgie agisse. Nous sommes ici dans le Shanghai que nous, Occidentaux, voulons voir : celui qui a pour thème l'Orient à la rencontre de l'Occident, image que nous ont plantée dans la tête les films de Hollywood et les articles de magazines. Un fusain à l'austérité dignifiée – l'expression de l'industrie et de la stabilité – sur lequel un pinceau délicat a laissé quelques traits de rouge, de noir, de jaune et de violet.

Nous imaginons la dame habillée de soie rouge approchant dans la rue pavée au moment où nous entrons dans une chaîne familière pour un café au lait de soja à prix prohibitif. C'est ce mariage de la familiarité et du fantasme qui enflamme notre imaginaire. Il y a ici des marques que nous avons chez nous, mais dans ce milieu, pourtant, nous croyons que nous pouvons nous les permettre ou que nous en avons besoin, et, avec nos cartes de plastique, nous contractons des dettes que nous rembourserons Dieu sait quand.

Au fur et à mesure que j'avance dans le centre commercial, je vois un autre Shanghai qui m'était resté dissimulé. Viv et moi nous rapprochons du centre-ville et les tours de verre dominent les entrepôts en briques. Le matin est gris et couvert. Mais quelques gratte-ciel illuminés brillent quand même dans la lumière du jour. Quand on entre dans le quartier des affaires, la ville se fait plus immense et encore plus dépersonnalisée. Les gens ne traînent pas dans les rues ; leurs commerces n'encombrent pas les trottoirs. Tout se fait à l'intérieur. L'extérieur est un espace toujours plus menaçant de smog et de viaducs, de circulation automobile et de bruit. Heureusement, la plupart des immeubles sont lourdement blindés contre cette pollution ; ils sont couverts d'armures de métal et de verre. Les bâtiments plus anciens qui restent ont été graduellement revêtus eux aussi d'armures d'aluminium et de plastique. Avec leurs rayons de lumière, ils promettent tous la sécurité à l'intérieur.

Les objets de luxe ne m'attirent guère mais j'ai quand même mes marques préférées. Moi aussi, je peux confondre un produit de marque et un produit de qualité. Si je ne peux pas reconnaître la marque, j'ai mes soupçons, et je flaire le travail bâclé et fait au rabais. Bien sûr, les chaussures sont probablement confectionnées au même endroit avec le même procédé. Mais je ne peux pas m'imaginer porter des chaussures rien que pour jouer au football ; j'ai besoin d'une chaussure qui parle au monde, qui dit que j'ai du talent et que je suis cool. Je veux donc en acheter dans un espace propre et bien éclairé. Mais je me raconte qu'en Chine, je vais payer moins cher pour le même clinquant.

Le centre commercial occupe les premiers étages d'une nouvelle tour immense. C'est un labyrinthe de niveaux et d'escaliers roulants. Les marques de sport occupent leur propre étage particulier. Viv a encore quelques minutes avant d'aller rejoindre son amie ; elle décide donc de m'accompagner. Le magasin est lumineux et d'une grande propreté. Le choix est impressionnant, et il y a plus d'employés que de clients.

Suivi par un jeune vendeur, je choisis vite une marque et décide de prendre des chaussures rétro bleu et or. Elles ont été signées à la machine par une vedette brésilienne du football dont la bénédiction me sera nécessaire pour jouer à ce sport que je n'ai pas pratiqué depuis l'âge de douze ans. Si le prix est en effet plus bas que chez nous, la différence est négligeable. Mais avec cet unique achat, je paie peut-être l'équivalent du salaire hebdomadaire du jeune vendeur ou deux semaines de salaire à l'ouvrier qui a cousu et collé les chaussures.

Nous remontons à la surface pour y rencontrer l'amie de Viv. Elle est encore plus menue que Viv et, manifestement, elle éprouve la prédilection des Shanghaïens pour les grandes marques. Je lui montre mes nouvelles chaussures, puis je prends congé des deux jeunes femmes.

Je suis curieux de voir à quoi ressemble l'aire de restauration d'un centre commercial. Mais j'ai mal choisi, car je me retrouve devant une sélection standard de chaînes de restaurants. J'entre dans un resto très fréquenté où on vend une version sinisée d'un classique japonais, des nouilles ramen, plat qui est lui-même une adaptation du début du XXe siècle des nouilles chinoises servies dans un bouillon.

Le parc où le match de football doit avoir lieu est à l'autre bout de la ville. J'étudie ma carte pour voir comment m'y rendre. Le métro m'en rapprochera, mais je devrai changer de ligne deux fois et encore marcher un bout. Je ne prends jamais l'autobus : dans une ville étrangère, quand on en prend un, Dieu seul sait où il va vous conduire. Un taxi serait une bonne idée, mais je ne sais même pas dire où je vais. Et même si je le savais, la plupart du temps, les chauffeurs font comme s'ils ne comprenaient rien à ce que je dis. Et les chauffeurs de Shanghai ne daignent jamais consulter une carte. Je prends donc un moment pour recopier les caractères chinois que je lis sur la carte. Exercice périlleux, car tracer un idéogramme est chose ardue. En recopiant les noms sur une carte, on n'est jamais sûr si on recopie les caractères qui désignent le parc de l'Amitié ou les toilettes publiques.

Quand j'émerge du centre commercial, le cœur de la ville

bat avec frénésie ; il y a des gens partout, qui se déplacent vite. Les rues, encombrées de voitures et de camions, sont enveloppées de fumée. Pour les millions de travailleurs du centre-ville, c'est le moment de partir. Le congé de la Fête nationale et le Festival de la mi-automne ne sont qu'à quelques heures et, déjà, les gens filent vers la sortie.

Je suis loin d'être le seul à guetter les taxis en maraude, moi qui dois rentrer à l'hôtel avant d'aller au match ; je décide donc de marcher vers un coin moins congestionné. En chemin, j'arrive à stopper un taxi mais le chauffeur se moque de moi quand je lui montre la carte professionnelle de l'hôtel. J'imagine que l'hôtel est trop près pour être jugé digne d'une course à cette heure d'affluence. Un peu plus loin, je monte dans un taxi qui vient de déposer un client. Je montre au chauffeur la carte de l'hôtel et n'attends pas sa réponse avant de lui offrir trois fois le prix de la course. Il accepte, mais il n'a pas l'air content et il est nerveux. Je n'ose pas lui demander de m'attendre pendant que je vais me changer.

Quand je ressors de l'hôtel, quelques instants plus tard, la ville a subi une autre transformation. Les rues du quartier sont tout à coup devenues tranquilles. Il passe parfois un taxi mais aucun n'est libre. Le concierge ne peut rien pour moi lui non plus. Il me dit qu'il a appelé deux taxis au cours de la dernière heure mais qu'aucun n'est venu.

Comme il ne me reste que vingt minutes avant le début du match et que l'attente à l'hôtel me rendrait fou, je décide de faire le long trajet vers le parc à pied, espérant trouver un taxi en chemin. Me dirigeant vers l'ouest, il me revient que j'ai peut-être commis une erreur en me mettant à marcher. Je me rends compte tout à coup de l'immensité de la ville, et je dois me rendre du coin sud-est au coin sud-ouest. Je traverse un grand quartier résidentiel, puis je marche sous quelques autoroutes surélevées. Je lève parfois la main lorsque j'aperçois un taxi, mais ils sont tous pris.

Je finis par pénétrer dans un secteur qui a été récemment rasé. Des panneaux d'affichage et des clôtures de plastique enserrent un chantier de construction inactif et sans éclairage. La circulation autour de moi est régulière et dense, mais je vois bien que trouver un taxi relève à présent de l'impossible. Il n'y a pas un chauffeur au monde qui va s'aventurer ici en quête de clients. Un coup d'œil sur ma carte et mon portable m'apprend que je n'ai couvert qu'un tiers de la distance en vingt-cinq minutes. Mes camarades vont commencer sans moi.

De plus en plus anxieux et irrité, j'essaie de m'égayer à l'idée que Deryk, toujours aussi combatif et désireux de fouetter l'énergie et l'enthousiasme de ses coéquipiers, a sans doute déjà fait des plaisanteries au sujet des lâcheurs. Tous vont en conclure que je suis de ceux qui ont refusé de relever le défi et de montrer qu'ils ont l'étoffe pour jouer. Pendant ce temps, je suis là à traverser un secteur désert de Shanghai à pied, chaussé de mes nouvelles Pelé.

Le ciel s'assombrit. J'ai le choix entre aller au nord, vers un secteur où il y a quelques grands hôtels, ou garder le cap sur les lumières brillantes à l'horizon. Pendant que je soupèse les recours qui s'offrent à moi, un autobus municipal flambant neuf s'arrête à ma hauteur et ouvre ses portes. À l'intérieur, le chauffeur est assis, impassible. L'autobus est lumineux et propre. Dehors, l'air est pollué et lugubre. Pas de doute, c'est le ciel qui m'a envoyé cet autobus.

Comme je fouille dans mes poches pour payer mon passage, le chauffeur me fait signe de monter d'un geste impatient. Il ne veut pas de mes sous. L'autobus est presque plein, mais il y a de la place. J'aperçois même une place libre et je m'y dirige. Les gens lèvent à peine la tête pour me regarder. L'autobus se dirige vers l'ouest. Je commence à suivre son parcours sur ma carte. Comme un missile, l'autobus franchit le secteur désert et débouche dans un quartier qui convient davantage à sa condition et à ses passagers, un secteur bien éclairé et moderne. L'autobus y dépose des passagers et en prend de nouveaux. Mon impatience a disparu ; je prends plaisir au trajet.

Les gens qui montent et descendent se regardent à peine. Ils affichent tous une dignité tranquille et humble. Même les personnes âgées sont bien mises ; leurs vêtements leur vont bien et ont été manifestement choisis pour leur élégance. Les couples âgés causent à voix basse sans ménager les sourires et les pauses. Les jeunes gens ont le visage frais et énergique. Ils ont des sacs de shopping tendance et portent des mini-écouteurs blancs. La plupart tapent sur leur cellulaire ; sans doute textent-ils leurs projets de vacances à leurs amis.

J'ai maintenant quarante minutes de retard, mais au moins l'autobus se dirige exactement dans la direction où j'allais. Quand il arrive au parc, il me reste à faire à la course, en direction nord, le kilomètre ou à peu près qui me sépare du terrain de football.

Le terrain apparaît bientôt. Je vois des hommes qui s'embrassent ou qui échangent des poignées de main vigoureuses et des congratulations du plat de la main. J'ai raté le match. Avec mes nouvelles chaussures qui ne serviront à rien, qui ont même l'air ridicule, j'avance sur le terrain pour aller saluer mes amis. Un jeune joueur chinois vient vers moi pour me serrer la main. Il doit penser que j'ai joué. Ou peut-être qu'il veut me remercier pour mon soutien moral.

Je dépasse une bande de joueurs anglais dont la joie est résolument belliqueuse. L'un d'eux, rubicond, les cheveux clairsemés, bombe le torse et grogne :

— S'ils avaient joué comme ça en Angleterre, ils auraient été sanctionnés !

Confus, je vais trouver Deryk et lui demande comment ça s'est passé.

— On a gagné, dit-il, mais il y en a qui prennent ça plus au sérieux que d'autres.

Il se tourne vers James, le marié, et lui demande à voix basse :

— Qu'est-ce que tu en penses ? Ils nous ont laissé gagner ?

— Je crois que oui, lui répond James, mais on ne sait jamais.

Juste à ce moment apparaît Allen, l'air frais, dispos et heureux. Il échange un signe de tête amical avec Deryk, qui le remercie d'avoir pris part à l'organisation du match. Les autres joueurs chinois qu'Allen a rassemblés ont ramassé leurs affaires sur la ligne de touche et se dirigent vers leurs véhicules ou rejoignent leurs amis ou leurs petites amies venus les chercher. Allen me dit que ce sont de jeunes associés à lui en affaires. Comme Allen, ils conduisent des voitures blanches et rutilantes, ils ont les portables dernier cri et de jolies montres. Ils débordent d'optimisme, de santé et de confiance.

L'humidité et le brouillard ont fait tomber la nuit très tôt sur Shanghai. Mais le soleil mourant perce à l'horizon et couvre d'or l'herbe et les arbres pendant un instant. De tous les côtés, la ville s'élève au-dessus du parc. Ses immeubles tracent un contour échancré contre le ciel couleur cendre. Les lumières du terrain de football s'allument, créant un halo lumineux dans l'air épais qui enveloppe la ville. Je regarde une des autos blanches quitter le parc et s'engager dans une file de voitures. La ville tourne et bourdonne toujours, avec ces gens qui filent dans toutes les directions. Le dynamisme est palpable dans l'air.

Samedi est jour de mariage. Mais Viv et moi devons d'abord revoir une connaissance à moi, Min, pour le déjeuner. Min est un intellectuel que j'ai déjà rencontré grâce à des amis communs. Nous n'avions échangé que quelques mots grâce aux bons offices d'un interprète, mais je trouvais que sa perspective sur l'histoire et Mao avait quelque chose d'unique. Il a proposé qu'on se revoie dans un restaurant. Viv se demande pourquoi il se trouve près de son travail, dans le quartier historique au bord du fleuve, en ce premier jour du congé d'automne.

Nous partons tôt pour visiter le Bund d'abord. Le Bund a été le premier boulevard du vieux Shanghai. Comme le Malecón, le célèbre front de mer de La Havane, le Bund a été un élément déterminant dans l'évolution de la ville. Le mot *bund* est venu de l'Inde, importé par les marins anglais ; il désigne une berge. Le vieux Shanghai y est adossé. Jadis, tout ce qui comptait et tout ce qui bougeait aboutissait sur le Bund à un moment ou un autre.

C'est sur le Bund que Sassoon et Kadoorie se sont établis. Ils étaient tous deux d'origine moyen-orientale et appartenaient à des familles commerçantes juives qui avaient contracté des alliances fructueuses avec des marchands de l'Empire britannique dans toute la Mésopotamie, jusqu'aux rives de l'Arabie et de l'Inde. Ces hommes pouvaient vous procurer tout ce dont vous aviez besoin. Se déplaçant vers l'est au fur et à mesure que la Grande-Bretagne voyait son empire et ses intérêts s'élargir, ces hommes ont fini par graviter vers Shanghai, qui était alors appelé à devenir la cité commerçante la plus importante de l'Orient.

De leurs forteresses en pierre sur le Bund, les maisons marchandes de Shanghai commandaient à des réseaux commerciaux reliant Londres et San Francisco à tous les ports entre Basra et Bali. Les plus grandes banques du monde ouvrirent aussi des filiales à Shanghai afin de financer des entreprises toujours plus ambitieuses en Orient. Elles avaient pignon sur rue sur le Bund.

Le Shanghai du Bund était un centre névralgique de la classe capitaliste mondiale. Une zone économique spéciale, la première du genre, Shanghai se trouvait en territoire chinois mais la loi chinoise ne s'appliquait pas aux étrangers qui y résidaient. Sauf pendant la brève occupation japonaise au cours de la Seconde Guerre mondiale, aucune puissance mondiale n'a pu prétendre régner en maître absolu sur Shanghai. La ville appartenait à tous et à personne. C'était le genre de lieu que les grands entrepreneurs adoraient : un espace fourmillant d'activité où la loi du pays hôte ne pesait pas lourd.

Il subsiste encore quelques vieux bâtiments du Bund d'antan et certains hôtels d'autrefois demeurent ouverts. Ce qui avait dans le temps une apparence majestueuse a l'air exigu et étriqué aujourd'hui. Mais le Bund se refait une beauté, et on voit apparaître de nouvelles constructions prestigieuses qui viennent remplacer les bâtiments salis et inefficients. Le nouveau Bund n'a plus la fière allure qu'il avait dans les années folles. La Chine nouvelle s'y est installée. Ceux qui déambulent sur le Bund ou qui contemplent le bâti et le fleuve ne sont plus les entrepreneurs audacieux qui définissaient autrefois Shanghai. Ceux qui s'établissent ici ont besoin de la permission du peuple de Chine, dont le mandataire est le Parti communiste chinois. Les Chinois ont aussi diminué l'importance du Bund en bâtissant tout autour une ville qui attire beaucoup plus l'attention que ce boulevard vieillot.

À notre arrivée sur le Bund, nous le trouvons bondé de visiteurs du nord et de l'ouest de la Chine. Ce sont des familles ou des groupes de personnes âgées. Ils portent le costume utilitaire que ne portent plus les Shanghaïens cosmopolites, un accoutrement rudimentaire, voire militaire, davantage conçu pour résister à la poussière et au vent. Ils émergent gaiement des autocars de touristes et des stations de métro, traversent le Bund au pas de charge jusqu'à la rivière et se plantent là, le dos à ces lugubres palaces de pierre. Ils ne sont pas ici pour admirer les emblèmes d'un passé étranger. Ils regardent plutôt la ligne des gratte-ciel du Pudong de l'autre côté des eaux huileuses. Ils s'extasient devant la boule et la flèche de la tour de télévision et les nouvelles tours massives de métal et de verre qui effleurent le ciel. Là, c'est lumineux et propre, puissant et porteur d'avenir, contrairement au quartier historique de la ville.

En marge du Bund, le vieux Shanghai est encore moins captivant. La plupart des vieux bâtiments du quartier ont aujourd'hui l'air ratatiné et minable. Il ne subsiste plus rien de l'ancienne gloire des belles adresses du quartier historique. Le travail de Min dans le vieux quartier n'est pas à la fine pointe du progrès non plus. Son métier est ancien, rigide, conservateur et fiable. Et personne ne s'enrichit dans son domaine. Nous arrivons au restaurant qu'il a choisi. C'est à l'étage, une salle immense et vide. Nous prenons place et l'attendons.

Il est de taille moyenne et maigre. Ses yeux en amandes et ses cheveux ondulés qu'il commence à perdre, lui donnent une apparence vaguement étrangère. Il porte un pardessus léger et a un parapluie. Il est habillé comme un cadre intermédiaire : pantalon noir et chemise boutonnée de polyester pâle. Son gilet boutonné de couleur bordeaux doit être sa seule concession au week-end. Il me demande immédiatement ce que j'ai fait jusqu'à présent en Chine. Je lui raconte que j'ai été en divers lieux et que j'ai rencontré des personnes différentes dans le but de comprendre la Chine. Je ne peux retenir un sourire de gêne à ma réponse vague et prétentieuse. Mais Min est un homme généreux et il me presse de poursuivre.

Il veut savoir précisément où j'ai été et où je compte aller. Je lui résume mon itinéraire en quelques mots. J'admets que ce n'est qu'un petit aperçu de la Chine et une bien petite fenêtre d'observation. J'ajoute que je fais enquête sur quelques thèmes clés : le rapport de la Chine avec son passé et avec l'Occident, les valeurs chinoises – la famille, la ville, la campagne, la tradition et la modernité –, l'économie, l'environnement, la cuisine, la religion et la sexualité. Encore une fois, nous rions devant l'ampleur de mes ambitions.

Je rappelle à Min que la dernière fois où nous avons causé, lui et moi, nous avons parlé des tentatives que faisait la Chine moderne pour comprendre son passé récent. Pendant tant d'années sous Mao, la Chine avait cherché à fuir son passé. Et,

encore aujourd'hui, on refait le passé. Je lui demande de déve-
lopper sa pensée d'alors, de m'expliquer la forme que ce passé
pourrait prendre de nos jours.

Les idées de Min, traduites par Vivien, sont nuancées. Viv
doit se donner beaucoup de mal, et je porte une attention particulière aux mimiques et aux gestes de Min pour le suivre
quand il passe de l'exposé à la synthèse.

Min s'intéresse aux perceptions historiques. Il commence
par m'expliquer que l'enthousiasme initial pour le communisme en Chine n'avait pas été bien pensé ; c'était avant toute
chose une réaction viscérale à l'instabilité constante qui existait
alors dans le pays. Il admet que tous pensaient aussi, dans le
temps, que la Chine était un pays en pleine déliquescence
morale où le système de classes était inopérant et opprimant.

Quoi qu'il en soit, la crainte de la violence est une motiva-
tion puissante, explique-t-il, et la Chine était un pays en proie
à la violence il y a un siècle de cela : l'effroyable révolte des Taiping, le soulèvement des Boxers, les agressions étrangères, les
seigneurs de la guerre et la tyrannie, petite et grande. Les gens
souffraient et ne savaient plus vers qui se tourner. Ils aspiraient
de plus en plus à un changement fondamental.

Deux nouveaux éléments se sont unis pour encourager le
sentiment révolutionnaire : l'arrivée du monde extérieur en
Chine et la libéralisation de la presse. De puissantes idées nouvelles, politiques aussi bien qu'économiques, ont alors fait leur
apparition et ont également suscité des violences et encouragé
les Chinois à diriger leur colère contre des coupables spécifiques
lorsque des malheurs les frappaient. La presse libérée a donné
à la souffrance une résonance généralisée et même intellectuelle, ce que ne pouvait pas manquer de voir toute personne
qui savait lire.

Ce sont peut-être ces circonstances qui ont fait en sorte que
les populations étaient mieux disposées qu'avant à accepter le
chaos et le risque, à faire de plus grands sacrifices, à opérer un

changement extraordinaire, dit Min avec un sourire pendant qu'il attend que Viv ait traduit sa thèse.

« La rage est un outil, dit-il alors. Une arme qu'on peut employer. » Il poursuit en disant que c'est le désir collectif de changement qui a cimenté l'unité du mouvement insurrectionnel. Parmi les premiers leaders révolutionnaires, les idées de changement couvraient un large spectre politique : tous les types de socialisme – léninisme, stalinisme, trotskisme –, des mouvements d'ouvriers d'usine ou de paysans, une poignée de groupes anarchistes, diverses idéologies libérales réformistes, les néotraditionnalistes, les mouvements des cultes spiritualistes comme les Taiping et bien d'autres encore.

Nécessairement, la première tâche de la révolution a été d'organiser et d'harmoniser cette cacophonie d'idéaux. C'était la spécialité de Mao Zedong, dit Min. En 1949, Mao contrôlait le récit national. Il s'était lui-même placé au centre du changement, il en était l'élément galvanisateur.

Min interrompt son explication pour parler de la guerre de Corée. Il dit combien nombreux sont ceux qui, à son avis, n'ont pas compris à quel point cette guerre a favorisé Mao. Elle est survenue juste au bon moment pour aider le dirigeant à consolider son autorité, en dépit des lourdes pertes de l'armée chinoise. Encore une fois, une grande puissance menaçait d'envahir la Chine. Tout le monde s'est dit que seul un peuple visiblement fort et uni, avec Mao aux commandes, arriverait à repousser cette invasion étrangère.

L'autorité du président a ainsi pris un caractère sacro-saint. Mais il est important de comprendre, insiste Min, que Mao lui-même a hésité entre des idéaux qui se contredisaient quant à l'ampleur du changement nécessaire. Il hésitait entre une vision du changement qui se limiterait à la réorganisation des forces matérielles et une vision où le changement se voudrait beaucoup plus radical : un refaçonnement fondamental de l'être humain, la théorie de l'Homme nouveau. C'est par le prisme de cette tension qu'il faut comprendre la relation officielle avec le passé, explique Min. Car, en fait, le passé est l'expression de toutes les forces matérielles. Si on essaie d'outrepasser ces forces, il faut élaborer un nouveau vocabulaire pour décrire le passé ou, parfois, l'effacer totalement. C'est là la toile de fond de la Révolution culturelle, qui est la spécialité de Min comme historien.

Nous marquons une pause. Min est heureux de faire connaître ses travaux intellectuels. Moi aussi, je suis heureux. Son explication a quelque chose d'innovant. Moi aussi, je me passionne pour la Révolution culturelle. De son côté, Viv voudrait bien partager notre enthousiasme pour notre sujet de conversation, mais elle est trop occupée à traduire nos paroles pour prendre part à notre joie gourmande.

À un moment donné, je l'interromps pour qu'elle demande à Min s'il se considère comme un radical. Il rejette ce terme, m'expliquant que cette expression ne fait que décrire un épisode historique qui a justement été impulsé par des idées radicales. Et peut-être que les Chinois ont une idée différente du radicalisme que les Occidentaux, eux qui ont connu une grande aisance et une grande stabilité au cours des années récentes. Mais, ajoute-t-il, cela change ici également avec l'amélioration considérable des conditions de vie. Des événements aussi récents et dramatiques que la Révolution culturelle – ou même ceux de la place Tian'anmen – s'estompent vite dans la mémoire collective avec l'avènement de l'aisance.

Revenant à Mao, il explique que, par moments, le président était un tenant inflexible des pratiques traditionnelles. À d'autres moments, il réclamait qu'on culbute tous les monuments. Avec le temps, Mao s'est radicalisé. Il s'est mis à penser que les comportements abusifs étaient inscrits si profondément dans l'éthos populaire qu'il fallait supprimer toutes les croyances, qu'une réorganisation des conditions matérielles pourrait corriger temporairement les maux sociaux mais que les maux traditionnels de la Chine étaient comme un cancer qui allait réapparaître si on ne le contenait pas constamment. Voilà pourquoi il en est venu à croire en la nécessité d'un type d'humain entièrement nouveau.

Dans les années 1950 et 1960, Mao s'est mis à craindre que la structure révolutionnaire elle-même ne soit infectée et n'encourage la perpétuation des vieux maux. Au tréfonds de lui-même, dit Min, Mao luttait aussi pour imposer son récit personnel à la République populaire. Mao ne cessait d'inventer de nouvelles initiatives radicales. Mais la plupart de ses projets ont échoué. Chaque fois, il imputait ces échecs à l'influence des pragmatistes ; il voyait en eux les vecteurs de la perpétuation des malheurs d'autrefois. Le président en concluait que la mise en œuvre de ses idées audacieuses manquait toujours d'énergie. Voilà pourquoi il en est venu à croire que la bureaucratie du Parti ne saurait jamais opérer les changements nécessaires et fondamentaux. Il fallait provoquer ce changement directement au sein du peuple, parmi les jeunes surtout, avec le président aux commandes, bien sûr, qui conduirait les enfants de la nation vers un monde neuf et rutilant.

Voilà, résumée en quelques mots, la logique qui a inspiré la Révolution culturelle, explique Min. Mais même au cours de cette période, le pendule est parfois revenu vers les pragmatistes. Et ce sont eux qui ont fini par l'emporter. Les passions s'étaient éteintes, le peuple était épuisé. Et le peuple avait probablement fini par cesser de croire en la vision de Mao.

Min maintient qu'il demeure fasciné par cette période et les idées qui y ont mené. C'est vraiment sans équivalent dans l'histoire du monde : un chef qui se sert du peuple pour essayer de détruire le gouvernement qu'il a lui-même créé.

Puis Min décrit le travail qu'il fait avec sa compilation des récits de la Révolution culturelle.

— Toi et moi sommes en train de causer ici et décidons tout à coup que notre patron est un profiteur égoïste indigne de l'autorité qu'il détient. Sur ce, nous descendons dans la

rue et nous mettons en route vers notre travail. Chemin faisant, nous en convainquons d'autres comme nous de la nécessité d'agir. À notre arrivée au boulot, nous formons une
petite troupe en colère. Nous montons au bureau du patron, le
limogeons sur-le-champ et désignons l'un d'entre nous pour
le remplacer.

Il marque un temps pour renforcer l'effet de ses paroles,
puis il ajoute :

— Tu imagines ça ? Ce genre de scène qui se produit partout dans le pays ?

Je lui réponds avec un sourire :

— On dirait presque que tu aimes cette époque.

Il explique qu'il aime l'étudier. « Pour un intellectuel, c'est
fascinant. » Il ajoute qu'il y a maintenant des années qu'il
recueille des témoignages sur les scènes ordinaires de la Révolution culturelle comme celle qu'il vient de décrire. La passion
et l'audace qui animaient les échanges dans le temps ne ressemblaient à rien d'autre, dit-il. La nature humaine s'expose dans
toute sa furie et sa splendeur. « J'imagine que je suis ému par
ces moments de possibilité pure, avoue-t-il, cette volonté de
tout transformer. »

Min nous dit qu'il a interviewé des gens mais qu'il préfère
les archives. Apparemment, on a rédigé à l'époque des descriptions d'innombrables événements ; ce sont des comptes rendus
semi-officiels ou même des témoignages privés.

— C'est drôle, lui dis-je. Cette époque voulait faire litière
du passé, et toi, tu l'enregistres.

— Je crois dans l'équilibre, répond-il, et aujourd'hui la
Chine se fabrique un passé fait sur mesure et aisément embal-
lable. Les gens ne peuvent pas vivre sans connaître le passé,
donc on leur en fabrique un tout d'une pièce. Simple, produit en masse et prêt à l'usage. Je suis sûr que tu es au courant
de ces fabrications. Mais je me suis moi-même institué scribe
de cette hantise que nous avons d'effacer le passé. Pour qu'on

se souvienne de ce dont nous sommes capables, du bon comme du mauvais.

— Tu crois dans les extrêmes ?

— Sans extrêmes, il n'y a pas de milieu.

— Mais pourtant, tu sembles être un intellectuel modéré.

— C'est parce que tous mes travaux sont d'ordre intellectuel. Mais la Révolution culturelle voulait brouiller la distinction entre l'action et l'intellect.

Min explique ensuite comment le culte des idées venues d'ailleurs est de plus en plus répandu en Chine. Toutefois, pour tous sauf une minorité, c'est une démarche matérialiste et superficielle.

Il revient au président Mao. Min explique qu'à ses débuts au Parti, Mao cherchait à s'imposer contre des camarades qui avaient été scolarisés au Japon et en Occident. Ces gens étaient souvent en rapport étroit avec Moscou. Dès le début, presque instinctivement, Mao a ressenti que le changement devait commencer là où le passé chinois était à maints égards encore présent et soustrait aux influences étrangères : les campagnes. C'était là un domaine où l'intellect n'avait aucune emprise, un vrai domaine d'action. La présence du passé y était authentique et brutale. Les gens s'accrochaient à la répétition et à la superstition comme un homme qui se noie cherche à s'accrocher à un tronc d'arbre filant sur la rivière. Aux prises qu'ils étaient avec de grandes souffrances, le passé seul leur donnait l'assurance que la vie continuerait.

Mais le passé est aussi un outil de manipulation ; on peut l'utiliser pour dominer et opprimer. Les indolents et les riches peuvent se tailler du passé une image rassurante et flatteuse. Les êtres corrompus peuvent s'en servir pour dominer les autres. Pour les paysans, l'affranchissement de leur passé a eu l'effet d'une explosion. Quand les gens lèvent la tête pour ne plus voir les ornières et la boue, on libère des forces vives et immenses. Mao avait compris cela.

— Mais quand on regarde autour de soi, dis-je, on voit Mao sur les billets de banque, Mao sur le flanc des immeubles, mais est-ce vraiment la Chine de Mao ? Moi, je vois la Chine de Deng.

Min admet que les dévastations perpétrées par Mao ont semé parmi le peuple chinois l'idée de la liberté. Tout devait être remis en question. C'était peut-être nécessaire, dit Min, qui ajoute aussitôt : « Je suis un optimiste. Il reste à voir où la Chine ira. Tous sont d'accord pour dire que quelque chose d'important se passe en Chine en ce moment. Certains croient que tout a commencé avec Mao ; d'autres disent que ce mouvement lui était antérieur. Certains pensent que c'est une bonne chose ; d'autres affirment le contraire. Certains entrevoient des possibilités qui s'ouvrent ; d'autres disent que les portes se referment. Certains craignent que nous nous égarions. Moi, non. Les choses bougent. »

Le mariage doit avoir lieu dans un vieil hôtel distingué et tendance. Il occupe un secteur important de l'ancienne concession française. L'emplacement est spectaculaire. Les murs élevés du complexe abritent un sanctuaire de verdure fait de pelouses parfaitement entretenues et d'arbres resplendissants. L'hôtel est constitué d'une série d'immeubles grandioses en pierre à un étage. On se croirait sur un plateau de cinéma : l'impression de luxe nous ramène aux années 1920 et 1930. Quelques détails, cependant, révèlent l'époque moderne : un éclairage à la dernière mode, des ascenseurs spacieux qui mènent à des chambres exquises, le genre de chambres qu'on trouve dans tous les hôtels de luxe du monde entier.

La noce a lieu loin de l'édifice principal, dans un pavillon de jardin séparé. Les invités sont assis à deux rangées de tables séparées par une allée ; à l'avant se trouve l'espace où le mariage sera célébré. Viv et moi sommes assis avec les expatriés et leurs épouses chinoises ; avec nous se trouvent Allen et Lito ainsi que leurs compagnes. La cérémonie mêle la gaieté anglaise et les coutumes chinoises. Mais l'humour occidental tombe à plat ; bon nombre de visages chinois demeurent imperturbables. Le discours du garçon d'honneur, tout en moqueries sympathiques, suscite parfois une gêne palpable. En Chine, le mariage est affaire de survie en ce bas monde et dans l'au-delà ; l'institution renforce les familles et sécurise les lignages. C'est donc dire qu'on n'entend pas à rire dans une cérémonie de mariage chinoise.

Il est évident que les mariés s'adorent. Elle le couve du regard. Elle chérit sa subtilité, son esprit, ses bouffées de passion maladroites et sa croyance profonde dans les explorations du cœur et de l'esprit. Elle sourit aimablement quand son regard se pose sur lui. C'est un homme dont elle admire l'essence et qui suscite en elle des sentiments de tendresse. Elle veut l'aider à réussir et à prospérer, et elle veut être à ses côtés le jour où ses efforts seront récompensés. Elle voit beaucoup de grandes choses en lui.

Lui regarde droit devant et n'a d'yeux que pour la cérémonie. Je sais qu'elle lui a plu au premier regard. Quoique douce et féminine, elle a une volonté de fer qui l'impressionne. Il se concentre sur la mission qui l'attend à l'instant, et il veut faire de son mieux pour ne rien gâcher ; tout doit être parfait. Il tient à tout prix à gagner son approbation et son admiration. Il croit que, à ses côtés, il deviendra un homme plus fort et meilleur.

Allen se lève pour lire un poème. Combien de fois ai-je entendu du chinois jusqu'à maintenant ? Souvent. Tous les sons, vraiment, tant de notes qui se bousculent dans ma tête, n'y laissant souvent aucune trace. Peut-être me suis-je habitué à reconnaître et à aimer les notes plus familières. Je suis peut-être heureux maintenant à l'idée de suivre les tons justes appliqués aux mots les plus simples.

Les sons des mots de ce poème ancien, bien prononcés par le diligent Allen, sont plus enivrants que tout ce que j'ai entendu par le passé dans ce pays. C'est la langue chinoise qu'on entend rarement, celle de la poésie classique, pleine de courbes et de chatoiements, d'accélérations, de chutes, de pauses brusques et de surprises.

— C'est un poème du temps de la dynastie Han, me souffle Viv. C'est très beau. Ça raconte quelque chose comme ceci : « Même si la neige vient en été / que les montagnes fléchissent / que les oiseaux cessent de chanter / mon amour pour toi ne faiblira jamais. »

Le banquet est somptueux. La cuisine de Shanghai est une cuisine de luxe, faite de morceaux de choix baignant dans des sauces délicieuses et douces : des tripes de bœuf braisées et refroidies dans une sauce douce ; des crevettes vivantes noyées et pochées dans du vin ; des radis sucrés et marinés taillés en chrysanthèmes ; de la langue de canard dont on suce la viande attachée à un bréchet minuscule. Les petits plats froids s'empilent devant nous, suivis d'une série de plats de résistance : du crabe au caviar rouge, du porc gras braisé, des poissons entiers frits à la sauce aigre-douce. On peine à croire qu'on va manger tout ça. À un banquet chinois, on se sert lentement dans les nombreux plats et les bouchées sont entrecoupées de nombreuses rasades d'alcool. On arrive ainsi à consommer d'immenses quantités de nourriture. Mais dès qu'un plat se vide, un autre le remplace.

Les compagnes d'Allen et de Lito sont très jolies. Manifestement, ce sont de vrais tombeurs. Celle d'Allen est du Sichuan, pays connu pour la beauté et la vivacité de ses femmes. Elle est grande et extravertie. Elle me dit dans un anglais passable qu'elle est cadre subalterne dans une entreprise de cosmétiques qui réussit bien et qui s'apprête à se lancer à l'échelle nationale. Avec sa confiance inébranlable, elle m'a l'air d'être une compagne parfaite pour Allen.

L'amie de Lito semble elle aussi lui convenir admirablement. Il émane d'elle un genre de dignité blessée. Comme lui, c'est une pure Shanghaïenne. Elle ne connaît pas un mot d'anglais et parle peu. Elle regarde tout ce qui se passe autour d'elle comme si elle était saisie d'une torpeur euphorique, mais derrière son comportement évasif et amical, on entrevoit sa profondeur. Je la vois s'empresser auprès des personnes qui l'entourent, et elle est particulièrement attentive à son compagnon, qui est de bonne humeur ce soir et qui a déjà beaucoup bu. Son rire, ses yeux plissés et son sourire aimable semblent masquer une grande tristesse qui l'a raidie contre le monde et a fait d'elle une femme résignée à tout. Je l'imagine fumant de l'opium, chose improbable dans le Shanghai d'aujourd'hui, mais ce n'est qu'une explication fantaisiste de son comportement étrange et intrigant.

À côté de moi se trouve l'Anglais rougeaud qui ne décolérait pas après le match d'hier. Il est avec sa femme, une petite Chinoise, et leur fille, une enfant de trois ou quatre ans, mignonne et bien élevée. Dès que la fillette a mangé quelques morceaux choisis parmi les plats les plus savoureux, elle et sa mère attentive s'éclipsent pour le reste de la soirée.

L'Anglais m'entreprend.

J'apprends qu'il enseigne le commerce dans un collège de métiers. Il était autrefois cadre intermédiaire dans une entreprise du nord de l'Angleterre. Il a le physique de l'emploi : petit, massif, la peau rosée et les cheveux clairsemés. C'est un joueur d'équipe, mais il aime que le jeu obéisse à des règles claires et bien définies. À l'abord, il est agréable et franc, mais il cède vite à la colère. Il est évident qu'il en a ras le bol de la Chine.

Quand on en vient à parler de ce que je suis venu faire ici — je lui dis assez vaguement que je fais des recherches —, il m'expose aussitôt ses idées. La Chine ne l'impressionne pas du tout, dit-il sur un ton de reproche. Cette société a beaucoup de chemin à faire si elle veut être digne de lui. Ses étudiants, me dit-il, sont censés être des jeunes gens scolarisés et prometteurs, mais ils sont parfaitement dénués d'imagination. Si on leur enseigne quelque chose qu'ils peuvent mémoriser, ils l'appliqueront avec la dernière rigueur, explique-t-il. « Mais demande-leur de s'exprimer sur un sujet nouveau, de faire une analyse personnelle, et tu n'entends qu'un fatras de bêtises », conclut-il fermement.

Il n'admet pas qu'on puisse imputer cela à leur maîtrise insuffisante de l'anglais ou même à une vision différente de l'éducation. L'école est pour eux un lieu où on va écouter et non parler, où on ne doit pas exprimer des opinions personnelles mais restituer les enseignements du maître. Non, ce sont peut-être des facteurs à prendre en compte, dit-il, mais leurs lacunes ne sont ni superficielles ni même réparables. Ils sont comme ça, un point c'est tout.

Le coupable, pour lui, c'est Confucius : « Il ne passe pas un jour où je ne maudis pas la mémoire de ce vieux con », dit-il.

Évidemment, j'éclate de rire, mais ça ne fait que le relancer.

— Non mais regarde ce que Confucius oblige les Chinois à faire, dit-il en grognant. Il a fait d'eux les plus grands hypocrites de la terre. Tout est mensonge ici, une façade pour ce qui est censé être. On ne peut pas toujours se conduire comme on nous le prescrit. Autrement, personne ne serait responsable de quoi que ce soit !

J'essaie de changer de sujet en mentionnant sa jolie petite famille. Mais sans le vouloir, j'ai mis le doigt là où le bât blesse.

— C'est bien le pire ! Toute cette piété filiale qui te colle après ! Ce n'est pas seulement que les grands-parents de ma fille sont présents dans notre vie ; c'est qu'ils n'en finissent plus de régenter notre vie. Comment penses-tu que je me sens quand je me fais dire le plus calmement du monde que je n'ai pas un mot à dire sous mon propre toit ? Eh ben bravo, Confucius ! C'est de la folie, je te dis !

Il raconte comment, il y a quelques mois de cela, ses beaux-parents l'ont pris à part et lui ont dit que puisque leur fils n'avait pas d'enfants et n'en aurait jamais, il tombait sous le sens que la fille de leur fille devait prendre le nom de leur famille :

— Ils s'étaient imaginé que je me foutais pas mal de savoir si le nom de ma propre famille serait transmis par ma fille. C'est comme s'ils essayaient d'effacer tout ce qui n'est pas dans leur tradition. Dont moi.

— Je suis désolé, mon vieux, lui dis-je.

Mais je crois bien que je ne dois pas avoir l'air entièrement sincère. Et sincère, je ne peux pas l'être non plus. Là, l'alcool commence à avoir raison de lui. Il a les yeux croches, tout à coup. Abattu, il baisse la tête vers son assiette et ne dit plus rien.

Lito nous a observés de son côté de la table. Il a perçu la colère de l'Anglais. Il est de bonne humeur et veut s'assurer que le fiel de l'homme n'a pas aigri mes idées ou gâché ma bonne humeur. Il se dirige vers moi.

Nous avons encore un peu de mal à communiquer, mais peut-être que l'alcool et la poésie du moment ont amélioré son anglais ; nous nous arrangeons pour nous comprendre.

Il me demande :

— Tu as voyagé ?

— Ouais.

— Ton voyage te plaît ?

— J'adore voyager. Et j'adore la Chine. Voyager a toujours été un moyen pour moi de mieux me connaître. La Chine m'enseigne beaucoup de choses sur moi et bien d'autres choses encore.

— Tu as vu beaucoup de choses ?

— Oui, j'ai vu quelques merveilles. Mais la Chine me fascine vraiment.

— Tu es dans le documentaire, non ?

— Oui.

— Des documentaires de voyages ?

— D'une certaine manière, oui, j'avoue. Je ne cache pas le fait qu'ils ont été tournés à la sauvette, dans le cadre de mes voyages.

— Comment peux-tu tourner des films sur des pays que tu ne connais pas vraiment ? demande-t-il gentiment mais avec fermeté.

— Tu y vas et tu plonges, tu donnes tout ce que tu es et tout ce que tu as. Il faut faire en sorte que le pays te dise quoi faire.

Mais il me tarde d'en apprendre plus sur lui, et je lui demande à brûle-pourpoint : « Et toi, qu'est-ce que tu fais de bon ? Deryk et James se font une opinion élevée de toi. »

J'ai tout à coup l'impression que mon compliment anodin a blessé Lito. Ou peut-être est-ce la question elle-même ? Quoi qu'il en soit, il répond avec agacement. Il me dit qu'il ne fout rien qui vaille. J'essaie de gagner sa confiance en parlant des difficultés de la vie d'artiste, mais il ne veut rien savoir, même si je dis vrai.

— Je réfléchissais beaucoup à l'art autrefois, me dit-il. C'était avant que je commence vraiment à m'y adonner. Au début, j'étudiais l'art et je songeais beaucoup à ce que je voulais faire ou à ce que j'en attendais. Mais j'ai fini par comprendre que cette approche ne me conduirait jamais à l'art. J'ai donc décidé de ne plus y réfléchir et d'en faire, tout simplement. Et là, je me suis heurté à un mur. Maintenant, je fais seulement ce que je peux ; ce n'est sûrement pas de l'art, et je n'ai plus ni le temps ni l'énergie de créer, maintenant.

C'est à ce moment que l'amie de Lito vient le rejoindre. Je suis heureux de son arrivée et j'essaie de passer à un sujet plus léger. Deryk se joint à nous lui aussi et réussit à rallumer les sourires.

Lors d'une pause dans la conversation, Deryk me dit : « Il y a quelqu'un ici que tu devrais rencontrer. Contrairement aux autres, il ne restera pas tard. Il nous a enseigné le chinois, à James et moi. »

On me dirige vers une terrasse à treillis juste à l'extérieur du pavillon. La nuit est chaude. Le parfum des fleurs épanouies embaume l'air, et les plantes grimpantes qui enveloppent la terrasse nous protègent un peu du bruit lointain de la ville gargantuesque.

Un homme qui se fait appeler John m'attend avec sa femme. Ils sont minces tous les deux. Ils ont aussi un style vestimentaire dont je me souviens bien mais que je m'étonne de retrouver ici, dans la nuit de Shanghai. Il porte une chemise boutonnée en polyester blanc, sans cravate, avec un pantalon élégant de tissu synthétique couleur charbon, sans veste. Elle est vêtue d'une robe légère à imprimé floral surpiquée de rouge. Les épaules sont bouffantes. Elle est boutonnée jusqu'au cou à la manière chinoise. Ses cheveux sont longs et raides, séparés au milieu ; elle les a remontés pour se dégager le visage, tout naturellement. Lui a les cheveux touffus autour des oreilles et sur la nuque, épais mais dévitalisés. Il porte de grosses lunettes de plastique de forme rectangulaire, à l'ancienne mode. Ils ont l'air d'un jeune couple studieux d'il y a vingt-cinq ans, ce qu'ils étaient exactement dans le temps et ce qu'ils sont restés.

— Deryk me dit que vous êtes documentariste et que vous vous intéressez à la Chine, dit John.

— Oui, mais je n'ai encore rien filmé en Chine. J'ai écrit un peu sur le pays, c'est tout.

— À quel sujet ?

— Au sujet de Beijing et de l'évolution de la politique chinoise.

— La politique ? C'est ça qui vous intéresse ?

— Non, pas vraiment, suis-je forcé d'admettre. Mais ça me permet de travailler ; je m'y retrouve aisément dans les rouages de la politique, et cela me semble un bon point de départ.

— Alors, que pensez-vous de la politique chinoise ?

— Au fond, je pense que les structures politiques sont une porte ouverte sur le passé chinois. Je crois pour ma part que le cycle dynastique est encore bien en vie. Que les communistes ne forment qu'une dynastie comme une autre. Un peu différente, mais la logique est la même.

J'y vais prudemment mais John semble d'accord.

— Oui, c'est la même chose, mais l'époque est différente. Il y a donc des différences. Et les dynasties sont toutes différentes les unes des autres. Avez-vous déjà été à Hangzhou ?

— Il y a longtemps, en 1990, avec ma famille.

— Vous aviez drôlement choisi votre moment pour voir la Chine, dit John sur un ton rêveur.

— En effet. Mais j'ai aimé Hangzhou. Je me rappelle avoir visité les bateaux en pierre sur le lac. Je me souviens aussi d'une boutique de remèdes traditionnels dans la vieille ville. Très impressionnante. Une magnifique maison marchande, en bois, avec un assortiment étonnant de remèdes naturels dans des jarres et des tiroirs. Vous êtes de Hangzhou, alors ?

— Oui.

— Parlez-moi de Hangzhou.

— C'est une ville formidable, surtout si vous vous intéressez au cycle dynastique.

— Mais c'était un centre de la dynastie Song, dis-je, à l'époque où le territoire de la Chine n'était presque rien.

John est d'avis que la dynastie Song est la période la plus belle et la plus importante de l'histoire de la Chine, une époque magnifique dans sa pénombre, une ère de doute et de gaieté dans la nuit chaude, de désespoir et d'inventivité au soir de son existence.

Il explique ensuite dans quelle mesure la période Song était unique. Dans leurs poèmes et leurs peintures, avance-t-il, les gens de l'époque se livraient à une réflexion profonde sur la condition humaine et les mystères qui enveloppent l'humanité. Une période existentielle pour la Chine. Donc, oui, bien sûr, ce fut une période de lent repli, mais le sentiment du déclin était propice à la contemplation philosophique.

— La sagesse, dit-il, ne provient pas du triomphe ou de la réussite mais de la défaite et des cœurs brisés.

— J'avoue avoir cru que le doute existentiel était un phénomène occidental et récent. Et qu'un des ingrédients de ce malaise était l'individualisme moderne avec son confort.

— Non. Vous seriez sans doute surpris de voir combien d'idées sont apparues ici bien avant qu'elles n'existent en Occident.

— Peut-être pas. J'essaie d'avoir une vue nuancée de l'Occident, lui réponds-je.

— Les Song disposaient de l'imprimerie et de nombreux livres, explique John. L'empire était petit mais riche. Les gens consacraient beaucoup de temps à l'artisanat et à l'étude. L'empire avait une flotte hardie. Mais sa puissance était limitée et le monde d'alors était dangereux. Donc, pour se garder de la ruine financière, les marchands achetaient des actions dans les expéditions commerciales des uns et des autres. Le papier-monnaie existait aussi. Les notions de valeur et de communauté étaient déjà complexes. Le confort matériel existait et l'idée d'individu prenait forme. Le doute avait aussi sa place, dit-il, avançant que le doute est peut-être à l'origine de l'individualisme. Il explique comment le doute s'insinue dans le monde autour de nous et nous isole, nous plongeant dans la solitude.

— L'art table sur ce doute et crée des liens entre des gens pour refaire le tissu social. Une communauté d'hommes libres, peut-être ? dit-il, comme s'il se jouait de moi. Des individus qui ont souffert, qui ont tout perdu et qui en sont venus à se connaître dans la solitude, qui constatent la souffrance chez les autres et peuvent leur témoigner de l'empathie, puis qui décident des règles de la société pour leur protection et leur bénéfice à tous ?

— Donc, qu'est-il advenu des Song ? Où sont-ils maintenant ? dis-je pour qu'il me donne plus de détails.

— Les Mongols. C'est ce qui leur est arrivé, dit-il avec un sourire. Les Song n'étaient plus que l'ombre d'eux-mêmes. L'empire était prospère mais incapable de repousser une force aussi colossale. Les jours des Song étaient heureux mais comptés.

Il s'interrompt, tout à coup mélancolique, puis il dit en haussant les épaules :

— Pendant ce temps, à l'autre bout du monde, l'Occident triomphait et prétendait avoir inventé la société libre. Mais nous qui aimons et connaissons les Song en trouvons des traces très anciennes. Dans cette pénombre.

J'apprends que ce curieux homme est professeur de lettres. Il a enseigné la littérature occidentale, qui est depuis longtemps sa passion. Sa période favorite en Occident est également une période de pénombre : de la fin du XIXe siècle à la Seconde Guerre mondiale. Il y voit une époque non seulement de doutes vifs et de désespoir mais aussi d'intelligence formidable et de grand art. Nous parlons de Dostoïevski, de Proust et de T. S. Eliot, de la célébration de l'être humain, si unique et si fragile. De nos chants et de nos belles illusions de vérité.

Je découvre avec étonnement que John connaît bon nombre des jeunes gens ici ce soir. Deryk et James, le marié, ont été ses élèves. Lito a lui aussi étudié à son université. C'est lui qui a présenté Lito à Deryk et à James.

John ne pense que du bien de Lito. Sa bravoure est admirable, déclare-t-il, puis il explique qu'il l'a connu il y a longtemps, lors des événements de la place Tian'anmen. Lito, qui n'était qu'adolescent – il devait avoir quinze ou seize ans à l'époque –, était de toutes les manifestations. Il était souvent dans les rues, seul, dénonçant le gouvernement. Il prononçait des paroles audacieuses pour un si jeune homme, et les gens l'écoutaient.

John me prie alors de l'excuser ; sa femme et lui doivent prendre congé, dit-il. Pendant toute notre conversation, elle est restée silencieuse à ses côtés, souriant pour encourager son mari, et j'ai senti sa complicité dans toutes ses paroles à lui, comme s'il avait parlé au nom des deux. Nous nous disons adieu avec effusion. Deryk avait raison : John est un grand maître.

À mon retour à la fête, je vois que les gens sont passés à un autre pavillon qui était autrefois un club ou un mess, aujourd'hui converti en boîte de nuit somptueuse. La terrasse empierrée où les gens venaient déguster jadis une limonade ou un gin tonic après le tennis ou le croquet est désormais cernée par une verrière. Au lieu des tables et des chaises, on a disposé dans cet espace d'immenses lits bas, dont chacun donne vue sur la pelouse sombre et sur les lumières de la ville au loin ; chaque lit est séparé de son voisin par d'épais rideaux rouges et doté de coussins luxueux et de minuscules tables à côté. Pour y déposer la pipe d'opium, semblerait-il. Le club a deux étages contenant diverses pièces. Les murs sont écarlates. L'éclairage est tamisé et subtil. Les quelques bars offrent des cocktails raffinés.

Les invités envahissent les salons. Notre groupe s'est clairsemé et rajeuni. La cérémonie et le banquet sont choses du passé. Il y a un bar payant et le club commence à accueillir des gens n'ayant pas assisté au mariage. Quelques personnes âgées – dont certaines très vieilles – restent dans leur coin. Une aïeule se perche discrètement à l'écart, affichant une mine vaguement réprobatrice, à la manière de quelque chaperon. Mais elle observe les jeunes avec grand intérêt. Elle est même un peu trop curieuse, un peu trop fascinée par la fête. Elle songe peut-être à sa propre jeunesse, aujourd'hui si lointaine.

La nuit se fait plus propice au relâchement. Un disc-jockey nous invite, d'abord en faisant jouer des rythmes faciles et familiers, après quoi le rythme s'endiable. Les mariés mènent le bal. Leur amour a quelque chose d'enjoué et de contagieux. Nous sourions, nous rions, nous les applaudissons et nous nous perdons tous dans la nuit tombée.

Quelques-uns d'entre nous prennent position dans un coin à côté de la piste de danse. Nous nous détendons sur un grand sofa. Je remarque à peine le serveur qui nous apporte à boire et c'est à peine si j'ai conscience de l'addition qui arrive. Lito, qui est assis à côté de moi, y jette un coup d'œil et s'agite aussitôt.

Il décoche des syllabes dures et rapides au serveur de l'autre côté de la table basse. Puis il se lève, attrape le jeune homme des deux mains et l'attire à lui avec force au-dessus de la table. Le mince jeune homme renverse toutes les consommations avec ses jambes qui battent l'air. Lito prend son élan pour assener un bon coup de poing à l'homme qui est maintenant coincé sur le sofa. Mais Allen et moi nous saisissons de Lito et libérons le jeune serveur, qui court tout de suite se mettre à l'abri.

Je ne suis pas sûr de comprendre ce qui s'est passé. Lito trouvait-il l'addition trop salée ? Quoi qu'il en soit, je n'admettrais pas qu'on tabasse ce serveur ici, devant nous. Heureusement, je n'ai rien à démêler. Allen aide Lito à reprendre contenance et lui parle calmement. Je ne comprends rien à ce qu'ils disent, mais je peux voir qu'Allen permet simultanément à l'homme d'exhaler sa colère tout en tâchant de comprendre ce qui s'est passé ; il essaie de lui faire oublier l'incident et l'émoi qu'il a suscité. Allen est calme ; il agit comme si de rien n'était et comme si l'affaire ne devait pas avoir de suites. Il réussit rapidement à neutraliser la tension et tout retourne à la normale.

Mais la place de Lito est vide ; il s'est mis à l'arrière de la salle, debout contre le mur, la tête basse. Un instant plus tard, il disparaît, peut-être pas de la fête mais sûrement de notre voisinage. La joie reprend aussitôt ses droits.

Je retrouve mon ami Deryk, le dos contre un autre mur. Nous rions de bon cœur du petit drame qui vient de se produire. Nous avons tous les deux l'impression que Lito, le pauvre, va disparaître définitivement ce soir. Deryk secoue la tête un moment, puis il la relève pour sourire de sa propre aventure dans ce monde de fous, de son destin, qui a fait en sorte qu'il a échoué en pays chinois ; et il songe à la manière dont les gens vont et viennent sous ses yeux, lui apportant leur savoir, oui, mais aussi leurs mystères. « Allez, levons notre verre à la santé de l'actuelle compagnie », dit-il, rêveur.

Je lève mon verre avec lui, puis je croise Viv sur la piste de danse. Elle a un verre d'eau à la main. Elle a dansé ; elle a les joues roses et ses yeux noirs brillent. Elle me demande :

— Tu vas danser ? Je n'étais pas sûre que c'était ton genre.

— Vraiment ? C'est quoi mon genre, Viv ? lui dis-je, taquin, puis je lance aussitôt : Non, s'il te plaît, ne réponds pas.

Bientôt, nous dansons nous aussi. Viv, si indépendante et si intelligente, avec son sourire timide et nerveux de jeune fille, s'abandonne à la musique. Et l'amie de Lito, avec son regard baissé qui conserve tous ses secrets, affiche un sourire discret, mais on voit que ses hanches épousent très bien le rythme. Allen et sa belle amie dansent le swing admirablement bien. La mariée est superbe dans sa robe blanche. Pieds nus, chevelure noire défaite, mains levées, elle tourne et tourne sur la piste. Pendant un moment, nous avons tous oublié notre passé et ne sommes plus que frères et sœurs dans la danse.

Puis la vieille dame s'en va, marchant lentement parmi nous, conduite par un parent plus jeune. L'âge est lourd à porter, semble nous dire sa silhouette courbée, tandis qu'elle mesure soigneusement chaque pas.

Je ne cesse pas de la regarder, cependant, et ses yeux de laser croisent tout à coup les miens : un éclair de colère, de honte et de gaieté.

« Comment oses-tu me regarder, toi ! semblent me dire ses yeux. Je m'arrêterais bien sur la piste pour danser moi aussi si je le pouvais. Moi aussi, j'ai cru en ma liberté. Je me joindrais à la fête si je le pouvais. Mais bien sûr, c'est impossible. Alors, j'avance aussi lentement que je peux et je me repais secrètement de tous les instants que mes vieux yeux peuvent encore distinguer dans la pénombre. »

CHAPITRE 7

Trois royaumes

À l'aube, le soleil se lève en montant dans le mûrier.

Le Classique des montagnes et de la mer,
IVe siècle av. J.-C.

J'ai vu Suzhou en 1990. C'est une des grandes villes de la Chine centrale, célèbre pour ses jardins somptueux, signe de raffinement et de prospérité. Mon père, mon frère et moi-même en avions visité au moins une demi-douzaine. On en a fait des jardins publics, mais tous étaient propriété privée à l'origine. Certains étaient immenses et murés, les anciens domaines des mandarins et des généraux. D'autres n'occupaient que de petits espaces privés ou les cours des maisons marchandes sur les canaux.

Le génie de ces jardins tenait à leur emploi de l'espace. Ils étaient soigneusement cloisonnés et disposés d'une façon telle que, lorsqu'on s'y promenait, le regard était toujours dirigé de manière à tomber sur une image de beauté parfaite. On y était parvenu grâce à un jeu de contrastes exprimés par le bois, l'eau et la pierre : le petit était grandi, le près était éloigné, le jeune vieilli.

Suzhou est aussi pour moi le premier souvenir de grandiloquence chinoise. Nous étions en compagnie d'un homme qui devait être le maire ou le patron local du Parti. Peu importe qui il était au juste : il nous avait bien fait comprendre que le maître à Suzhou, c'était lui. Il était au début de la quarantaine, grand, mince, et il avait fière allure dans son costume de serge bleu marine taillé sur mesure. Nous avions mangé avec lui à l'hôtel le plus neuf et le plus luxueux de la ville, où il se conduisait en propriétaire des lieux. Le déjeuner avait été exquis, et il nous avait demandé si nous avions mangé quelque chose de plus raffiné en Chine. À la faveur de ses gesticulations, j'entrevoyais parfois une montre de luxe sous la manche de sa veste. Nous avions visité quelques sites importants, et il en avait profité pour nous exposer ses projets pour la ville. Il s'engageait à en restaurer la beauté de manière telle qu'elle ne se limiterait plus à ses jardins. Une action concertée, claironnait-il par la bouche d'un interprète pointilleux, encouragerait l'aménagement immobilier intensif dont il se faisait déjà le champion au centre-ville.

Il nous avait aussi conduits dans les faubourgs de l'ancienne ville pour nous montrer une plaine boueuse où s'élevaient des masures et des bâtiments publics rudimentaires. Il allait y faire construire quelque chose d'imposant. Même si la toile était encore vierge, notre hôte était déjà fier de son œuvre future, et il la caressait d'un regard chargé de visions d'avenir. Je comprends aujourd'hui ce qu'il voyait : l'industrie. Il voyait Suzhou fabriquer un jour des objets qui seraient exportés dans le monde entier.

Nous avions aussi visité une fabrique non loin de la ville, mais rien de très moderne : une soierie logée dans ce qui ressemblait à une commune d'ouvriers des années 1950, au sein d'un complexe d'immeubles d'appartements en briques. Le bâtiment de la fabrique se fondait dans le parc résidentiel. On lui avait accolé quelque nom officiel, l'Institut populaire de la soie, ou quelque chose du genre. On nous avait dit qu'on y étudiait les nombreux emplois de la soie, mais la seule preuve qu'on en avait vue était une crème pour les mains à base de soie qu'on nous avait donnée en guise de cadeau d'adieu.

Je n'oublierai jamais le moment où je suis entré dans une des salles de production où les fils de soie étaient déroulés des cocons. Un éclairage fluorescent illuminait l'immense salle. En dépit des plafonds élevés, la pièce était chaude et humide. Il y avait aussi cette odeur inoubliable, aigre et noisette. Le procédé d'extraction du fil de la larve de ver à soie fait intervenir la cuisson du cocon et du ver à l'intérieur. À chacun des cinquante et quelques postes de travail, une femme en uniforme était assise devant une bassine de métal remplie d'eau bouillante. Dans chaque bassine, une douzaine de cocons blancs de la taille d'un pouce dansaient dans l'eau bouillonnante. Une fois poché, le mucus gluant qui retient les fils était ramolli. Les femmes cueillaient les cocons avec des pinces de bambou et les examinaient sous une forte lumière pour repérer l'extrémité du fil. Avec une petite pince, elles déroulaient soigneusement l'unique fil de soie qui formait le cocon jusqu'à ce qu'il n'en reste plus que le ver puant et misérable, bouilli et boursouflé, qui était aussitôt jeté.

Comme c'est d'ailleurs souvent le cas, le stade de la fabrication est très différent de ce que nous savons du produit fini. Un vêtement de soie élégant ne conserve aucune trace de la chaleur, de l'odeur désagréable et de l'énergie qui entrent dans sa fabrication. On ne se souvient guère de la petite bestiole qui rêvait de voler un jour. Ce sont peut-être ces origines voilées et pénibles qui font tout le prix de la soie. Dès le départ, on a eu intérêt à ce que la soie soit produite à grande échelle. Elle présente bon nombre des qualités les plus recherchées de la laine, du lin et du coton. C'est un tissu léger et souple mais robuste et chaud. Il est exquis au toucher.

La soierie est un procédé complexe et délicat, combinant des éléments de l'horticulture, de l'élevage, de la cuisson et du travail de précision. Les historiens anciens de la Chine écrivent que la soie a été découverte à l'époque des empereurs Xia, en même temps que l'écriture, l'agriculture et la domestication des animaux. L'agriculture a fait son apparition de façon indépendante en maints endroits. Avant les Chinois, les Sumériens et les Égyptiens de l'Antiquité conservaient des archives soigneusement documentées. La civilisation, l'histoire et le droit de propriété se sont répandus dans le monde entier. Mais la première industrie de la soie fut exclusivement chinoise et demeura un mystère pour le monde extérieur pendant de nombreux siècles.

Le ver à soie se nourrit sélectivement des feuilles de certains arbres, principalement du mûrier blanc. Ces arbres doivent être taillés si on veut qu'ils demeurent de la bonne taille. Puis ils doivent être attaqués par un insecte nuisible, le *Bombyx mori*. Si on maintient les populations de cet insecte à un niveau stable, on prélève un pourcentage élevé de leurs rejetons au stade du cocon. Puis, comme j'en ai été témoin dans cette usine malodorante il y a si longtemps de cela, les cocons sont cuits et déroulés avant qu'on en extraie des fils qui sont ensuite tissés ensemble. La taille, la cueillette et le traitement exigent beaucoup de temps, d'organisation et d'énergie ainsi que des mains habiles en grand nombre.

Le port de la soie a été longtemps une marque de noblesse et de raffinement. Quand les seigneurs s'assemblaient, celui qui était vêtu de soie considérait les autres de haut. Pour le froid, la soie ; pour la chaleur excessive, la soie. Si on veut apprendre à se déplacer comme le tigre ou le serpent, il faut aller vêtu de soie. Sous les couches de feutre, de cuir et de métal des armures, la soie s'impose aussi. Et si vous devez passer votre vie dans la peau d'un roi ou d'un grand prêtre pour vous consacrer à l'étude, à la divination ou à l'amour, essayez la soie.

Une grande partie de ce que nous portons ou mangeons a été traité savamment. Certains procédés, par exemple la mouture du grain pour en faire un repas chaud, remontent à la nuit des temps. D'autres sont beaucoup plus récents, notamment l'utilisation des hydrocarbures pour provoquer de petites explosions dans la chambre de combustion des cylindres ou la fabrication de micro-résistances en silicone pour le transport et l'encodage d'impulsions électriques. La manufacture caractérise l'activité humaine et a pris naissance en des temps immémoriaux.

Au sens le plus strict du terme, la manufacture est un artisanat : c'est ce qu'on fabrique de ses mains. À l'origine, c'étaient des transformations simples, souvent effectuées par une seule personne. Pour la préparation du pain : faire pousser la plante ; couper l'épi, le battre et faire sécher le blé au soleil ; puis moudre le grain et faire cuire la pâte préparée avec la farine ainsi obtenue. Pour la soie : faire pousser le mûrier blanc et attendre que le papillon ponde ses œufs ; permettre à la larve d'émerger de l'œuf, de manger à sa faim et de se constituer un habitat pour entreprendre sa métamorphose ; cueillir les cocons de l'arbre ; les faire pocher ; dérouler le fil et le faire sécher ; puis le tisser pour en faire une étoffe.

On peut imaginer le filage de la soie comme étant l'œuvre de communautés coopératives, comme beaucoup l'ont fait avant et depuis Marx : des familles libres et heureuses de paysans qui, ensemble, produisent une matière pour le profit de tous, avec des jeunes filles qui filent la soie sous des tonnelles fleuries, acquérant leur savoir grâce à des chansons pendant qu'elles travaillent.

Plus vraisemblablement, le travail de la soie a suivi le modèle des autres secteurs d'activité d'élite dans la Chine ancienne. Chacun était la chasse gardée de quelque grand seigneur ou du pouvoir impérial. L'industrie de la céramique et les grandes forges militaires, par exemple, étaient des secteurs sévèrement réglementés qui généraient richesse et puissance. La soie pourrait même illustrer le raffinement des hiérarchies antiques. C'était une sorte de monnaie d'échange, accessible uniquement à ceux qui pouvaient asservir des ouvriers. Un seigneur pouvait emmurer un espace, y planter des mûriers, puis conscrire les jeunes filles du village pour faire tisser la soie dont il habillerait sa cour. De là, il pourrait payer le tribut en soie à de plus puissants que lui pour gagner leur protection.

Comparativement au travail dans la boue ou au combat en première ligne, il y avait un avantage concret à accéder au rang d'ouvrier d'élite. La soie était souvent une industrie de cour ; des familles dignes et étroitement liées fournissaient au seigneur les services de leurs fils et de leurs filles. Les courtisans subalternes devenaient contremaîtres ou officiers de la cour. Les meilleurs d'entre eux pouvaient devenir membres de la famille et profiter des bienfaits de la cour, être titrés et éduqués.

Les courtisans eux-mêmes pouvaient accéder à des postes de pouvoir comme général d'armée ou maître des monnaies. Les courtisanes qui faisaient métier de concubines pouvaient s'insérer dans le lignage des maîtres. Les contes classiques regorgent de récits de jeunes tisseuses de soie qui accèdent au pouvoir en passant par le lit du maître et en veillant jalousement sur leurs royaux rejetons.

On pourrait même appeler l'éthique confucéenne l'éthique de la soie, dont le but était de restaurer l'honneur de cours décadentes et corrompues. On n'y arrivait pas en abolissant le servage mais en l'institutionnalisant davantage parmi les fils et les pères, les femmes et les maris, les sujets et les souverains. Le servage, faisait valoir le grand sage, est noble quand il est pratiqué dans une société tel qu'on le pratique dans une famille saine ; le respect devient la voie royale de l'harmonie.

Il y a deux mille cinq cents ans de cela, Confucius avait déjà les yeux rivés sur une ère qui le précédait de cinq cents ans et regrettait l'harmonie qu'il imaginait à cette époque. Comme s'il avait conclu que le monde avait déjà changé pour le pire.

Peut-être que le sage réagissait ainsi à l'évolution graduelle de la main-d'œuvre qui, de plus en plus, tournait le dos aux injonctions sacrées de l'obéissance féodale et aux liens très tangibles et très personnels de la vie à la cour. Avec la croissance démographique, les rapports entre contremaître et ouvrier, entre seigneur et sujet, perdent leur caractère intime. Les liens se font plus abstraits et opprimants à mesure qu'ils prennent la forme d'impôts et de travaux forcés.

L'ironie dans tout cela, c'est que l'érosion de cette éthique antique, qui inspirait tant de nostalgie à maître Kong il y a vingt-cinq siècles, ne faisait que commencer à son époque et devait prendre des proportions phénoménales dans les siècles à venir. Toute production finit par quitter la cour et la famille. Peut-être que maître Kong considérerait avec mépris le monde actuel, où notre rapport avec la production, qu'elle soit agricole ou industrielle, est de plus en plus impersonnel. Nous n'avons pas la moindre idée aujourd'hui de l'identité de ceux qui peinent pour notre bien-être. Nos travaux sont plus abstraits et dénués de valeur spirituelle. Nos loyautés sont toujours plus volages, sinon inexistantes. Le respect des présages faiblit, la signification des choses est voilée.

Le monde nouveau est à cheval sur bien d'autres mondes plus anciens, toujours riches de servitudes anciennes et de superstitions. Mais la tendance est à un monde dépersonnalisé de solitudes individuelles, reliées entre elles par une économie mondialisée axée sur la production industrielle. Peut-être que la décadence de la moralité complexe et subtile louée par Confucius n'est qu'une conséquence d'une capacité de production accrue. Les êtres humains d'aujourd'hui sont les seuls maîtres de leur domaine exigu mais confortable où la famine, l'injustice et la servitude sont largement impensables.

Les nouveaux êtres humains que maître Kong rencontrerait dans la Chine nouvelle ou ailleurs dans le monde ne ressemblent en rien aux hauts personnages de l'ancien duché de Zhou pour lesquels il avait tant d'admiration. Nos contemporains sont peut-être moins vertueux, mais ils vivent plus longtemps, sont mieux nourris, possèdent davantage de choses et sont moins susceptibles d'être emportés dans des luttes mortelles. Chose plus importante, nous sommes légion à être dans ce cas, contrairement aux quelques gentilshommes et douairières de l'antiquité chinoise.

L'industrialisation de masse a creusé un abîme entre nos sociétés et celles du temps jadis. À peine deux cents ans séparent le monde moderne des conditions matérielles, démographiques, culturelles et spirituelles, immensément différentes, de l'ère préindustrielle. En Chine, le boom industriel est encore plus récent, mais il est advenu à une vitesse record.

De la myriade de produits fabriqués en Chine qui envahissent aujourd'hui les foyers et les lieux de travail du monde – l'électronique, les électroménagers, les outils, les vêtements et les meubles –, il en est un d'une importance suprême que nous n'associons pas encore à la Chine : l'automobile. La voiture personnelle est sans conteste le produit industriel le plus important qui soit sur le plan économique. Pour le consommateur, la voiture change la vie. Et, à maints égards, la possession d'un véhicule personnel marque l'accès à la classe moyenne.

La voiture valorise aussi le constructeur. Où qu'elles se trouvent, les usines d'automobiles constituent de petits royaumes. L'emploi qu'elles fournissent à des milliers de personnes fait toute la stabilité et la santé des économies locales. Elles nécessitent aussi de vastes ressources, une infrastructure de transport avancée et un grand fonds de propriétés intellectuelles. Et même dans les économies de marché, l'industrie automobile est toujours intimement liée aux structures étatiques et politiques.

À Beijing, j'ai demandé à un ami de la famille établi depuis longtemps en Chine de me mettre en rapport avec des responsables d'usines automobiles de la Chine centrale. Grâce à ses contacts, j'ai pu en visiter quelques-unes : celle de JAC à Hefei et celle de Chery Automobile à Wuhu. Pour compléter le tiercé, Viv nous a obtenu une visite guidée de l'usine flambant neuve de General Motors à Shanghai.

L'usine JAC, qui construit des automobiles et des tracteurs, se trouve dans la capitale de la province de l'Anhui, Hefei. Viv et moi nous y rendons en autocar à partir de Nanjing. Dès que nous délaissons les rives du Yangzi pour nous enfoncer dans l'intérieur du pays, la campagne et les villages se font plus pauvres. On dirait que toute la région souffre de l'érosion des sols. Par le passé, la province de l'Anhui était connue pour la misère qui y régnait. Encore aujourd'hui, les plaines balayées par le vent, les chaussées inégales et les structures délabrées de briques et de terre rappellent des temps plus durs.

L'approche de Hefei est longue et lente. Le paysage prend un caractère de plus en plus industriel, mais ces usines et entrepôts sont ou bien en très piteux état ou, le plus souvent, désaffectés depuis belle lurette. C'est une image de décadence, d'un monde qui se désagrège lentement.

Puis, graduellement, des immeubles résidentiels de plus haute taille se mettent à border l'autoroute, qui devient un boulevard, et une ville finit par émerger. Mais la ville est elle aussi fatiguée et poussiéreuse. Les bâtiments sont de briques rouges usées. Des magasins bordent le boulevard, mais on ne voit nulle lumière vive ni vitrine tapageuse. De grandes portes de métal s'ouvrent sur la rue et les objets en débordent : outils, tuyaux, sacs de ciment, gadgets de caoutchouc et pacotille de plastique. Les habitants, vêtus de toile lourde ou de tissus synthétiques grossiers et démodés, ont l'air d'en arracher.

Mais au fur et à mesure que nous avançons, la surface de la route se fait plus propre et plus douce. Des parcs et des arbres apparaissent. La brique est remplacée par le béton, l'acier et l'aluminium. Et, au-dessus de nous, l'horizon des gratte-ciel prend de plus en plus l'allure d'un paysage urbain vaste et moderne. La province de l'Anhui revit peut-être.

Notre contact, un employé de l'entreprise, doit nous accueillir aux portes de la gare routière. Je prie pour qu'il ait du retard ou nous de l'avance afin que nous puissions nous dégourdir les jambes, prendre une bouchée ou boire un peu de thé. Mais à notre descente de l'autocar, je l'aperçois qui nous attend patiemment à côté d'une minifourgonnette de l'entreprise. Xu, un agent de relations publiques subalterne, est dans la jeune quarantaine et de carrure moyenne. Il porte un pantalon noir et la chemise polo de l'entreprise. Nous échangeons nos cartes de visite, comme le veut l'usage. Il nous offre alors vaguement de nous aider à trouver un repas et un logement, mais Viv le prie poliment de nous emmener tout de suite.

« Monsieur, nous vous sommes reconnaissants mais nous n'abuserons pas de votre temps précieux, et nous aimerions beaucoup visiter vos ateliers », lui dit-elle avec courtoisie. Viv sait que si nous voulons voir l'usine en activité, c'est maintenant qu'il faut y aller et non plus tard dans l'après-midi, quand le rythme de travail aura ralenti. Elle devine aussi que nous embarrasserions notre hôte s'il nous conduisait à l'hôtel ou au restaurant alors qu'il n'a pas de budget pour contribuer à la dépense.

Xu nous invite donc à monter à bord de la minifourgonnette. Nous y voyons un deuxième homme, le chauffeur, qui sert aussi d'assistant. Ils nous offrent de l'eau embouteillée et une boisson au thé sucrée qu'ils ont mises au frais dans une glacière.

Un climat de bonheur baigne l'intérieur du véhicule. Ces hommes aiment leur travail. Ils sont fiers de leur entreprise. Recevoir des étrangers curieux leur est agréable, semble-t-il. Nous discutons un peu et apprenons ainsi ce qu'il faut savoir. Je comprends que JAC n'est pas une entreprise récente. Ses usines produisent des tracteurs et des camions depuis l'époque de Mao. Mais au cours de la dernière décennie, l'entreprise s'est livrée à une transformation de grande envergure. Elle construit encore des tracteurs et des camions mais elle a amélioré ses modèles de beaucoup. Elle a aussi déplacé une partie de sa main-d'œuvre vers de nouvelles usines où des automobiles sont assemblées. Ce développement récent est une progression naturelle pour une entreprise qui construit des véhicules de service. JAC fait dans l'utilitaire : ses véhicules sont voués à accomplir un travail, tracteurs ou grands camions, petits camions et, maintenant, des minifourgonnettes.

Nous quittons le centre-ville et nous engageons dans un secteur étendu de construction récente. Nous empruntons un boulevard à dix voies. Il est tellement neuf qu'on y voit encore des plaques de sable et de gravier ; ses accotements, qui ne sont toujours pas aménagés, sont rudes et nus. Le chemin est bordé de supercentres commerciaux et de nouvelles tours d'habitation. Tout en est à la phase finale de construction ou aux débuts opérationnels. En fait, un alignement de grues s'étend à perte de vue dans ce couloir.

Au bout d'une dizaine de minutes, nous tournons à droite sur un autre grand boulevard. Celui-ci est plus ancien et plus tranquille. Des deux côtés, des entreprises technologiques et des bureaux gouvernementaux. À gauche, une clôture et un mur marquent l'entrée d'un vaste secteur industriel. Derrière la clôture, un complexe immense qui fait penser à un aéroport ou à une sorte de base. On aperçoit au loin plusieurs édifices gigantesques. Nous longeons le périmètre pendant cinq minutes, après quoi nous tournons à gauche vers le sud pour nous engager sur un boulevard non aménagé où la conduite est ardue. Nous tournons à gauche une fois de plus et pénétrons dans le complexe aux portes géantes. Nous sommes cernés de hangars immenses et vivement éclairés : c'est la nouvelle usine JAC.

On nous conduit à une porte qui n'annonce rien. Nous entrons et Xu nous dit qu'il est interdit de photographier le processus d'assemblage. Nous nous retrouvons alors dans une vaste salle décloisonnée. Des plaques de métal mises en forme s'empilent en rangées. Des presses massives sont actionnées par des travailleurs en combinaisons de travail. Ils enfournent les feuilles de métal entre les mâchoires des presses, puis ils retournent à leurs postes de contrôle pour les refermer. Ils portent des combinaisons bleu royal et des casques protecteurs, et ce sont pour la plupart des hommes dans la vingtaine, dont quelques-uns ont les cheveux longs. Ils s'amusent de se savoir observés. Quand les piles d'aluminium et d'acier pressés ont atteint une bonne hauteur, des chariots élévateurs les emportent dans une autre salle.

Nous sortons de ce bâtiment et nous rendons en voiture à un autre : la chaîne de montage de la minifourgonnette. Nous commençons notre visite, non pas sur la chaîne elle-même mais dans un secteur voisin près du début de la chaîne. Nous entrons dans une salle grande comme un gymnase dont les immenses fenêtres captent le soleil de l'après-midi ; la salle est baignée d'une lumière chaude. Elle est aussi remplie de pièces de métal imposantes en piles soigneusement disposées, toutes destinées à un secteur du bout de la salle où passe la chaîne de montage. La lumière solaire donne une allure inhabituelle au lieu. Les travailleurs ici sont des hommes et des femmes dans la vingtaine. Leur travail semble consister à conduire toutes ces pièces des piles à la chaîne de montage.

Le quart de travail achève. De la douzaine de jeunes ouvriers ici présents, seulement trois ou quatre semblent occupés. Ils trient et réarrangent des piles de pièces mais au ralenti, prenant part aux plaisanteries et au flirt qui occupent le reste du groupe. Tous ont l'air en santé et heureux. Quelques jeunes hommes sont même désinvoltes au point d'avoir la combinaison déboutonnée du col au ventre.

À force de questions prudentes, Viv apprend que ces travailleurs gagnent mille six cents yuans par mois, soit à peu près l'équivalent de deux cent vingt dollars. Ce n'est pas beaucoup pour nous, mais ce n'est pas rien dans la province de l'Anhui aujourd'hui.

La chaîne de montage se trouve dans une longue salle bien éclairée, mais le décor y est plus sympathique que dans la première étant donné que le montage se fait surtout sous une chenille perfectionnée d'où pendent les châssis des voitures. Les techniciens assemblent chaque voiture pièce par pièce. Celle-ci passe d'un poste à l'autre où s'activent des équipes d'ouvriers. À un de ces postes, deux hommes soudent une pièce de carrosserie. À un autre, une équipe munie de clés à cliquet pneumatiques visse rapidement des accessoires.

Allant d'un poste à l'autre, nous saluons les travailleurs avec force sourires et hochements de tête. Certains ne lèvent même pas le regard, mais nombreux sont ceux qui ont la mine accueillante. Les ouvriers semblent aimer leur travail et en tirer fierté. Il semble aussi exister une camaraderie sincère entre eux. Ils plaisantent en travaillant et s'entraident. À certains postes, nous voyons des systèmes de transport intelligents : des chenilles emportent des pièces dans les airs jusqu'à une voiture, où elles sont fixées ; des chariots pneumatiques glissent sur le plancher ; une plateforme robotisée transporte les moteurs jusqu'aux carrosseries et les insère délicatement dans leur compartiment sans la moindre intervention humaine. Source d'émerveillement pour ses nouveaux propriétaires aussi bien que pour les visiteurs.

Admiratifs, nous nous arrêtons un peu, et je pose des questions sur le moteur. Il est fabriqué ailleurs, peut-être est-il assemblé quelque part ici, ou alors on l'a acheté tout fait auprès d'une autre entreprise. C'est un moteur chinois fabriqué sous licence technologique coréenne. Nos hôtes admettent qu'il y a bien d'autres instruments et mécanismes perfectionnés qui sont fabriqués hors de Chine, au Japon, en Corée et en Allemagne. Mais on me dit que ce sera moins courant à l'avenir.

La carrosserie étant de plus en plus achevée, on commence à distinguer la minifourgonnette. On insère maintenant les vitres et les éléments de l'intérieur du véhicule. Puis on le peint et on lui pose des roues pour lui faire quitter la chaîne de montage. Il coûtera entre cinq mille et dix mille dollars, prix concurrentiel si on considère le rude usage qu'on est censé en tirer, mais cela dépasse largement les moyens de tous ces travailleurs, qui gagnent une fraction de ce montant en une année.

Le produit est nouveau sur le marché, alors il n'a pas encore été véritablement mis à l'épreuve. Les planificateurs de JAC et les consommateurs comptent sur le fait que le constructeur de véhicules de service, de tracteurs et de camions puissants et durables peut probablement produire aussi une mini-fourgonnette fiable, prête pour le service actif. Le véhicule n'est probablement pas très puissant et n'a pas l'air spécialement confortable non plus, surtout après qu'un usage prolongé et des conditions difficiles auront usé la suspension. Mais la minifourgonnette va rouler longtemps, chargée d'objets et de passagers, et les réparations et l'entretien seront aisés et peu coûteux.

Cette minifourgonnette apparaît sur le marché au moment où la classe de consommateurs chinois connaît une expansion rapide. Mais quelque chose me dit que ce n'est pas demain la veille que les acheteurs de la minifourgonnette JAC vont la charger d'enfants, d'animaux de compagnie, de vêtements et de vivres pour une fin de semaine au chalet. Pour l'instant, les ambitions de JAC sont beaucoup plus modestes.

À notre sortie de l'usine, un autre quart de travail prend fin. Les travailleurs revêtus de leurs combinaisons colorées s'assemblent en divers points pour monter à bord de minibus. On me dit que bon nombre de ces jeunes ouvriers habitent dans les logements de fonction du complexe. Ces jeunes gens ont un air enjoué, comme des enfants dans une colonie de vacances, où l'horaire est peut-être un peu plus sévère mais où la vie est moins dure que celle qu'ils ont connue dans leurs familles et leurs villages. Ici, ils ont un travail précis à faire, qu'ils doivent exécuter avec une adresse sans faille, mais alors qu'ils attendent l'autobus après le quart de travail ou lorsqu'ils se retirent dans leurs dortoirs pour la nuit, tous leurs soucis sont derrière eux. Ils peuvent se permettre de plaisanter et de flirter, tandis que dans leurs villages, les attentes et les préoccupations qui pèsent sur leurs épaules ne connaissent pas de repos.

Notre visite est terminée et un chauffeur nous est assigné pour nous conduire où nous voulons à Hefei. Nous avons choisi en ligne un hôtel aux prix défiant toute concurrence mais son emplacement semble inconnu de notre chauffeur. C'est dans un nouveau secteur de la ville. Nous sortons dans une direction différente de celle que nous avons prise pour venir.

Hefei est vraiment une ville surprenante. En arrivant par la vieille route de Nanjing, on se serait cru dans une friche industrielle poussiéreuse, un Detroit chinois. Puis le lieu s'est révélé affairé, avec ses gratte-ciel habillés de verre, et quand nous nous sommes dirigés vers l'usine, de vastes complexes résidentiels et commerciaux sont apparus de tous côtés. Comme nous quittons maintenant le secteur industriel de l'usine, les tours d'appartements et les centres commerciaux en construction s'élèvent encore autour de nous, alignés sur le boulevard. Mais derrière les rangées d'immeubles, je ne vois que des espaces vacants. Après quelques kilomètres, nous arrivons à ce qui ressemble à un nouveau centre-ville bondé d'immeubles ultra-modernes qui sont équipés de systèmes d'éclairage extérieur du meilleur goût. Mais encore là, il n'y a rien d'autre autour. Pour compléter le portrait, la circulation à l'heure de pointe est lourde à cette grande intersection unique. Cet après-midi, la ville est également couverte d'un brouillard de suie qui donne un aspect surnaturel aux terrains vagues en retrait.

Nous nous engageons dans une autre grande artère et, après quelques pâtés de maisons et quelques recherches, nous repérons la rue où notre hôtel est situé. Il s'élève au milieu d'une grappe de nouvelles usines textiles à plusieurs étages. C'est encore une fois typique de la façon dont fonctionne la Chine nouvelle : on voit très grand. Des capacités excédentaires sont prévues partout où on construit. Un centre commercial sera surmonté de la coquille d'une tour de bureaux. On bâtira du même mouvement une série d'usines textiles. Certaines entreront en service tout de suite, d'autres resteront vides encore quelque temps. Alors qu'on construit les usines, les planificateurs pourraient décider d'y greffer un hôtel pour faire bonne mesure.

Les entités gouvernementales en Chine ne sont pas des entreprises industrielles comme les autres. Comme partout ailleurs, ce sont elles qui contrôlent le zonage et, par conséquent, l'aménagement du territoire. Quand elles autorisent le libre marché à s'installer chez elles, elles conservent tout un éventail de priorités dont certaines sont parfois obscures. Elles exercent un contrôle important sur l'accès à la main-d'œuvre et peuvent extraire et rediriger les ressources et les capitaux par toutes sortes de moyens « créatifs » et discrétionnaires. Apparemment, les urbanistes des divers paliers de gouvernement avaient acquis la conviction qu'il fallait installer une petite usine textile dans le nouveau secteur d'Hefei. Pour faire accepter cette idée, ils ont financé la construction d'un hôtel pour accueillir les investisseurs. Les planificateurs espèrent quand même que le libre marché tiendra ses promesses. Ils veulent remplir les chambres de l'hôtel de hordes de grossistes étrangers désireux d'acheter des produits fabriqués à Hefei. Sinon, ils y recevront les acheteurs et les planificateurs de grandes sociétés venus d'ailleurs en Chine. Et même si l'hôtel est vide, comme c'est le cas quand Viv et moi y débarquons, il n'est pas là pour faire des profits mais pour combler d'autres besoins. Il restera en activité tant et aussi longtemps que l'entité qui en est propriétaire en aura décidé ainsi.

Le hall est grandiose : son plafond doit faire sept mètres

et demi de haut. Un immense bureau de réception revêtu de granit est adossé à l'arrière sous la fresque massive et scintillante d'un dragon. Le lieu fourmille d'employés, des jeunes gens vigoureux et zélés, habillés d'uniformes neufs et de bon goût. Nos chambres sont au dernier étage de l'aile avec jardin. Des porteurs vêtus avec extravagance s'emparent délicatement de nos sacs à dos malmenés. Ma chambre est propre, spartiate et spacieuse. Elle donne sur un espace vert situé entre d'autres immeubles.

Viv et moi nous rejoignons dans le hall pour nous mettre en quête d'un restaurant intéressant. Nous retournons à pied au centre. En chemin vers l'hôtel, j'ai repéré un joli restaurant logé dans un immeuble de deux étages de bel aspect. Manger au restaurant en Chine est si bon marché que je n'hésite pas à entrer dans les établissements les plus tape-à-l'œil. En Occident, je fais habituellement le contraire : je recherche les restaurants les plus obscurs, les plus rudimentaires, où la cuisine a du caractère à revendre.

Mais dans les villes chinoises, il faut aller dans les restaurants qui sont pleins, où on offre un vaste choix d'ingrédients frais et où le décor est des plus élégants. Ces restaurants ont des menus entièrement illustrés, un *must* pour les aventuriers gastronomiques. Dans ces restaurants, qu'on trouve partout en Chine, on peut régaler un groupe d'amis avec un banquet spectaculaire, boissons comprises, pour une centaine de dollars.

Mais celui-ci est un peu différent. Il n'annonce pas ; son décor est discret et terre à terre, avec de jolis jardins à l'avant, une ligne de toit découpée, un hall élégant fait de bois grossier mais poli, et l'intérieur est un espace ouvert entouré de recoins plus intimes. Même si le lieu est lumineux, l'éclairage y est plus feutré que d'ordinaire. L'endroit est plein de dîneurs respectables. On voit peu d'étrangers ici ; nous sommes assis à la fenêtre avant, qui donne sur un petit jardin et sur le terrain de stationnement attenant.

Viv et moi examinons le menu avec intérêt. Je suis toujours en quête de plats nouveaux mais, comme tout le monde, j'ai mes limites : pas de poils, pas de plumes, pas de veines, pas de sang frais, pas de contenu gastro-intestinal. Pas d'insectes à pattes, sauf les fourmis et les sauterelles. Et pas de poisson de fond d'eau douce.

Viv pousse tout à coup son cri de fillette coutumier : « Oh ! Du tofu puant ! »

Tant d'émoi pour quelque chose qui pue me décide à commander ce plat. Elle me prévient que ça ressemble à un fromage vieux et très fort, et cela en rebute beaucoup. Quand il arrive, je ne vois rien du fromage dans sa saveur ou sa texture, même que ce mets a la spongiosité d'un tampon à récurer et un goût amer de brûlé, avec un arrière-goût métallique. Disons que je n'en reprendrai pas de sitôt.

J'ai aussi mes plats favoris, qui sont en ce moment les rognons de porc épicés, du poulet « eau à la bouche » et des fèves dragons sautées à l'ail. Je prie Viv de demander à la jeune et gentille serveuse s'il y en a au menu, et celle-ci nous désigne des plats similaires en nous disant qu'ils sont encore meilleurs.

— Tu commandes toujours des plats qui nous enflamment, grogne Viv.

— Oui, et je veux que ça brûle toujours plus fort.

Elle m'avertit : une cuisine trop épicée cause des turbulences dans le corps et l'esprit. Il faut périodiquement manger des plats plus doux pour rétablir l'équilibre, adoucir et refaire l'estomac. Manger est un acte de pondération, m'explique-t-elle.

Les Chinois croient que les forces du yin et du yang existent en toute chose, y compris en nous, êtres humains. Les déséquilibres sont omniprésents dans le monde, aussi bien dans le corps que dans l'âme ; ce sont les causes de tous nos maux et malheurs. Il faut donc constamment maîtriser ces forces dans notre comportement et notre environnement. Les vieux dic-

tons nous aident beaucoup à y arriver. Et c'est dans l'alimentation que ces conseils sont les plus pressants. Les aliments ont
toutes sortes de significations et d'emplois bénéfiques, selon la
manière dont ils sont préparés et consommés. Ils guérissent
le corps et l'âme.

Dans les plats cuisinés, les diverses permutations du yin et
du yang sont multiples. On comprend peut-être mieux ces deux
forces primales dans leur dichotomie sensuelle : le yang, l'élément mâle, se retrouve dans les plats épicés ou à saveur forte ;
le yin, l'élément femelle, se loge dans les aliments tendres et
doux ainsi que dans l'amer et le froid. Le yang donne ; le yin
reçoit.

— Si nous continuons de manger tous ces plats épicés,
je vais finir incinérée, se lamente Viv.

— Je cherche le feu en tout temps, à moins d'être mal
portant.

— Ça m'a l'air fatigant.

— Peut-être. J'ai longtemps pensé que c'est d'un bon feu
de joie qu'on a besoin à l'intérieur. Jusqu'à ce qu'il n'y ait plus
rien à brûler et que toutes les passions soient éteintes.

— Tu crois ça ? me demande-t-elle, inquiète.

— Peut-être plus, non. Peut-être que le grand feu va tout
simplement brûler en moi toute ma vie et que je ne vivrai
jamais dans la paix.

— Donc, tu es peut-être prêt à vivre à la chinoise. En équi-
librant les passions en toi, tu pourras en jouir jusqu'à la fin de
tes jours.

— Oui, Vivien, mais ce soir, ça ne m'empêchera pas de
commander le flanc de porc aux piments marinés.

Tôt le lendemain, nous prenons l'autocar pour Wuhu.
La ville se trouve dans la plaine du Yangzi. Tout ce qui est en
aval, à l'est de Wuhu, est au cœur de la Chine centrale : Nan-

jing, Suzhou, Hangzhou et Shanghai. Wuhu a prospéré parce qu'elle a sa place dans cette grande région commerciale et manufacturière.

La gare routière est neuve. Notre hôtel fait partie de la zone commerciale qui s'est développée autour de la gare achalandée. La maison se veut au service des gens d'affaires, elle est moderne et incroyablement bon marché. Les chambres sont exiguës mais propres et bien meublées. De nombreux hôtels partout en Chine vendent de petits articles dans les chambres : bonnets de douche, brosses à dents et condoms, tous avec le prix indiqué dessus. Notre hôtel a perfectionné le principe et offre toute une gamme de parfums, de condoms et même de sous-vêtements affriolants. Il est évident qu'il se brasse toutes sortes de choses dans cet hôtel.

Viv a téléphoné à notre contact chez Chery Automobile et organisé une rencontre à l'hôtel juste après le déjeuner. L'hôtel n'a pas de restaurant mais est relié à un minicentre commercial avec une aire de restauration. Les nouvelles aires de restauration en Chine fonctionnent efficacement : les clients achètent à un kiosque une carte de plastique créditée d'un montant, puis ils se rendent aux comptoirs où on prépare divers plats, dont des échantillons sont présentés. Pour une somme modique, le client peut réunir en un rien de temps toute une gamme de plats. Chaque comptoir a sa spécialité : plats chauds ou froids, par exemple, ou des types de plats comme les viandes grillées ou les nouilles. Parfois, on privilégie les cuisines régionales : un comptoir se spécialise dans la cuisine du sud-ouest, un autre dans le dim sum, par exemple. Dans une aire de restauration du nord de la Chine, il y avait un kiosque particulièrement mémorable où une image pittoresque mettait en vedette la photo géante d'un âne à l'air sympathique avec son grand sourire tout en dents. Sa chair braisée était succulente, quoique filandreuse.

Après un déjeuner agréable, nous sortons rencontrer notre

contact chez Chery Automobile. Contrairement à JAC, qui vient tout juste de passer des camions lourds aux voitures, Chery offre une gamme bien établie d'automobiles. Elle fait partie d'un petit groupe de marques d'automobiles reconnues dans tout le pays. Le nom de la marque se prononce comme *cherry* en anglais. L'accroc à l'orthographe projette une aura du genre Lenovo, soit quelque chose de familier combiné à quelque chose d'insolite. En même temps, Toyota et Kia étaient autrefois des noms inconnus pour nous aussi et, comme les leurs, les produits de Chery sont conçus en fonction de la concurrence. Ces dernières années, Chery a produit des voitures qui ont pour but de rivaliser avec les voitures japonaises, coréennes, européennes et américaines que nous conduisons. Les Chery sont de plus en plus équipées de tous les senseurs et filtres qui rendent nos voitures conformes à la loi, de toutes les lumières et de tous les gadgets qui font en sorte qu'elles se prêtent à la consommation de masse. Le prix au détail des véhicules Chery, au taux actuel du yuan, est de loin inférieur même à celui des véhicules les plus abordables du marché nord-américain. Les planificateurs de Chery ont compris que la construction d'automobiles, c'est plus que la production de véhicules. Un produit n'est pas seulement un objet, c'est un mode de vie. Et Chery veut se tailler une place dans le nouveau mode de vie chinois.

Comme à l'usine JAC, notre contact chez Chery est un agent de relations publiques subalterne. Il est seul et conduit une Chery comme si c'était son véhicule à lui et que nous étions ses invités. Cela lui donne plus d'importance que si sa voiture était conduite par un collègue. Un homme seul dans sa voiture projette une image de liberté personnelle et, aux yeux des Nord-Américains, cette image semble plus puissante et plus attirante que les hiérarchies rigides.

Le complexe industriel de Chery est à la sortie de la ville et entouré de vastes rizières ; les gens qui travaillent chez Chery sont peut-être les descendants des masses disciplinées qui ont cultivé ces champs pendant des millénaires. Le complexe est assez neuf. Nous longeons une longue clôture de barbelés derrière laquelle se trouve un stationnement géant où il y a rangée après rangée de voitures neuves encore emballées de plastique. Je distingue quelques hangars blancs géants où la production doit se faire.

M. Wu, notre hôte, engage la conversation. On sent une confiance sourde chez lui. Il n'est pas très sûr de savoir qui nous sommes, mais il a compris que nous ne sommes pas de gros bonnets. Tout de même, son instinct lui commande de ne pas trop en dire quand il répond à nos questions. Mais Viv et moi tentons de formuler nos questions de manière à ne pas exiger de réponses ardues qui risqueraient de le gêner. Cela demande de la patience mais cette approche courtoise est souvent récompensée par des réponses d'une franchise rafraîchissante. Wu nous prend pour des intellectuels et nous confie son appétit largement insatisfait pour une vie plus cérébrale. Mais il avoue que son ascension dans l'entreprise lui procure aussi des satisfactions, quoi qu'elles soient surtout d'ordre matériel.

Notre visite à la chaîne de montage de l'usine Chery ressemble en bien des points à celle de l'usine JAC. Mais il y a aussi des différences notables. À chaque étape, nous sommes attendus par un ingénieur spécialiste de la production qui connaît bien le véhicule et ses composantes. On répond franchement et avec force détails à nos questions techniques. Chery attache beaucoup plus d'importance aux relations publiques que JAC. Les visites comme la nôtre font partie de son quotidien. Les travailleurs ici sont plus affables et font comme si nous ne les dérangions pas.

Nous observons une salle de production à partir d'une passerelle élevée. C'est la chaîne de montage du moteur, chose que nous n'avons pas vue à Hefei. De grandes boîtes rouges masquent les procédés de forgeage et de soudure. L'usinage du moteur est bien trop précis pour être confié à des mains humaines et est intégralement automatisé. Ces machines formidables qui fabriquent les moteurs n'ont pas été faites en Chine mais achetées au Japon et en Allemagne. Le moteur Chery se veut aussi perfectionné et informatisé que ses équivalents du monde développé, mais les Chinois n'ont pas encore acquis la précision technique nécessaire pour produire ces métamachines capables de fabriquer des moteurs de voiture entiers. Ils semblent résignés à ce que cette capacité de haut niveau leur échappe encore pour le moment.

Tout est plus organisé chez Chery que chez JAC : la façon dont nous sommes tenus à distance de la production et reçus par les spécialistes, la façon dont les chaînes de montage sont articulées. Il n'y a pas de salle où les pièces des voitures sont amoncelées un peu n'importe comment. Les travailleurs ne badinent pas en attendant une pièce ou en s'affairant sur la chaîne. Le procédé se déroule avec un minimum d'excès et de relâchement. La production se fait en convergence et forme un seul mouvement vers l'avant.

Nous sautons l'étape où on monte la carrosserie. Viv explique que nous avons visité ce secteur du montage à l'usine JAC, et nos hôtes confirment que c'est un procédé qui ne présente aucun intérêt et qui est de surcroît à peine visible étant donné que, comme pour l'usinage du moteur, une bonne partie de la fabrication est réalisée à l'intérieur d'immenses machines.

Chery produit une gamme de berlines qui vont de l'économique à la compacte. Les moteurs sont petits ; peu de métal, beaucoup de plastique. Des voitures très fonctionnelles mais bon marché. Ces voitures se comparent au premier véhicule neuf qu'achètent nombre d'Occidentaux et, à maints égards, c'est précisément l'expérience qu'offre Chery : l'accès à une première voiture.

Comme nous l'avons vu dans le restaurant de Hefei la veille, il existe une classe croissante de consommateurs qui vont un jour posséder leur première voiture, comme ils possèdent déjà un téléviseur, un cuiseur de riz ou un climatiseur. Ces consommateurs sont aujourd'hui visibles sur toutes les routes. Il doit y avoir au moins dix millions de Chinois qui accèdent à la classe moyenne chaque année. Mais alors, à qui se réfère-t-on quand on parle d'une classe moyenne chinoise ? J'imagine des gens qui achètent des voitures et des appartements et qui fréquentent les bons restaurants. Ces gens font des choix : quoi faire, quoi porter, quoi manger, quoi acheter. Qui épouser. Qui être.

En dessous, il y a ceux qui choisissent peu souvent et qui n'ont à peu près aucune mobilité. Les circonstances leur forcent la main et ils acceptent le premier travail à leur portée, habituellement pour un salaire de misère. Ils ne peuvent se permettre que ce qu'il y a de moins cher, et encore, en petites quantités. Ils sont plusieurs centaines de millions dans cette situation en Chine, mais leur nombre diminue.

Au-dessus de la classe moyenne, il y a le groupe pour qui l'idée de choix s'embrouille de nouveau parce que les possibilités se multiplient. En outre, la gestion de la richesse pour la richesse impose toute une série d'attentes et de responsabilités ; c'est un groupe aux effectifs limités mais qui augmente en nombre lui aussi.

Bien sûr, produire pour la classe moyenne est plus rentable. Vendre à des centaines de millions rapporte beaucoup plus que vendre des objets de luxe à quelques privilégiés. Voilà pourquoi Chery s'adresse directement à cette classe moyenne. Sa marque illustre la réussite modeste mais honnête de celui ou celle qui a un emploi rémunéré. C'est une voiture qui célèbre la fierté tranquille des nouveaux départs et non l'ambition euphorique de ceux qui ont déjà tout.

Les marques étrangères courtisent le marché chinois depuis des décennies. Une promenade dans n'importe quelle galerie commerçante confirme la visibilité des voitures étrangères à la mode. Même si je soupçonne souvent que, à l'extérieur des très grandes villes, les magasins de vêtements de luxe ne sont que marginalement rentables, ces boutiques sont des lieux de prestige qui ont surtout pour objet de rehausser le profil d'un centre commercial. Les Chinois adorent magasiner dans le voisinage de ces boutiques sans pour autant acheter leurs produits chers.

Tout de même, le gros de l'industrie chinoise est tourné vers l'exportation et non vers le marché intérieur. Dans le domaine des voitures, cependant, c'est différent. Elles sont destinées aux Chinois. On n'a même pas songé à l'exportation au départ. Toutefois, de plus en plus, les voitures *made in China* se vendent dans le monde en développement.

S'il existait un marché authentiquement mondialisé, une proportion considérable des voitures sur terre serait sans doute bientôt produite en Chine. Mais la construction automobile est loin de constituer un marché libre et demeure une vache sacrée pour les économies développées. Parce qu'elles jouent un rôle capital dans l'organisation gouvernementale du travail, les usines automobiles sont largement soustraites à la mécanique impitoyable du libre-échange. Même si des produits parallèles comme les tracteurs génériques ou la machinerie agricole sont exportés par la Chine et vendus par des détaillants occidentaux sous le couvert de diverses marques, la voiture chinoise n'a pour ainsi dire pas accès aux marchés de l'Occident. Par contre, on a attiré en Chine les constructeurs de voitures occidentaux, qui y produisent leurs marques à l'intention du colossal marché chinois.

Viv nous a obtenu une visite privée de l'usine General Motors à Shanghai. Ce site immense, avec des installations de pointe, est l'avant-poste d'un empire. La Chine compte aujourd'hui pour un tiers des ventes mondiales de GM.

Pour nous rendre à l'usine, Viv et moi faisons en taxi une longue course qui nous fait voir de nouveaux quartiers industriels très étendus, loin du quartier historique. L'usine GM, qui se trouve près de la mer sur le chemin menant au nouvel aéroport de la ville, est immense et organisée efficacement. Nous rencontrons notre contact dans un pavillon d'accueil clinquant. Avec sa façade de verre et son atrium, on dirait un édifice de concessionnaire, sauf qu'on n'y trouve qu'un seul véhicule de démonstration, une Buick scintillante. Notre contact est une dame dans la trentaine, de haute taille, à l'attitude professionnelle. Il y a de la froideur dans sa politesse, ce qui est tout à fait normal. GM se soucie grandement des relations publiques en Chine ; il ne s'agit pas seulement pour elle de vendre une voiture, elle vend aussi une marque et un mode efficient de production industrielle.

À l'usine GM de Shanghai, on se sert de ce qui se fait de mieux dans le domaine. La haute technologie y est visible partout. Nous observons les chaînes de montage à partir des passerelles et voyons en bas un procédé méticuleusement organisé. Les diverses étapes de l'assemblage sont calculées dès le départ. Le gadget le plus minuscule est produit en synchronisme avec toutes les autres composantes d'une voiture particulière, et les éléments convoyés le long des chaînes de production se rencontrent précisément au même moment. Il n'y a pas de production excédentaire et pas une minute de perdue. Les éléments nécessaires sont tous produits exactement au moment voulu.

On nous dit que la vaste majorité des composantes des véhicules sont produites sur place : la carrosserie, le châssis, les moteurs, les instruments de bord et le reste. Nous jetons un coup d'œil sur les premières phases de la production, mais il n'y a pas grand-chose à voir. Les composantes fabriquées dans des circuits fermés et automatisés proviennent des quatre coins de l'immense complexe et s'écoulent vers le montage dans une salle immense ; les circuits multiples convergent vers une seule chaîne de montage sur laquelle les voitures se matérialisent lentement. Selon les composantes utilisées, des modèles légèrement différents sont produits sur la même chaîne.

Les ouvriers, avec lesquels nous n'avons aucun contact, sont plus âgés que ceux des autres usines que nous avons visitées. Ce ne sont pas les travailleurs gais de Hefei mais plutôt des hommes graves dans la quarantaine. Ils accomplissent leur travail avec un sérieux inébranlable. Ils sont aussi mieux payés ; comme elle se trouve à Shanghai, l'usine GM a accès à une main-d'œuvre qualifiée et d'âge mûr, mais elle doit verser des salaires beaucoup plus élevés que ses concurrentes.

Le long de la chaîne de montage, les travailleurs sont organisés en équipes, chacune étant responsable d'une étape particulière de la production. Le travail de chaque équipe est mesuré par un système de feux de circulation. Le feu vert signifie que l'équipe est à l'heure ou en avance. Le feu jaune veut dire que l'équipe marque le pas dans le processus de montage. Le feu rouge indique un blâme à l'équipe qui a causé un retard dans la production, ralentissant ainsi la production en aval. Une voix de femme se fait entendre dans des haut-parleurs pour encourager une équipe qui a accumulé les feux verts ou réprimander celle qui a provoqué un retard.

Les voitures produites à cette usine sont des marques de la famille GM, Chevrolet et Buick, sauf que ce sont des modèles faits pour la Chine. Les usines de Volkswagen et de GM ont débarqué en Chine avec une vaste gamme de technologies brevetées. Elles ont créé de nouvelles entités commerciales particulières à la Chine, qui achètent les coûteuses licences de construction de GM en Amérique ou de VW en Allemagne et se soumettent à des exigences de production sévères.

Grâce à GM et aux autres entreprises dans ce secteur, la capacité industrielle chinoise a fait des bonds extraordinaires. Dans les usines, les travailleurs se familiarisent avec les formes les plus avancées de l'organisation du travail, les ingénieurs voient comment on atteint l'efficience maximale et, ainsi, les modèles industriels complexes et la propriété intellectuelle s'acclimatent au sol chinois.

Chose encore plus importante, la Chine se fortifie avec ces alliances. Les multinationales étrangères qui font des affaires d'or en Chine dépendent du bon plaisir de l'État chinois. Ainsi, ces entreprises mondiales deviennent pour celui-ci des alliés puissants dans les capitales étrangères. Une fois bien orchestré par l'État chinois, ce réseau d'industries mondialisées peut servir de levier puissant lorsqu'il s'agit d'obtenir des concessions stratégiques, voire la docilité des puissants de Washington, Londres et Paris.

Après notre visite chez GM, Viv rentre en ville tandis qu'Allen vient me chercher, car il m'a offert de me faire visiter Shanghai et de m'aider à acheter un rouleau de soie brute pour remplacer des rideaux dans ma maison. Il m'emmène au marché de la soie.

— La soie n'a plus la cote, dit-il. Seules les femmes en portent, à des occasions spéciales, et même là, de moins en moins. L'industrie tient toujours, mais elle perd beaucoup de terrain.

Le marché de la soie est aux abords de la ville, pas très loin de l'usine GM, dans un bâtiment banal de plusieurs étages qui ressemble à tant d'autres bazars que j'ai vus en Chine. La plupart des boutiques étalent des échantillons de produits de soie manufacturés pour les commandes en gros. Mais moi, je veux le matériau de base, et j'ai justement un tas de rideaux de soie en mauvais état à remplacer. Après nous être informés pour savoir où acheter un rouleau de soie, Allen et moi sommes dirigés vers la section décoration intérieure du marché. Nous choisissons une boutique où il y a profusion d'échantillons et y sommes accueillis par un employé qui connaît manifestement son affaire. Après avoir examiné mon bout de soie, il sort plusieurs grands cahiers d'échantillons textiles. Il comprend bientôt que mon échantillon est d'une qualité supérieure à tout ce qu'on me montre, car le grain plus naturel du fil en fait ressortir la brillance argentée.

Notre homme s'avoue vite vaincu : il n'a pas de soie de cette qualité sous la main. Mais il ne renonce pas pour autant à m'aider et il s'engage à me trouver un fournisseur qui pourrait me procurer ce que je cherche. J'explique que je ne fais que passer et que je ne pourrai pas revenir de sitôt, mais je prends quand même sa carte de visite. Allen offre de passer commande pour moi, mais je m'en voudrais de lui imposer cette tâche.

Comme nous parlons de décoration intérieure, Allen décide de me montrer une maison qu'il envisage d'acheter dans un quartier voisin. En chemin, il m'explique la nature de son entreprise. Celle-ci est dans le courtage d'outils industriels pour les distributeurs occidentaux. Son créneau à lui, ce sont les outils de traction de câbles, dont il confie la production à divers fournisseurs.

— Mon entreprise a réussi à alimenter une certaine entreprise américaine dans ce créneau mais elle peut organiser la production dans un grand nombre d'autres domaines. Récemment, nous sommes passés à la fourniture d'équipement d'entretien de piscines à des grossistes étrangers.

— Les entreprises étrangères ne peuvent-elles pas s'adresser directement aux producteurs chinois eux-mêmes ?

— Oui, mais nous nous occupons essentiellement de production nouvelle. Mes clients me présentent des prototypes et je les lance en production ici. Ils pourraient trouver eux-mêmes les installations de production qu'il leur faut, mais je suis sûr qu'ils ne pourraient pas négocier le coût à l'unité aussi bien que nous.

Allen m'explique quelque chose d'important :

— Il y a un aspect de la production en Chine qui n'est pas bien connu, surtout ici. Bon nombre de fabricants considèrent en fait que la production est une corvée. La production et les ventes ne génèrent pas l'essentiel de leurs profits ; ceux-ci proviennent de la promotion immobilière. Certains produisent même à perte. Au cours des dernières années, l'indifférence à l'égard de la vente des produits s'est accrue ; ce qui compte, c'est vendre des terres à valeur ajoutée.

Je suis incrédule.

— Je ne comprends pas, dis-je. Ils produisent sans se soucier des profits ?

— Certains, oui. Voici comment ça marche : une entité industrielle s'adresse au gouvernement pour obtenir un terrain à bon prix afin d'y bâtir une usine neuve. Le gouvernement accepte volontiers de rezoner un certain secteur agricole pour usage industriel et le revend à l'entreprise en question, qui construit l'usine et l'exploite brièvement. Elle effectue certaines ventes, puis elle trouve une raison de se réadresser au gouvernement pour faire bâtir une installation plus moderne, plus grande, qui fera en sorte qu'on rezonera un espace encore plus grand. Le terrain sur lequel est situé l'usine originale est alors transformé à des fins d'usage commercial ou résidentiel et revendu avec un bénéfice colossal. Et on refait le coup régulièrement.

— Ça peut durer longtemps comme ça ?

— Tu serais surpris. Mais oui, l'immobilier a toujours ses limites. On ne peut pas fabriquer de la terre.

— Est-ce que la bulle pourrait éclater ?

— Je suis un optimiste. Mais en effet, ça pourrait éclater. Et ça va probablement arriver. Des spéculateurs et des investisseurs vont y perdre leur chemise. On assistera peut-être alors à un ralentissement économique et à une hausse du chômage. Mais il n'y a tout simplement pas moyen de revenir en arrière. Quoi qu'il arrive, la Chine avancera. Mais pas aussi vite qu'avant.

CHAPITRE 8

Le sud

> *Le bon voyageur n'a pas d'itinéraire et n'a pas*
> *l'intention d'arriver.*
>
> LAO-TSEU, Ve siècle av. J.-C.

L a porte se dresse devant nous dans la pénombre. Sue, jeune journaliste de terrain cantonaise, a fait ce que je lui ai demandé. Elle nous a conduits dans le labyrinthe du ventre de la ville jusqu'à l'entrée d'un bordel.

Un escalier lugubre nous attend. Le bâtiment est un bloc de béton de quatre étages. Sa façade est plus étroite que celle des autres édifices. Son enseigne se compose de quelques caractères en noir sur un panneau éclairé de rouge. Les lumières rouges sont chose commune en Chine et ne sont pas nécessairement signe de débauche. C'est la seule enseigne dans cette ruelle, et il y est indiqué ceci : *Massage*.

Les salons de massage et les bordels abondent en Chine : omniprésents mais discrets. Le pays a été le théâtre de mouvements migratoires massifs et les gens disposent depuis peu de revenus qu'ils peuvent dépenser comme bon leur semble. Entassés les uns sur les autres et dotés d'un grand sens pratique, ils n'entendent pas rester sur leur appétit. Comme il y a des lieux où manger, boire et rigoler, il y a aussi des lieux pour aimer. Ou prendre du plaisir, si on préfère. Avec tous ces gens éloignés de leurs foyers, les relations sexuelles et le contact humain – ainsi que l'assouvissement des passions – acquièrent une valeur marchande.

Nous sommes à Guangzhou, au cœur du quartier le plus densément peuplé que j'aie vu de ma vie. Un labyrinthe massif et tentaculaire tout en immeubles de béton. Pas tout à fait des gratte-ciel, six ou sept étages maximum, mais ils sont si rapprochés qu'il ne subsiste entre eux que des passages très exigus.

Les grandes casbahs du vieux Maroc sont denses, percées de passages équivoques, et on peut y découvrir des choses merveilleuses. La vieille Jérusalem est un fouillis inextricable. Les bidonvilles de l'Inde, d'Afrique et d'Amérique du Sud sont à couper le souffle. Il y a même des quartiers emmurés en Europe qui donnent l'impression de la densité humaine, mais sans la saleté des jours anciens. La densité urbaine est différente dans des secteurs comme celui-ci, qui ont poussé à la verticale sur très peu de terrain. L'acier et le béton compartimentent la vie humaine comme rien d'autre. Les services publics – les aqueducs, les égouts, l'électricité –, si rudimentaires soient-ils, confèrent une certaine harmonie à la vie dans la colonie. Il y a nécessairement des gens qui veillent au grain ici. Ils profitent de l'activité ambiante. Mais ils seront les premiers blâmés si la catastrophe frappe et si les gens se retrouvent plongés dans les déjections ou la maladie.

On se croirait tout de même dans un bidonville qui aurait été peuplé soudainement par des hordes de gens contraintes à la promiscuité à cause de la rareté de la terre. Il bout ici une énergie indiscutable, comme si le meilleur et le pire pouvaient se produire à tout moment. *Chinatown, baby.*

Guangzhou, qu'on appelait autrefois Canton, est situé sur les rives de la rivière des Perles. Pendant des siècles, la côte méridionale de la Chine a été témoin de vastes migrations humaines. Avec ses îles, ses baies et ses estuaires protégés qui ouvrent sur les courants accueillants des mers chaudes, la côte a été long-temps un goulet au travers duquel les gens et les marchandises entraient en Chine et en sortaient. À la fin du XVIIIe siècle, Canton était devenu l'épicentre d'un vaste réseau commercial relié à l'Asie du Sud-Est et au-delà. Grâce à ces réseaux, la langue de Canton, sa culture et sa cuisine en sont venues à façonner l'idée que le monde se faisait de la Chine. Canton était aussi devenu le grand réservoir de main-d'œuvre chinoise. Des masses humaines venaient s'entasser ici en préparation d'un long voyage en mer vers des contrées lointaines où, ouvriers, ils poseraient les rails des chemins de fer ou construiraient les monuments. De ce commerce humain sont nés les Chinatowns du monde, les quartiers chinois. Aujourd'hui davantage archétypes que réalité, ces quartiers dégagent une effervescence exotique, des parfums étranges, et suscitent des impressions d'émerveillement et de malaise.

Je suis de retour ce soir à Chinatown. L'archétype reprend vie dès que nous nous aventurons dans ce labyrinthe pour trouver ce bordel. Trafic humain, chose bien réelle.

Sue m'explique que le quartier est relativement neuf. Mais sous les pas incessants des campagnards qui débarquent en ville, les rues sont tellement usées que l'impression du neuf a complètement disparu. Les murs de béton des bâtiments sont crasseux mais le quartier est bien tenu tout de même. Les ordures ont été enlevées, les devantures des magasins nettoyées, les rues balayées. Mais que Dieu nous garde d'un tremblement de terre ! Ici, l'activité humaine est comprimée et ininterrompue. C'est déjà la nuit et les artères du quartier ne sont que bruit et lumière. L'air est chaud et odorant.

De temps à autre, les passants se surprennent de voir un homme blanc accompagné de deux jeunes femmes dans ce quartier, et cela se comprend. Les étrangers pénètrent parfois dans le quartier durant le jour, et il n'est pas inimaginable qu'un Blanc y soit vu le soir. Mais n'est-il pas normalement guidé par quelqu'un du coin ? N'est-il pas là justement pour quelque raison un peu louche ?

Mais je suis ici avec Viv, qui est du nord, et Sue. Celle-ci est petite et a le teint foncé ; elle a les cheveux coupés court et hérissés comme ceux d'un garçon. Ses vêtements sont modernes et amples. Elle a un visage lunaire et laisse deviner une humeur égale et joyeuse. Ses gestes sont rapides, décidés, et il y a dans son pas une confiance et une volonté qui disent : « Je suis d'ici, moi. » Viv m'a signalé plus tôt que Sue est originaire d'un coin sur la côte célèbre pour ses gangsters. Elle n'est donc pas du quartier, mais on l'y sent comme chez elle.

Sue fraie le chemin dans le quartier et nous permet de nous y retrouver un peu, mais juste un peu. Avec ses manières délicates, Viv n'est manifestement pas d'ici. À part moi, n'est-il pas évident que nous sommes ici en observateurs et non pour faire la fête ? Il faut se méfier de ces étrangers qui regardent sans participer ou de ceux qui ne font que passer sans rien laisser, rien sacrifier. Je nous presse d'accélérer le pas, comme si nous avions un rendez-vous, comme si nous étions ici pour agir et acheter.

Nous comptons monter l'escalier et entrer dans l'établissement, et Sue ira parler au patron ; avec un peu de chance, ce sera une patronne. Nous avons de l'argent et nous voulons rencontrer une masseuse. Une fois entre nous, nous lui poserons des questions.

Le Chinatown est une histoire de chair : il est né de l'usine à corps humains que la Chine a été pendant des siècles. Les hausses soudaines de la démographie ont provoqué des surpopulations sporadiques et des migrations massives. Ces mouvements font partie de la l'histoire de la Chine, et de cette région en particulier, depuis plus de deux millénaires. Mais il a fallu l'époque des découvertes et du commerce maritime, ainsi que l'apparition de ports opulents le long de la côte méridionale, pour faire de la migration chinoise un phénomène mondial.

La main-d'œuvre chinoise fut un élément primordial dans l'expansion du commerce maritime. Pour les nouvelles économies industrialisées, la main-d'œuvre asservie ou conscrite se faisait de plus en plus rare au XIXe siècle. Les bâtisseurs d'empires avaient besoin de nouveaux bras. On pouvait rapidement, et à bon prix, mobiliser des effectifs chinois pour des chantiers géants comme la construction des chemins de fer ou le creusement des canaux. Contrairement aux esclaves, on pouvait acquérir des coolies chinois sans trop user de violence, et l'obligation de les nourrir et de les loger était éphémère. Les bâtisseurs pouvaient acheter la main-d'œuvre en gros pour les besoins d'un contrat précis. En plus, cette main-d'œuvre débarquait le plus souvent avec sa propre structure de soutien, faite de contremaîtres, de payeurs et de cuisiniers, une véritable solution clé en main pour les entrepreneurs occidentaux.

Tout comme il fallait nourrir et entretenir cette main-d'œuvre, il importait aussi à l'occasion de voir aux autres besoins de tous ces humains déplacés. Ainsi, autour du cadre de cuisiniers et de blanchisseurs émergèrent d'autres spécialistes nouveau genre, notamment les agents portuaires et les fournisseurs de produits médicinaux et de gratification sexuelle. Ces éléments se sont combinés pour former tous les Chinatowns du monde, des quartiers étendus de San Francisco et de Vancouver jusqu'aux ruelles des bourgades frontalières.

J'imagine que, de toutes les choses qui faisaient qu'un Chinatown pouvait prendre un aspect étrange et différent aux yeux d'un étranger, l'écart entre le puritanisme croissant des Occidentaux et la fonctionnalité chinoise était une des plus frappantes. Chez les riches et les puissants, la polygamie était chose courante, voire admirée, dans la Chine du XIXe siècle. Le corps de la femme était en règle générale un bien marchandable. Il était normal d'accorder ses faveurs sexuelles pour de l'argent ou une certaine protection. Si un tel commerce procurait à sa praticienne et à sa famille un avantage à long terme, il devenait même honorable. Les pères vendaient ainsi leurs filles : ce n'était pas de la prostitution au sens strict du terme, mais il était entendu que le corps de la fille devait servir au plaisir et à la procréation et que l'usage de ce corps serait rétribué.

Planté comme je le suis devant l'escalier, mon propre sens moral me paralyse tout à coup. Je suis soudainement mal à l'aise de songer à toute cette sexualité ou du moins attristé à la perspective de discuter intimement avec une jeune femme de sa vie sexuelle. Je frissonne à l'idée que cette âme assiégée sera soumise à un interrogatoire dans son lieu de travail, et j'en conclus que nous faisons totalement fausse route.

J'imagine cette jeune femme timide ayant à s'expliquer, assise sur un lit, comme si elle avouait son comportement discutable à ses parents. C'est trop froid, c'est trop dur. Je ne peux pas croire que ce sont des événements heureux qui l'ont conduite là où elle est.

Un bordel n'a rien de très intime non plus. Ses jeunes collègues arpentent les couloirs et ses employeurs sont à l'avant comme à l'arrière, tous sûrement au courant de ses confessions. Sans parler de la clientèle. Ces filles doivent savoir bien des choses qui ne se répètent pas. Nous avons eu tort de demander à interviewer une prostituée sur son lieu de travail. J'ai honte maintenant, et je veux m'en aller.

Je dis à mes compagnes :

— On annule tout.

— Quoi ? me demande Viv en se grattant la tête. On n'entre plus ?

— Notre idée ne vaut rien.

— Eh bien, montons au moins, et voyons ce qui en est, maintenant que nous y sommes.

— Non. On fait marche arrière, dis-je en insistant.

Debout sous la lumière rouge, j'affirme que je sais déjà tout ce que j'ai à savoir de la fille dans la chambre. Je n'ai pas besoin de monter pour la voir. L'essentiel ici, c'est le respect de la vie privée. De la vie privée dans l'usine à chair, où il n'y a pas de communion qui tienne. Le respect et non la mise à nu.

Viv et Sue ne comprennent pas bien, mais la discussion est terminée. Nous faisons marche arrière dans le quartier en direction de la rue principale, qui est étrangement tranquille. De l'autre côté de la rue, il y a une boutique ouverte ; on y vend du thé médicinal, comme me l'expliquent mes deux compagnes. Sa spécialité : une concoction amère qui atténue le feu qui brûle en soi. Pour faire du sarcasme, je dis que j'ai justement besoin de calmer le feu qui me consume.

Le liquide chaud est dans une grande bassine de laiton sur une table dans l'entrée. On le sert dans une tasse de papier. Non seulement la boisson est amère, mais le liquide noir est terreux et ne sent pas très bon. Ce n'est pas un breuvage très sensuel et je bois seul. Je m'ennuie tout à coup de la Grosse Sœur de Qingdao.

Un bordel, ça se trouve facilement, mais il n'y a pas un seul bar en vue. En fait, l'idée d'un lieu exclusivement consacré à la consommation d'alcool n'a rien de très chinois. On en sert parfois au verre au magasin du coin. Les restaurants offrent tous de l'alcool au repas. Les clients peuvent s'attarder après le repas pour siroter une bière ou de l'eau-de-vie. Mais il n'y a pas d'endroit en vue ici où on sert de l'alcool.

Sur cette grande artère de Guangzhou, la seule boisson à laquelle j'ai accès ce soir est un thé amer, qui n'a pas pour effet d'engourdir les sens et d'autoriser l'oubli, de donner du courage ou de rendre gai. C'est un remède métaphysique. À ceux qui sont dominés par leurs passions égoïstes, à ceux qui s'enhardissent à agir parce qu'ils ont un but ou une obsession quelconques, le baume que j'avale promet la résignation et la contemplation, le retrait devant l'ego et ses conflits. Mais il n'a aucun effet notable sur mon état d'esprit.

Un taxi nous ramène à l'hôtel, une tour sans âme au centre

du quartier des affaires. En voiture, nous élaborons un projet pour le lendemain, et je donne à Sue de quoi prendre un taxi pour rentrer de son côté. Sue travaille pour un des grands quotidiens de la ville. Elle est aux faits divers. Les journalistes débutants sont mal payés, donc elle est bien heureuse d'avoir un contrat vite fait où elle sert d'assistante à un journaliste étranger. Elle va travailler pour moi pendant trois jours et, à la fin, elle sera rémunérée pour le temps qu'elle m'aura consacré.

Sue nous suit dans l'hôtel et monte avec nous à nos chambres en ascenseur. Viv est la première à descendre et elle prend congé pour la nuit. Puis Sue m'accompagne jusqu'à l'étage au-dessus et jusqu'à ma chambre. Elle reste plantée là quand j'ouvre la porte, ce que je ne comprends pas.

Si elle veut quelque chose, par exemple de l'argent pour sa journée de travail, elle ne le dit pas. Elle ne dit rien du tout. Elle a vu à ce que je regagne ma chambre en toute sécurité, peut-être ? Au bout d'un moment de silence, je souris et lui dis : « À demain. » Après quoi je referme la porte doucement.

Je l'imagine de l'autre côté de la porte me cherchant querelle : « T'es quoi, au juste ? Un voyageur ? Un journaliste ? Un observateur ? »

Nous sortons le matin sous un soleil aveuglant. Sue attend sur le trottoir et parle peu. Alors, qu'est-ce qu'on fout ? semble-t-elle demander. Ma requête est simple : je veux voir des usines. Des lieux où on fabrique des choses. Guangzhou est un des plus grands centres manufacturiers de la Chine et je veux voir des machines.

Nous montons dans un taxi et enjambons plusieurs ponts. L'un d'eux est fort élevé, et nous voyons un large pan de la vallée du sommet. Le brouillard chaud et blanchâtre embrouille les choses mais je peux voir que la rivière des Perles à Guangzhou est plus exactement une grande anse. La côte protégée se découpait peut-être autrefois en lagons, en marais et en cours d'eau, mais de nos jours, la moindre parcelle de terre est réquisitionnée pour le logement ou un autre usage.

Nous longeons quelques parcs industriels mais nous ne nous dirigeons pas vers ce genre de manufacture. Les complexes immenses et nouveaux sont murés et on n'y prise guère les visites impromptues de journalistes et d'étrangers. Ce qui nous intéresse plutôt, c'est la petite industrie, plus précisément les manufactures de textile.

Le taxi nous dépose dans un quartier où les immeubles sont de petite taille, dense mais bien tenu. Les bâtiments ne sont pas neufs mais ils sont quand même récents. Ils sont revêtus de tôle bon marché. Au rez-de-chaussée, des boutiques. Les trois ou quatre étages du dessus ressemblent à des locaux industriels. Mais le quartier est étrangement inactif. Il n'y a pas de hâte dans les rues. Seules quelques boutiques sont ouvertes, et les étages supérieurs semblent tranquilles. On dirait que nous nous sommes trompés de cible. Sue est perplexe.

J'aperçois alors une autre boutique avec une bassine de laiton à la devanture. Le stand de thé médicinal de la veille fait donc partie d'une chaîne. Pendant que Sue interroge les gens sur les usines du coin, j'attire Viv dans le stand pour qu'elle me commande une autre dose de la mystérieuse infusion d'hier. On n'y vend rien à manger. Viv explique qu'on y vend non seulement la concoction amère et noire de la bassine mais aussi toute une série de décoctions d'herbes médicinales. Je presse Viv de me commander quelque chose de différent d'hier.

— Chaque thé répond à une raison spécifique, me dit-elle avec un léger agacement. Il faut que tu aies une raison pour boire ces tisanes.

— Que dirais-tu de quelque chose pour calmer les nerfs à vif ?

Viv est gentille. Elle sait que je n'ai pas les nerfs à vif mais que je ne plaisante pas non plus avec cette question sérieuse qu'est le thé médicinal. Je ne fais que tuer le temps et vivre une nouvelle expérience précieuse et spontanée.

— Les nerfs, alors ? dit-elle en parcourant le menu.

Sue vient nous aider. Apparemment, elle sait exactement ce qu'il faut prendre pour calmer les nerfs, et elle passe commande. Les deux femmes demandent pour elles-mêmes le même thé que j'ai bu la veille.

Mon thé est d'une couleur légèrement dorée et a un goût d'herbe.

Sue nous dit :

— Les manufactures d'ici ont déménagé. Personne ne sait au juste où elles sont passées.

Sa réponse me semble absurde. On dirait même qu'elle cache quelque chose. Je passe outre.

— Alors on va où, maintenant ?

Sue a une idée, mais elle n'est pas très sûre du chemin. Elle retourne dans la rue pour aller aux renseignements.

— Les choses changent vite ; on a parfois du mal à s'y retrouver, dit Viv. Dans un lieu comme celui-ci, les gens viennent de partout. Ils sont affairés ; ils n'ont pas le temps de se familiariser avec la ville. Et même quand ils y parviennent, les quartiers évoluent vite.

— Est-ce que les dialectes compliquent les choses ?

— Dans les grandes villes, les gens ne parlent habituellement pas en dialecte avec les étrangers.

Sue revient.

— Il nous faut un taxi, dit-elle.

Nous longeons à pied quelques pâtés de maisons et parvenons à un grand boulevard. Je m'interroge sur le mystère immobilier qui nous entoure. Comment des bâtiments aussi grands peuvent-ils rester vides mais profiter quand même des services habituels ? Qui en est propriétaire ? Qui souffre de ce taux de vacance et qui assure l'entretien ? L'immobilier ici est cher ; les services publics coûtent cher eux aussi.

Peut-être qu'ils ne sont pas vides non plus. Mais les apparences disent le contraire. Levant la tête, j'aperçois quelques lumières dans les fenêtres des immeubles. Il est évident que ce quartier tourne à très faible régime. J'en conclus qu'il doit y avoir derrière tout ça un propriétaire, que ce soit l'État ou quelque grande entreprise. Ce sont des usines textiles qui ont probablement été construites dans les années 1980 mais qui ont été fermées récemment. La main-d'œuvre a été redéployée. Je me dis qu'il y a un certain nombre de facteurs convergents qui expliquent cela. La production sur plusieurs étages n'est pas efficiente. Et on atteint vite la pleine capacité.

J'imagine un quartier produisant à pleine capacité, avec le bruit constant des ventilateurs et des climatiseurs, des monte-charges fatigués, les rues encombrées de camions de livraison déchargés et aussi vite rechargés de matériaux et de produits, avec de la fumée partout, des masses de travailleurs remplissant les multiples étages des immeubles, peinant au-dessus de leurs machines à coudre. Un grand mouvement de foule au début et à la fin des quarts de travail. Image impressionnante. Agitée. Problématique. Et maintenant improbable.

En Chine, les industriels accélèrent la cadence de la production. Les planificateurs et les forces du marché veulent plus d'efficience. Les industries de papa comme cette production textile pourtant arrivée ici il n'y a pas si longtemps n'ont plus leur place à Guangzhou.

L'économie de la rivière des Perles a probablement été à l'origine des ateliers de misère, mais on n'en trouve plus aussi aisément de nos jours. On construit maintenant des usines bien aérées qui sont faites de matériaux plus légers. Elles produisent des articles de valeur supérieure. Des chariots élévateurs électriques conduisent les palettes vers les conteneurs. On déplace les êtres humains avec plus de ménagement entre les lieux de travail à haute efficience et des espaces de vie mieux pensés. Il existe encore des productions bas de gamme et à grande échelle, mais ailleurs : à l'intérieur des terres, dans l'arrière-pays. Dans les villes plus petites, où l'immobilier et la main-d'œuvre coûtent moins cher. Ou ailleurs en Asie du Sud-Est, où la main-d'œuvre est encore moins coûteuse, où les options industrielles sont plus limitées et où on se préoccupe moins des risques pour les êtres humains.

Ici, il est difficile de savoir ce qui va se passer. On n'imagine pas que ce secteur demeure en friche indéfiniment. Il s'installera ici une autre forme d'industrie légère, peut-être. J'imagine des gadgets informatiques ou des emballages quelconques qu'on fabriquerait ici. Mais qui sait ? Peut-être que le quartier sera rasé, que les services publics seront valorisés et qu'on y construira d'immenses complexes résidentiels. La consommation remplacera la production. Peut-être…

Nous nous dirigeons maintenant vers des terres arrachées à la nature. Nous traversons une rivière marécageuse. Le secteur est herbu tout à coup et la route est cahoteuse ; en certains endroits, nous roulons sur de la terre battue. On dirait qu'on se dirige vers la campagne, mais ce n'est pas le cas ; nous entrons dans la ville par la porte arrière. Les bâtiments se multiplient rapidement autour de nous. Ils sont faits de béton grossier et ne comptent pas plus de deux étages. Ce sont parfois des maisons minuscules ; les autres ont un caractère plus commercial, avec des plafonds élevés et de grandes portes. Il y a du monde partout. Des hangars ouverts émettent des bruits de machines ou sont illuminés par les éclairs bleus que lancent les torches de soudure. Ça sent non seulement la fumée d'usine mais aussi la terre humide et le bran de scie frais. Nous ne verrons pas ici de *sweatshops* mais l'assiduité humaine à l'état brut.

Nous demandons au chauffeur de taxi de pénétrer plus avant. Il nous dit qu'il devrait y avoir un marché plus loin. Mais ça avance lentement maintenant ; nous partageons la route accidentée et étroite avec des camions, des chariots, des piétons et même des animaux. Il est évident que nous avancerions plus vite à pied, donc nous réglons la course et descendons.

Des rues étroites partent de la rue principale, chacune conduisant à plus d'activité. Les gens fabriquent des objets de métal, des instruments en bois ou des meubles. Ils emballent des choses dans des caisses. Il y a un entrepôt tranquille rempli d'électroménagers identiques. C'est peut-être un spéculateur local qui a profité d'une transaction privilégiée pour acquérir tout un lot de climatiseurs fabriqués dans le coin et qui espère faire une vente en vrac à quelque détaillant.

Une autre rue est spécialisée dans le recyclage. Des piles de vieux téléviseurs encombrent une cour. Des tas de claviers d'ordinateur s'amoncellent sur la terre nue. L'odeur de plastique fondu et de métal brûlé est partout. À l'intérieur, de petits murs constitués de tours d'ordinateur s'élèvent derrière un groupe de travailleurs qui les éventrent et les éviscèrent. Ils dévissent les ventilateurs, ramassent les fils, puis ils s'attaquent aux circuits, détachant les condensateurs et les puces.

Ailleurs, des menuisiers montent des bassines de bain en planches de bois. Celles-ci sont ajustées autour du fond et serrées par un cerclage : c'est un article de luxe pour les nouveaux riches de l'Asie. Une telle baignoire n'est pas d'un entretien facile mais offre une détente luxueuse à laquelle le bourreau de travail chinois moyen est peu accoutumé.

— Combien ? demande Viv.

Le fabricant de baignoires prend un moment pour réfléchir, puis il dit à Viv qu'il acceptera l'équivalent de quarante dollars. Il sourit à l'idée d'une vente sûre à de braves gens comme nous. Pas de chance pour lui : nous repartons aussitôt.

Ici, l'oisiveté et le gaspillage sont inconnus. Ce qui est nouveau dans ce quartier, ce n'est pas son activité débordante. Si on modifiait quelques variables dans la production et le décor, ce quartier serait tout à fait à sa place dans le vieux Canton de

la rivière des Perles. Ce qui est nouveau, c'est que ce bouillon-
nement d'activité se déroule dans le contexte d'un boom économique aux proportions inégalées. Une mobilisation totale.

Dans ces milieux durs où tout se fait à petite échelle, le travail
rémunéré est surabondant. Même la grand-mère illettrée et
édentée a son poste de travail, où elle trie des cartes mères. Pour
un salaire de famine, c'est sûr. Ou elle consacre tout son temps
à sa famille, qui dirige l'entreprise de recyclage, en échange du
gîte et du couvert. Mais elle est là, dans un garage de béton au
plancher en terre battue, peinant pendant de longues journées,
apportant sa contribution minuscule à un phénomène économique aux proportions gargantuesques. Son travail sera lui aussi
converti en un produit. Son temps lui vaudra une nouvelle
acquisition : peut-être pas le bain en bois, mais son foyer
modeste sera équipé d'un climatiseur grâce à ses peines.

Sue, Viv et moi déambulons dans le quartier et finissons par
déboucher sur le marché. C'est grand et largement couvert,
mais il n'y a pas de murs. L'espace sous le toit est rempli à craquer de gens et de produits. C'est un marché alimentaire avec
de nombreuses rangées de fruits, de légumes-racines et de
légumes-feuilles. Je m'intéresse davantage aux animaux. Plusieurs carcasses pendent dans des enclos brillamment éclairés
et dont les murs sont des toiles souillées. Des bouchers aux
tabliers maculés de sang tailladent un bœuf ou un porc et étendent les quartiers et les coupes de viande sur des étals qui exhi-
bent aussi des abats luisants.

Même dans cette chaleur, le marché ne semble pas recourir
beaucoup à la réfrigération. Les poissons sont empilés dans des
seaux ou des boîtes, la plupart sans glace, brillants et gluants.

Si on en croit le mythe de Chinatown, les Chinois mangent
de tout : oiseaux, reptiles, singes, chiens, chats, insectes, tous
vendus vivants. C'est peut-être vrai dans l'arrière-pays, mais pas
ici. En dépit de son caractère improvisé, cet endroit n'a rien
d'un village reculé et ne fait pas dans la tambouille. Ce quartier

est un camp de travailleurs migrants planté dans le cœur de Guangzhou. Ce sont des gens de partout qui profitent de son activité, même marginalement, chacun tentant lentement d'avancer ou au moins de s'incruster.

Les Cantonais eux-mêmes aiment les aliments raffinés et rares, dont l'essentiel provient de la mer. Ormeaux ou œufs de poisson volant, par exemple. Le menu comporte souvent le fameux « nid d'hirondelle » que construisent, avec les filaments de leur salive, des oiseaux tropicaux qui nichent au sommet d'affleurements volcaniques entourés d'eau. Je n'en ai encore jamais vu. Mais j'ai déjà savouré des ovaires de grenouille ; on en fait une garniture qu'on met sur des milk-shakes sucrés et crémeux à Hong Kong. À en manger, on ne saurait jamais de quoi c'est fait ; cette gélatine translucide n'a presque pas de goût et disparaît vite dans la boisson. Je n'en reviens jamais de voir des gens manger des ovaires d'amphibiens sans s'en émouvoir le moins du monde.

Ces plats fins ne sont pas très présents dans ce marché rudimentaire. Mais il y a de nombreuses rangées de poulets, de canards, d'oies et d'oiseaux plus petits en cage. Les Chinois, riches ou pauvres, adorent la chair de ces volailles domestiquées. C'est une source ancienne de protéines animales pour les paysans chinois et la pierre angulaire du menu partout dans le pays, surtout dans le sud, où ces oiseaux conviennent parfaitement à la cohabitation avec la densité humaine. Comparativement aux grands mammifères, l'oiseau pollue moins, fait important quand on considère l'accès restreint à l'eau potable en Chine. On peut élever de la volaille sur une parcelle de terre minuscule ou dans le voisinage des rizières ou des fosses de drainage. Elle contribue même à la lutte contre les parasites.

La Chine n'a plus de terres vacantes, et des centaines de millions de ses citoyens vivent aujourd'hui dans des villes de béton. Le pays est donc devenu un grand importateur de viande étrangère congelée, bœuf, porc et mouton, qui proviennent de pays où la terre est meilleur marché. La Chine adopte rapidement des méthodes de production industrielle bien à elle dans le secteur carné. On peut aujourd'hui élever des poulets et des porcs par milliers dans des entrepôts, du moment où ils sont nés jusqu'au moment où ils sont prêts pour la consommation.

Quand ces pratiques industrielles se combinent avec les préférences traditionnelles pour les animaux vivants, comme cela se voit dans ce marché-ci, on entrevoit tout de suite le danger. On imagine des virus de la grippe mutant dans ces populations animales denses, puis dans les appartements encombrés des gens. Ajoutez à cela les déplacements aériens modernes et on comprend mieux les origines des pandémies modernes : de vieilles habitudes culinaires coïncidant avec de nouvelles méthodes de production alimentaire, des densités démographiques élevées et l'aisance des déplacements aériens.

Sue nous demande alors si nous aimerions manger du serpent.

— Absolument, tout de suite ! dis-je à la blague.

J'ai déjà mangé du serpent, il y a très longtemps de cela, à Hong Kong. La chair était coriace et brune. Elle avait été cuite dans un bouillon léger et avait un arôme léger mais singulier. Je suis quand même curieux.

À bord d'un autre taxi, nous traversons quelques ponts et des tertres boisés pour nous diriger vers les faubourgs. Notre destination est une salle de banquet isolée sur une route secondaire. Son enseigne énorme et colorée dépeint plusieurs espèces de serpents disposés à la manière d'une planche d'encyclopédie.

L'après-midi est avancé et il n'y a pas un seul client dans le restaurant. De jeunes serveurs bondissent pour se mettre à notre service. On me fait comprendre que tous les serpents servis ici sont abattus sur place. On me demande si je veux choisir le serpent pour notre repas. Comment refuser ? Je dois voir les serpents avant de les manger. Viv et Sue me disent de suivre un des serveurs ; elles vont rester à table.

On me conduit à l'arrière du bâtiment, vers un secteur crasseux et malodorant derrière la cuisine. Dans la pénombre nous attend un employé à la mine peu amène, vêtu d'une sorte de tunique brun foncé et d'un pantalon sales. Le dompteur de serpents, j'imagine. Il me mène à une porte en bois qui s'ouvre sur une pièce sans fenêtre. Des lampes fluorescentes s'allument ; je remarque un bureau et un classeur d'un côté et une douzaine de grands paniers au milieu de la pièce. On me met tout de suite les paniers sous le nez : chacun contient des serpents vivants. Il doit y avoir plusieurs centaines de serpents dans cette petite pièce bétonnée. Heureusement, je ne note aucune odeur particulière. Et il n'existe pas de grippe reptilienne.

Mais qu'est-ce que je connais aux serpents comestibles, moi ? J'écarte quelques types de serpents minces à anneaux et pointe les paniers plus grands. On me montre comme si de rien n'était des créatures qui ont l'air plutôt menaçantes et je choisis un spécimen épais, noir comme de l'encre ; une bestiole pas rassurante, certes, mais qui a l'avantage d'être de bonne taille et charnue. J'espère que sa brillance rappelant l'anguille annonce une chair plus tendre.

L'homme se met à gesticuler pour que je désigne un des serpents noirs dans la salade grouillante de serpents au fond du panier. Sûr qu'il plaisante, j'éclate de rire.

Se faisant plus insistant, l'homme plonge un outil de métal dans le panier pour attraper un serpent et le soumettre à mon approbation. Je me dirige déjà vers la porte mais je me retourne et vois un long serpent noir au ventre pâle qui se tord au bout de la pince du dompteur comme un ver géant sur un hameçon. Je me contente d'aboyer : « Oui, c'est bon, merci ! » en mandarin et je sors. Ça suffit, la chambre aux serpents ! Au train où allaient les choses, j'allais devoir moi-même porter le serpent à la cuisine et le tenir pendant que l'autre lui trancherait le cou.

De retour à la table, Viv et Sue m'expliquent que les gens mangent du serpent surtout pour prendre des forces. C'est un aliment qui attise le feu en nous. Bien des hommes croient que manger du serpent fera d'eux des amants plus vigoureux ou des hommes plus fertiles.

Je réponds que l'idée n'est pas pour me plaire.

Le serpent arrive en une série de plats. Il y a les abats avec des herbes des champs. La queue osseuse servie frite avec du sel et des épices. Le bouillon servi avec la tête. Puis le plat de résistance : le serpent découpé en tranches, frites et sucrées. Je crois que c'est ça que je préfère. La sauce est douce et goûteuse, mais la viande est plus que coriace. D'un côté de chaque morceau, la peau noire a la texture d'une ceinture de cuir bouilli. De l'autre côté, il y a des portions de la cage thoracique de la créature, difficiles à mâchouiller eux aussi. Ce n'est qu'en arrachant la peau des côtes que j'arrive à grignoter le bout de chair entre les deux.

J'en viens à me demander si toute cette histoire de serpent n'est qu'un attrape-nigaud. Puis je songe à tous les serpents vivants à l'arrière ; ce ne doit pas être une mince affaire que d'en capturer et d'en rassembler autant au même endroit. Pour certaines personnes, manger du serpent, ce doit être du sérieux.

Le serveur nous demande si le repas nous plaît. La viande est trop dure, lui dis-je. Il nous offre de rapporter le plat à la cuisine pour le faire cuire plus longtemps. Feignant de m'y connaître, je déclare que le serpent doit être cuit à point du premier coup.

Blague à part, je conclus que j'ai tout faux. Les grands amateurs de serpent adorent probablement la peau et les os. J'imagine un amant libidineux venant ici mâcher tout un plat de chair de serpent filandreuse dans l'espoir que la dureté de la viande les fortifieront, lui et son membre. Pas mon genre.

À notre sortie du restaurant, Sue prend subitement congé de nous. Son journal lui a collé une affectation à l'autre bout de la ville. Elle promet de nous rejoindre plus tard. Résigné, je glisse à Viv qu'en ce qui concerne les ateliers de misère de Guangzhou, c'est raté.

Viv me rassure : à Shenzhen, où nous irons bientôt, nous trouverons ce que nous cherchons et même plus. Nous allons maintenant visiter quelques sites historiques. Mais il nous faut bientôt admettre que c'est un lieu bien isolé pour dénicher un taxi. Nous nous dirigeons à pied vers un vaste boulevard avec de grandes pelouses bien tenues de chaque côté. Pas de circulation, seulement des tours d'appartements neuves et de taille moyenne, qui ont l'air presque désertes. Joli quartier, me dis-je, mais pas très pratique pour y vivre. À moins que l'idée qu'on se fasse d'une soirée sympathique avec madame, c'est d'aller à pied déguster une tranche de serpent frit.

Nous parvenons enfin à faire signe à une voiture d'arrêter. Viv persuade l'homme de nous servir de chauffeur et de nous ramener au centre-ville de Guangzhou. Je veux voir les vieux quais. Il en subsiste encore quelque chose sur la rive. Ce n'est plus un port actif, c'est davantage un quartier pour touristes. La ville l'a avalé lui aussi ; une autoroute urbaine inhospitalière l'isole de tout le reste. Notre chauffeur improvisé s'arrête le long de la route pour nous laisser descendre. Viv et moi empruntons une passerelle piétonnière pour enjamber le canal sombre qui sépare la petite île du continent.

À notre descente dans le quartier historique, le couvert opulent des arbres mûrs nous fait un accueil tout en fraîcheur. L'architecture nous frappe : un mélange d'administratif et de colonial. Le quartier est d'une tranquillité funèbre. Je dis à la blague qu'une lente déliquescence offre de belles intrigues et cèle des histoires passionnantes.

Nous marchons sous de grands platanes et des arbres tropicaux moins familiers, tamariniers ou acajous, peut-être. Quelques spécimens fabuleux révèlent la présence de boue humide sous toute cette maçonnerie. Ces arbres grandissent ici comme ils le faisaient il y a longtemps dans la plaine inondable, adaptés qu'ils sont à des sols lourds et saturés aussi bien qu'à une carapace compactée, quelque chose qui ressemble en fait à la matière sombre et comprimée qu'on trouve sous le quartier.

Il fut un temps où ce quartier était la porte de la Chine sur le monde. Les rues grouillaient d'officiers de marine et de douaniers. C'était autrefois le quartier administratif de Canton. Les capitaines des navires au long cours mettaient pied à terre ici. Avant l'avènement de la climatisation, seuls ces géants feuillus offraient quelque fraîcheur. Dans ce temps-là, le choléra et la fièvre jaune étaient des fléaux communs sur l'antique rivière des Perles. Parés de leurs uniformes prestigieux, les officiers étrangers allaient et venaient, protégés contre la saleté et la corruption.

L'architecture est de conception occidentale et nombre d'édifices sont de véritables monuments en pierre que les grandes maisons de commerce occidentales ont érigés dans ce port opulent pour leurs agents. Quand ces constructions sont apparues, il y a un siècle de cela, les gouvernements étrangers avaient pignon sur rue ici au même titre que les changeurs, les assureurs et autres grands commerçants. Il subsiste aussi les vestiges des résidences d'expatriés et peut-être même, discrètement mêlés au bâti, les restes des masures autrefois réservées aux Chinois qu'on chargeait de toutes les basses besognes de l'époque.

Le quartier rappelle le temps où l'Occident régnait sur le monde. Sur les docks du vieux Canton, sur la rivière des Perles, l'Occident s'était taillé une porte s'ouvrant sur l'immense richesse de la Chine ; on en avait fait un lieu respectable et rassurant, peuplé par des fonctionnaires à chemise amidonnée qui connaissaient par cœur les codes épais du commerce. Pendant un bon bout de temps, le service des douanes maritimes de la Chine impériale a été une sorte d'entité étrangère dont le personnel de direction était formé essentiellement d'Anglais en grand nombre, effectif complété par des Allemands, des Français, des Américains, des Russes et, plus tard, par quelques Japonais pour faire bonne impression. Il était évidemment admis que la Chine était dysfonctionnelle, que la cour des Qing n'avait plus les moyens de contrôler le commerce avec l'étranger ni de percevoir correctement les droits de douane. Il fallait donc confier cette responsabilité à une puissance qui saurait y faire. La Chine était alors à genoux.

Cette période de domination avait commencé dans ce port même dans les années 1830, après que les navires étrangers eurent soumis les serviteurs cantonais des Qing à coups de canon. Ces canons appartenaient à l'Angleterre, dont les exigences étaient fort simples : commercez avec nous ou nous continuons de bombarder la ville. Suivaient derrière des navires marchands qui transportaient dans leurs cales un produit fort prisé en Chine : l'opium des Indes britanniques. Les officiers commandant les canonnières britanniques exigeaient l'entrée libre de ce produit en Chine.

J'imagine aisément aujourd'hui le désarroi des serviteurs des Qing de l'époque à l'idée d'accepter les conditions de ces étrangers belliqueux. Bien à l'abri dans leur cour impériale du nord, leurs maîtres ne pouvaient admettre qu'on courbe l'échine devant ces brigands venus de la mer. La transaction était également absurde sur le plan économique. Le traité de commerce qu'on imposait aux Chinois signifiait que des quantités importantes de la précieuse production chinoise, par exemple la porcelaine et la soie, seraient échangées pour une substance qui, quoique fort convoitée, apporterait bien peu à la Chine, hormis l'indolence et la misère. Les gouvernants cantonais estimaient aussi probablement que le trésor impérial et leurs propres portefeuilles étaient perdants dans cet échange. Mais au bout du compte, leurs demeures et la ville brûlaient, et on ne pouvait pas faire grand-chose pour faire taire les canons anglais. Ainsi, défiant Beijing, les autorités cantonaises firent reddition et l'Anglais mit pied à terre pour décharger sa drogue.

Viv me raconte l'histoire du haut fonctionnaire Liu, qui incarna la résistance de Canton pour le compte des Qing et opposa initialement une fin de non-recevoir à la brute anglaise. À la cour de l'empereur à Beijing, à quelque deux mille deux cents kilomètres au nord, sa conduite honorable lui valut au début des louanges, mais par la suite, il fut révoqué et puni lorsque sa résistance échoua et que Canton se mit à brûler. La Chine avait perdu sa guerre contre la drogue.

La Grande-Bretagne n'allait pas s'arrêter là : Victoria avait également besoin d'un port pour stationner ses canonnières et ses navires de commerce, un coin où elle n'aurait pas à s'embarrasser des lois chinoises. L'île de Hong Kong, à l'embouchure de la rivière des Perles, ferait parfaitement l'affaire, merci beaucoup.

Après les docks, nous montons vers la haute ville pour y voir le plus grand centre commercial de Guangzhou. Si nous n'avons pas pu voir d'activité manufacturière, nous voulons à tout le moins voir ce que les Cantonais consomment et comment. Nous ne voyons rien de trop révélateur ou d'impressionnant, si ce n'est un nouveau commerce de voitures rutilant qui vend à la classe moyenne. Profitant d'une accalmie dans la frénésie du magasinage, Viv et moi parcourons rapidement plusieurs étages d'un beau magasin à rayons. Dans le département des salles d'eau, nous nous amusons de retrouver les mêmes baignoires en bois que nous avons vu fabriquer ce matin même et qui se vendent à près de trois cents dollars l'unité.

La circulation de l'après-midi se fait plus dense et nous descendons la rue pour gagner un grand parc où nous trouverons un peu de paix et d'air frais. Nous tombons sur le monument commémoratif de Sun Yat-sen ; nous nous procurons des rafraîchissements auprès d'un vendeur ambulant et nous assoyons devant la statue du docteur. Le docteur Sun – Sun Zhongshan – est le père de la Chine moderne et l'homme qui avait entrepris de guérir son pays. Nous jugeons que sa rencontre fait un bon pendant aux vieux docks de la Chine asservie par l'étranger.

Il suffit de parcourir la biographie de Sun, ou même de contempler sa statue un instant, pour découvrir dans toute sa splendeur le gentleman cantonais qui sut faire le pont entre la Chine impériale décadente et la Chine moderne, celle-ci étant promise au tumulte et à la gloire. Sun est vénéré en Chine continentale aussi bien qu'à Taiwan.

Né dans une famille privilégiée et éclairée de la rivière des Perles en 1866, le jeune Sun fut exposé très tôt aux vastes possibilités qu'offrait le bassin du Pacifique. Il avait un frère beaucoup plus âgé qui était propriétaire foncier à Hawaï, et au début de son adolescence, Sun fréquenta une école chrétienne à Oahu avec d'autres enfants européens et américains. C'est ainsi qu'il apprit l'anglais.

Jeune homme, il acheva ses études à Hong Kong avec de bons maîtres anglais. Puis ce fut la faculté de médecine de Guangzhou sous la direction de presbytériens américains, après quoi il retourna à Hong Kong où, chose peu surprenante considérant son éducation occidentale, il se convertit au christianisme. Protégé comme il l'était par l'Empire britannique à Hong Kong, il se mit à observer la déchéance de l'empire Qing et décida bientôt de consacrer toute son énergie à la rédemption de la Chine.

Pour le jeune Sun, rapidement acquis à des vues contestataires, sauver la Chine signifiait qu'il fallait désormais fomenter une révolution républicaine, autant que possible avec le concours des Chinois expatriés. Ses premiers efforts se perdirent en vaines tentatives qui contraignirent le jeune médecin à errer longtemps dans des pays étrangers. Au Japon, il complota

avec d'autres révolutionnaires asiatiques qui aspiraient également à libérer leur pays de la domination étrangère. En Occident, il passa d'un Chinatown à l'autre, sollicitant des appuis
pour ses visées républicaines auprès des Chinois et de quelques
Occidentaux.

Il finit par s'établir en Asie du Sud-Est, d'où il dirigea des
insurrections révolutionnaires contre la dynastie Qing dans
le sud : échecs sanglants dans tous les cas. Le bon docteur
n'avait rien d'un conquérant. Mais là où Sun échoua, d'autres
réussirent. Sans qu'il eût même à intervenir, les insurrections
se poursuivirent partout dans le sud et le centre de la Chine.
Une faction rebelle parvint même à créer un îlot de résistance
dans la ville stratégique de Wuchang (qui fait maintenant partie de Wuhan), à mi-parcours du Yangzi et au carrefour de
la Chine.

Sa foi dans la rébellion raffermie, Sun rentra en Chine et fit
jouer ses relations outre-mer pour se hisser à la tête du mouvement rebelle. En décembre 1911, il parvint à se faire élire président provisoire de la République de Chine, qui dominait un
nombre croissant de poches de résistance au sud du Yangzi.
Nanjing fut choisi capitale de la république avant même que les
rebelles ne s'en emparent.

Soustraire le sud de la Chine à la domination des Qing était
une chose. Le commandement mandchou dans le sud s'affai-
blissait depuis longtemps. Sun était également habile à faire
miroiter des perspectives d'avenir qui pouvaient gagner l'adhésion des pauvres, de l'intelligentsia républicaine, du crime organisé et de la diaspora. Gentleman voyageur, poète et médecin,
on aurait dit un mandarin érudit d'antan parfaitement à l'aise
dans la modernité. S'il ne manquait pas d'audace, il avait aussi
le don de rassurer le peuple chinois.

Unifier toute la Chine sous un seul gouvernement républicain, comme l'espérait Sun, s'avéra cependant un objectif des
plus grandioses et hors de la portée de Sun, qui ne s'était imposé

que dans le sud. Pour unifier le pays, il fallait rallier le nord à la république. Le pouvoir dans le nord avait longtemps été l'affaire des militaires. On ne pouvait pas prendre Beijing et la région environnante sans livrer bataille. Les plaines et la steppe voisines se prêtaient au genre de guerre mobile qui avait permis aux Mongols et aux Mandchous de conquérir la Chine. Sun n'avait aucun atout comparable. Il lui fallait prendre pied dans le nord par le jeu des alliances. Heureusement, il ne manquait pas d'usurpateurs en puissance dans l'empire Qing de l'époque, dont le puissant commandant militaire, Yuan Shikai, justement l'homme à qui la cour impériale avait confié la mission de réduire le sud rebelle.

Voyant qu'ils pouvaient s'entraider, Yuan et Sun s'entendirent bientôt sur le partage du pouvoir dans la Chine post-Qing. Le président provisoire Sun avait pour lui l'appareil de l'État républicain et son crédit en Chine aussi bien qu'à l'étranger ; il avait également accès aux riches réseaux commerciaux du sud de la Chine. Le maréchal Yuan, dans le nord, avait pour lui les soldats et les canons de l'armée de métier chinoise.

À Beijing, Yuan retourna bientôt son armée contre le palais impérial et força le jeune empereur Qing à abdiquer en faveur de la République de Chine. Sun se départit alors de son mandat de président en faveur de Yuan Shikai, qui devint le premier véritable président de la République de Chine. La capitale fut établie à Nanjing, où le parti révolutionnaire uni de Sun devait fournir l'appareil d'État.

Yuan n'avait cependant rien d'un républicain et nourrissait des ambitions autrement plus personnelles. Il refusa aussi de gouverner à partir de Nanjing. Sun et ses idéaux républicains furent écartés quand Yuan convertit la présidence en une dictature militaire basée à Beijing. Les alliés de Sun furent tués ou persécutés, et Sun lui-même reprit la route de l'exil, appelant de nouveau à la révolte, cette fois contre Yuan l'imposteur.

Avant peu, Yuan se déclara empereur Hongxian d'une nouvelle dynastie, affirmant la légitimité de son gouvernement. Mais il en avait trop fait : le peuple ne voulut pas reconnaître son mandat céleste. Ses plus proches lieutenants l'abandonnèrent vite et la Chine vola en éclats. Six mois après la proclamation de son règne, Yuan, méprisé et moqué de tous, mourut d'insuffisance rénale. Le règne des seigneurs de la guerre venait de commencer dans l'Empire du Milieu.

Sun rentra d'exil et s'établit de nouveau dans le sud, où il prit cette fois-ci la tête du commandement militaire de Guangdong, faisant savoir à tous qu'il entendait imposer la république en Chine par la violence et qu'il commencerait par le sud. Pour obtenir les moyens militaires qu'il lui fallait, Sun courtisa des conseillers américains aussi bien que soviétiques et s'inspira d'idées nationalistes, capitalistes et socialistes. Mais le bon docteur ne vécut pas assez longtemps pour mettre ses idées en pratique ou en peser les contradictions.

Cette bataille appartiendrait à ses successeurs : d'un côté, Chiang Kaï-chek, le nationaliste, qui s'avéra meilleur stratège que le docteur et réussit à s'emparer du nord et à y établir une république unifiée ; de l'autre, Mao Zedong, le communiste. Chacun prétendrait être le véritable héritier du père de la Chine moderne, Sun Zhongshan.

Viv et moi nous promenons en ville lorsque Sue vient nous rejoindre. Il semble y avoir du mouvement du côté du palais des congrès de la ville. Nous allons y faire un tour. Et nous découvrons avec amusement une exposition de jouets sexuels traditionnels de la Chine.

Ce sont surtout des jeunes qui visitent l'exposition, dont beaucoup de jeunes couples, quoi qu'il y ait aussi des retraités venus jeter un coup d'œil et qui s'attardent devant certaines vitrines. Il y a des godemichés – de bois, d'ivoire ou de pierre, des texturés et des lisses – ainsi que des boules de geisha de divers types, quelques engins antiques et étranges, tout un assortiment de produits aphrodisiaques et des extraits de textes classiques décrivant des pratiques sexuelles raffinées.

C'est en fait une exposition muséale. Le ton et la présentation suggèrent que le sujet pourrait aussi bien être une panoplie d'outils de cuisine anciens. Quelques petits ricanements se font entendre, mais en règle générale, on considère le tout avec une curiosité apparemment froide. J'imagine cependant qu'on ne se serait pas déplacé pour voir une exposition d'instruments de cuisine anciens. Cette exposition a aussi manifestement un caractère commercial.

En Occident, on ne ferait pas les choses de cette manière. Chez nous, les jouets sexuels ont quelque chose de vil. Une exposition comme celle-ci ne se tiendrait pas dans un palais des congrès comme si de rien n'était. Une exposition commerciale mettant en vedette des jouets sexuels ne serait pas la bienvenue à l'hôtel de ville, par exemple. Ce serait du sérieux, avec des avertissements et des restrictions, pour l'édification du public. Je n'imagine même pas qu'on puisse rassembler une collection de jouets sexuels anciens dans mon pays.

Avec les Chinois, avec mes guides féminins, je ne discerne qu'une nonchalance marquée à l'égard des massages érotiques, du sadomasochisme, de la masturbation et autres pratiques sulfureuses. Ça me rappelle le moment où nous étions au pied de l'escalier menant au salon de massage, prêts à monter et à aller jeter un coup d'œil sans éprouver la moindre honte.

La soirée est douce et il y a de l'énergie dans l'air. Je veux visiter d'autres quartiers surpeuplés. Bientôt, mes compagnes et moi déambulons dans les profondeurs d'un autre labyrinthe.

Il est encore tôt et les gens sortent. Les ruelles étroites ressemblent davantage aux rangées du marché de ce matin, avec des gens qui se bousculent et des marchandises de tous les côtés. Au-dessus des lumières vives, je vois des immeubles qui font entre six et sept étages. Bien au-dessus, une fente étroite s'ouvre sur le ciel qui s'obscurcit au-dessus de nos têtes. Les fils électriques et les cordes à linge comblent l'écart. Les fenêtres sont ouvertes et les gens se parlent d'un immeuble à l'autre.

Des aliments et des vêtements sont étalés sur des tables dans les rues. Une cuisine élémentaire mais d'une variété splendide. Il y a des viandes, des nouilles, des dumplings et des kebabs. Des couleurs vives, des odeurs fortes. Nous entrons dans un passage qui ne fait même pas deux mètres et demi de large. Les immeubles au-dessus de nous font saillie sur la rue et il n'y a pas cinquante centimètres entre eux.

— Imagine vivre ici, là-haut, dit Viv en regardant les fenêtres de l'appartement dans la fente d'en haut.

— Un endroit pour enfin m'installer afin d'écrire mon roman sur la condition humaine, lui dis-je.

Sue nous dit que la mairie a essayé de faire raser ce quartier pour des raisons de sécurité mais que les gens se sont mobilisés pour résister. Ils vont sûrement finir par échouer. Ce quartier sera bientôt rasé ; entre-temps, on s'étonne que quelqu'un veuille défendre un tel lieu. Chose encore plus étonnante, Sue raconte comment bon nombre de défenseurs du quartier n'étaient pas des propriétaires mais des locataires.

Nous tournons à droite dans un passage qui monte lentement. C'est alors qu'une bande de jeunes garçons nous croise à toute vitesse, sautant sur un rebord pour nous éviter sans ralentir. Plus haut, un groupe moins nombreux les interpelle, leur promettant vengeance sur un ton enjoué. Ces ruelles, ces immeubles et toutes les pièces qu'ils contiennent forment une sorte de terrain de jeu pour ces jeunes, un écosystème qui leur appartient.

Oublions un instant l'exiguïté de ces appartements : tout le quartier, ce dense mélange d'espaces privés et publics, est le domaine de cette masse humaine mouvante, changeante mais constante. Le bruit, l'action, les odeurs, l'existence comprimée de tant d'habitants ne sont sûrement pas des misères qu'ils doivent tolérer. Maintenant qu'ils s'y sont accoutumés, cette exiguïté pourrait même leur manquer si elle venait à disparaître tout à coup.

Tout le monde ici est de bonne humeur ce soir. Le lieu n'a rien d'une prison. Les gens qui vivent ici ne sont pas des chômeurs ou des squatteurs comme dans la plupart des bidonvilles. Ils ne vivent pas en marge de la société, ils sont plutôt au bas de l'échelle. Il y a une place pour eux dans la Chine nouvelle. Alors ils paient leur loyer, ils paient leur écot, ils élèvent leurs familles, ils regardent vers l'avant, ils essaient de grimper et continuent de sourire.

Je demande à Viv, sans attendre de réponse : « Ce lieu a-t-il l'air malheureux à tes yeux ? »

Lorsque nous parvenons à regagner une grande artère, j'ai la surprise de tomber sur des bouquinistes. Je peine à croire qu'on lise beaucoup dans une telle fourmilière. Je m'arrête pour regarder les titres. Ce sont surtout des modes d'emploi, des livres pratiques : comment se servir de programmes informatiques, comment faire la cuisine, comment apprendre l'anglais, comment s'en sortir dans la vie. Je choisis vite quelques livres bien illustrés sur la préparation des banquets à la cantonaise. Viv m'indique ensuite une section imposante sur l'astrologie chinoise. Mais c'est un bac plein de livres de poche étrangers qui attire mon attention. Je parcours rapidement les titres : c'est essentiellement une collection de romans de gare en anglais, vite lus et abandonnés par des Occidentaux en voyage. Je m'apprête à conclure qu'il n'y a pas grand-chose à retenir de tout ça lorsqu'un volume un peu plus grand à couverture souple, qui a dû être beaucoup lu, capte mon regard : *Out on a Limb*, de Shirley MacLaine. Pas mon genre, mais ça m'amuse de l'avoir trouvé ici, et je décide de l'offrir à Viv.

— Cette femme était une amie de mon père. Une femme très intelligente et amusante mais excentrique. Je peux te dire qu'il y a des idées très baroques dans ce bouquin. Mais attardetoi à ce culte fou pour l'esprit libre, qui est si important en Occident, surtout chez des femmes indépendantes comme l'auteur elle-même.

— Merci. Ça me touche, dit Viv en rougissant. Je le lirai sûrement.

Comment se fait-il que j'oublie tout le temps que les cadeaux les plus anodins ont le don de toucher les gens ?

Shenzhen est à deux heures de train express. Sur le versant nord du golfe formé par l'élargissement de la rivière des Perles, Shenzhen marque l'extrémité de la Chine continentale, juste avant la péninsule et l'archipel de Hong Kong et les mers qui les baignent. Ici, la République populaire a elle-même ouvert boutique pour imiter et compléter l'économie manufacturière de Hong Kong. Comme le lieu ne connaît pas la cherté immobilière de Hong Kong et qu'il a accès à une main-d'œuvre abondante venue des quatre coins de la Chine, l'élève a dépassé le maître. Le port de Shenzhen est aujourd'hui le troisième du monde, précédé seulement de Shanghai et Singapour.

Comme nous avons raté notre coup à Guangzhou, Viv et moi tenons à voir des usines à Shenzhen. Viv est entrée en contact avec certaines personnes. Elle joue au détective, cherchant des gens susceptibles de connaître des acteurs de l'industrie à Shenzhen. Je m'étonne toujours de l'habileté qu'on met à ce jeu en Chine. J'imagine que la densité démographique et la mobilité extrême facilitent grandement la transmission de l'information. Tout le monde en Chine n'est qu'à quelques coups de fil d'une masse énorme de gens, ce qui assure théoriquement l'accès à toutes les informations sur n'importe quel sujet. Il y a toujours quelqu'un qui connaît quelqu'un qui sait quelque chose.

Ce jeu du détective se joue encore mieux entre jeunes journalistes. On récolte ce qu'on sème, disent-ils, et ils s'échangent

sans cesse des contacts. Ils n'hésitent jamais non plus à télépho-
ner à quelqu'un qu'ils ne connaissent ni d'Ève ni d'Adam. Fasciné, j'écoute Viv appeler une série de parfaits inconnus qui ont
quelque lien avec des sociétés manufacturières. Viv obtient ces
noms de personnes qui connaissent des gens avec qui elle a
travaillé il y a des années de cela.

Devant le paysage qui défile au-dehors, elle prend sa voix
de jeune fille de bonne famille pour demander, poliment mais
indirectement, qu'on nous permette de visiter une usine tout
en ne révélant que peu de détails sur notre identité et la raison
pour laquelle nous voudrions assister à la fabrication de gadgets
informatiques. Elle finit par obtenir un rendez-vous. Demain
après-midi, nous irons visiter une usine où on fabrique des
micro-condensateurs dans un parc technologique nouvelle-
ment érigé. Même si la société d'ici semble parfois très éprise
de protocole, la spontanéité est quand même remarquable
en Chine.

On dit que Shenzhen est une ville qui n'a ni classe ni âme,
qui a été bâtie à la va-vite pour des fins mercantiles. Il ne faut
même pas penser à trouver un hôtel intéressant : vous aboutirez
invariablement à une tour de béton et de verre dont le hall
criard mène à un ascenseur et, de là, à une chambre qui ressemble à toutes les autres.

Viv et moi sortons immédiatement pour trouver quelque
chose à manger et observer les gens. Nous marchons longue-
ment dans le centre-ville. Il s'est vidé ce soir, et il me rappelle
ces nombreux quartiers d'affaires nord-américains qui tour-
nent au ralenti en soirée. Les boulevards neufs et arborés semblent inutilisés. Difficile de trouver quelque chose à se mettre
sous la dent. Nous ne voulons pas manger de nouilles instanta-
nées ou des fritures grasses qu'offrent les stands que nous longeons. En quête d'un lieu présentant quelque intérêt, nous
finissons par entrer dans un centre commercial spacieux et
brillamment éclairé. Tout est neuf ici aussi, et il y a un grand

choix de boutiques. Nous passons devant les inévitables magasins de luxe. Il n'y a à peu près personne qui magasine. On voit
surtout des jeunes gens excités qui marchent bras dessus bras
dessous ou qui traînent dans les cafés à siroter du thé aux perles.

Après avoir fait le tour, nous éclatons de rire quand nous
constatons que le meilleur restaurant dans le secteur est celui
qui avoisine notre hôtel. Nous dégustons des plats étonnam-
ment délicieux sur les conseils du propriétaire aimable et attentif de la maison, qui monte la garde entre notre table et les
portes ouvertes du restaurant.

Ni Viv ni moi ne sommes surpris par ce que nous avons
tous les deux vu de Shenzhen jusqu'à présent. Notre quartier
remporterait aisément le premier prix de l'ennui parmi tous les
quartiers urbains de la Chine.

Je décide que le moment est bien choisi pour aborder la
question de Taiwan avec Viv. Depuis que nous sommes
ensemble, nous avons eu le loisir de discuter de toutes les
grandes questions de géopolitique qui intéressent la Chine :
les relations avec l'Occident, la Russie, le Japon, l'unification
des deux Corées, les mouvements d'indépendance tibétain
et ouïghour.

Viv me surprend souvent avec ses vues progressistes, voire
pacifistes. Je me surprends moi-même à opposer à ses idées
avancées les arguments des nationalistes chinois, rien que pour
voir si elles tiennent vraiment la route. Pour elle, il faut que la
Chine soit forte, mais cela ne l'autorise pas à malmener les
minorités ou à chercher querelle à ses voisins et encore moins
à les dominer. Elle déplore la colonisation destructrice du Tibet
par les Han. Elle comprend l'expansion de la Chine en Asie
centrale mais souhaite que les relations avec les peuples turciques soient plus amicales. Elle est aussi contre les projets
de développement débridés qui accablent indûment les gens et
l'environnement.

En ce qui concerne la Russie, le Japon et l'Occident, elle

pense que la Chine ne peut plus être bousculée par les puissances étrangères mais qu'elle doit éviter elle-même de jouer du muscle. Ces querelles d'écoliers ne servent plus à rien. Sans verser dans un optimisme béat, elle croit en l'avènement de la démocratie en Chine et pense qu'il est nécessaire d'instaurer une période de calme et de prospérité en Extrême-Orient pour que les anciennes inimitiés régionales cèdent le pas à des relations commerciales pacifiques. Et aussi pour que ces pays unissent leurs efforts afin de relever les grands défis environnementaux et spirituels qui se posent aux humains sur terre, particulièrement aux quelque trois milliards d'âmes qui vivent dans le bassin du Pacifique. Ses vues sont pondérées, humanistes, et on sent qu'elle est fière du beau patrimoine de la Chine et de l'avenir formidable qui l'attend. Elle fustige cependant la plupart des leaders actuels de la Chine et le système qu'ils incarnent.

De toutes les opinions hardies et dissidentes qu'elle a exprimées, je retiens que la question de Taiwan se distingue des autres. Au sujet de Taiwan, je n'ai pas besoin de ruser. Si Viv croit dans la démocratie, les droits des minorités et l'autonomie gouvernementale, ses convictions ne rejoignent pas tout à fait ses idées sur Taiwan. Pour elle, la Chine et Taiwan sont comme les deux morceaux d'un cœur brisé, et la question est très délicate. Viv, qui méprise son gouvernement communiste, tient à la réunification avec Taiwan avec autant d'ardeur que ses dirigeants.

Je me lance :

— Il y a beaucoup de peuples autochtones à Taiwan, des gens qui ont très peu à voir avec la Chine.

— En fait, ils ont pratiquement tous disparu, répond-elle. Il ne subsiste plus que quelques peuplades éparpillées dans les montagnes. Les Japonais ont été sans merci envers eux, tu sais.

Je tiens mon bout :

— La colonisation han de l'île est plutôt récente, toutes

choses étant égales par ailleurs. Elle remonte au XVIIIe siècle, je crois. Taiwan ne fait partie de la Chine dynastique que depuis peu, sous les derniers Qing, après quoi l'île est passée sous domination japonaise.

— Les gens qui connaissent bien Taiwan disent que l'île est aujourd'hui plus chinoise que le continent. Du moins, la culture classique chinoise y est mieux préservée.

— Pour ma part, j'ai toujours été frappé de voir que la cuisine taiwanaise a beaucoup emprunté à la cuisine japonaise.

— Arrête d'essayer de me faire sortir de mes gonds !

— En tout cas, nous avons tort de penser la question en termes historiques, même si, oui, l'histoire a fait en sorte que Taiwan est différente de la Chine à maints égards. Ce qui importe, c'est que Taiwan *est* différente et indépendante de la Chine aujourd'hui et que le peuple taiwanais devrait être en mesure de décider de son sort. S'il décide, à l'issue d'un vote majoritaire, que l'île n'est plus la République de Chine et qu'elle se nomme plutôt l'État libre de Taiwan, au nom de quoi nous, étrangers, pourrions-nous nous y opposer ? C'est la position libérale classique : c'est toujours le peuple qui décide.

— Les Taiwanais ne tourneront jamais complètement le dos à la Chine, dit Viv. Ils ne pourraient alors rien sans une protection importante, américaine ou autre. Mais même cela ne suffirait pas. Aucun leader chinois ne tolérerait une chose pareille. Une invasion s'ensuivrait, c'est sûr.

— Peut-être que la *realpolitik* le veut ainsi. Les Américains et le reste du monde pourraient fort bien abandonner Taiwan à la République populaire de Chine. Ce qui ne veut pas dire que ce serait juste, que les Taiwanais n'ont pas le droit de décider de leur destin.

— C'est aussi ce que tu penses de la séparation du Québec ? me demande Viv avec humeur.

— Absolument. Personnellement, je suis contre la séparation du Québec, bien sûr, mais je ne suis pas contre le *droit* du Québec de se séparer si jamais une majorité claire devait se prononcer en ce sens.

— Eh bien, si Taiwan rompait définitivement avec la Chine, ce serait un grand malheur. Pense à tous ceux qui ont fui la Chine en 1949, à quel point ce serait triste pour eux : les tombeaux de leurs ancêtres resteraient en terre étrangère.

— Je ne crois pas que tu dirais la même chose si tu étais taiwanaise, lui dis-je. Pourquoi devriez-vous être responsables de toutes ces choses ? Pourquoi le passé d'un autre devrait-il peser sur votre avenir ?

— Une rupture définitive signifierait la fin du rêve de Sun Zhongshan, de Chiang, de Mao et de Deng. Tout le monde y perdrait. La Chine a besoin de Taiwan. Sans Taiwan, la Chine ne peut pas être entière. Je crains que la Chine doive reprendre Taiwan si elle veut aller de l'avant et évoluer. Taiwan et aussi Hong Kong, d'ailleurs, doivent faire partie de la Chine parce que leur inclusion pourrait conduire à la fin de l'État monopartite et enfin ouvrir la voie à une république libérale et démocratique.

— Ces idées pourraient être porteuses de violence, Viv, tu dois t'en douter.

— J'espère que non, évidemment.

Je m'en tiens là. Nous avons tous nos mythologies, qui sont belles et imparfaites comme nous, leurs auteurs. Nous chérissons tous quelques convictions sacrées où se mêlent de la lumière et de l'obscurité. Certains sont plus sûrs de leurs convictions que d'autres et les défendent avec ardeur. D'autres vivent avec leurs idées enfouies au tréfonds d'eux-mêmes. Pour Viv, lorsqu'il s'agit de Taiwan, il est évident que la question fait intervenir des considérations supérieures.

Peut-être parce que l'univers ne se recrée pas à chaque instant, ce qui a été commencé doit prendre fin. Peut-être l'obscurité et la lumière doivent-elles fusionner et les familles se réconcilier. Peut-être les fils, Mao et Chiang, doivent-ils

retourner au père, Sun, et la vision que celui-ci avait de la Chine
– unie, harmonieuse et libre – doit-elle être concrétisée. C'est
ce que dit le Tao ?

Le jour, Shenzhen a de quoi mystifier le visiteur. C'est une
ville qui s'étend dans tous les sens, sans contours précis, sans
points de repère historiques. Ce qui n'arrange pas les choses,
c'est que nos rendez-vous de la journée sont à deux extrémités
de la ville. Le matin, nous nous dirigeons dans l'est lointain
pour y rencontrer Zhou Litai, un avocat qui s'est fait un nom
dans la défense des travailleurs migrants accidentés contre des
entreprises colossales. C'est lui qui a défendu autrefois notre
noble ami de Chongqing, Li Gang.

    Viv me dit sur un ton un peu mystérieux :

    — Il faut que je te prévienne : si j'en juge d'après la conver-
sation que j'aie eue avec lui au téléphone, le monsieur m'a l'air
un peu excentrique.

    — Comment ça, excentrique ?

    — Il est très content de lui.

Le bureau de Zhou est situé sur un grand boulevard commercial qui est encore en construction, et il y a de la poussière
partout. Ce qui ne freine en rien l'animation dans le coin : des
magasins s'alignent sur le boulevard à perte de vue.

Zhou nous accueille à l'entrée de l'immeuble et nous le suivons jusqu'au deuxième étage. Il est petit, rond et d'une énergie
qui donne le tournis. Nous avons à peine mis le pied dans son
grand bureau qu'il se lance dans un monologue à vitesse grand
V pour faire valoir ses titres de compétence. S'agissant de la
défense des droits des travailleurs, son cabinet est le plus important du genre en Chine, dit-il. Il nous conduit devant un mur
tapissé de diplômes, de prix et de certificats, tous aussi indéchif-
frables les uns que les autres, et il les pointe l'un après l'autre
pour nous les expliquer.

Pas moyen de placer un mot. Viv n'essaie même pas de me traduire son monologue.

Elle me souffle simplement : « Je te l'ai dit, c'est un excentrique. »

Zhou nous fait asseoir autour d'une table de conférence de grand style et nous revient avec une pile d'albums de photos. Il en remet un à Viv, un à moi, et il nous presse de les feuilleter. Chaque album est plein de portraits de groupes de style chinois, où tout le monde est debout en rangées sur une toile de fond pittoresque. Page après page, sur chaque photo, Zhou est souvent au centre, souriant comme un bouddha. Il nous dit que ce sont des photos de clients, de fonctionnaires et de haut placés.

Tournant autour de nous, Zhou passe sans cesse de Viv à moi, veillant à ce que nous ne manquions pas une page. Quand nous en avons fini tous les deux avec notre album, il insiste pour que nous les échangions et nous prie de ne pas oublier les trois autres albums qui restent sur la table. Il sort chercher quelque chose pour nous. Viv et moi échangeons des regards amusés.

Zhou revient avec des cadeaux et des coupures de presse. Les cadeaux sont des cartables élégants de réclames pour son cabinet, avec tout plein de cartes de visite à son nom. Chacune répond à un but spécifique, nous dit-il. Plaideur. Consultant. Président d'une association de juristes. Il nous tend des photocopies d'articles de journaux qui parlent de lui ; il explique et justifie chaque article comme s'il versait des pièces à conviction au dossier « Zhou Litai contre l'indifférence de l'univers ».

Viv finit par l'interrompre dans son laïus pour que nous puissions lui poser des questions utiles. Nous voulons plus de détails sur ce qu'il fait. Il se lance dans une longue énumération de causes qu'il relate avec la même énergie qu'il a mise à faire valoir ses qualifications professionnelles. Il s'occupe d'accidents du travail, comme celui de Li Gang, ainsi que de congédiements injustifiés et de plaintes relatives aux conditions de travail et aux salaires. Il mentionne aussi les poursuites déclenchées par le suicide de certains travailleurs : certaines familles veulent être indemnisées par des employeurs injustes qui imposaient des conditions de travail inhumaines.

Si on résumait ses explications, on dirait à peu près ceci : en Chine en général et à Shenzhen en particulier, il y a partout des entités manufacturières colossales. Elles poussent comme des champignons. Dans toute cette activité, il est difficile de faire respecter les normes du travail. Certaines entités emploient des dizaines de milliers de personnes. Leurs structures sont rarement simples ; bon nombre d'entre elles confient des éléments de la production à d'autres entités, si bien que la délimitation des responsabilités entre cadres et employés est souvent floue et compliquée. Le contrôle du travail laisse souvent à désirer. Les syndicats sont inexistants. Les structures de production et de travail sont organisées de manière éphémère. On ferme régulièrement des usines entières pour en ouvrir d'autres ailleurs simultanément. Les forces du marché favorisent les travailleurs lorsqu'il s'agit de questions salariales : les salaires augmentent constamment. Le profit, et non quelque conception du bien public, est la principale force motrice de toute cette activité. Dans la confusion et le tourbillon, certains sont tentés de prendre des raccourcis. La sécurité est parfois compromise. Quand il y a des accidents, il peut être difficile de porter plainte et de faire des réclamations contre autant de cibles mouvantes. Zhou explique que, généralement, il a d'abord pour tâche première de démêler les structures d'entreprises complexes afin de déterminer à qui incombe la responsabilité délictuelle.

Autrefois, quand les choses étaient plus simples, l'État était très présent dans les conflits de travail. Les responsables du Parti intervenaient pour régler les griefs et demander des comptes avant même le déclenchement des procédures. Aujourd'hui, avec la croissance vertigineuse de l'industrie et le fait qu'on privilégie le marché des exportations, l'État est souvent plus désireux de toucher sa part que de voir aux relations de travail, et il s'ensuit que les procédures judiciaires sont plus fréquentes. Ce qui est bel et bon. Mais bon nombre d'entreprises réussissent à se soustraire à leurs responsabilités. L'impunité est généralisée, et voilà pourquoi Me Zhou a fort à faire.

Si on oublie un instant ses rodomontades, Zhou nous prouve qu'il comprend très bien les réalités sociopolitiques. Son travail fait intervenir des recherches documentaires et scientifico-judiciaires intensives. Il devient lyrique quand il aborde la dimension des droits de la personne dans sa pratique : le petit travailleur n'a-t-il pas besoin d'un défenseur ? Comment s'assurer autrement qu'on protégera sa dignité dans ce monde fait d'usines géantes, dans une économie mondialisée ? Le travailleur a besoin d'un champion. Il a besoin de Zhou Litai.

On croirait que la défense des droits de la personne en Chine lui vaudrait l'inimitié du gouvernement communiste. Je lui pose des questions en ce sens. Il ne semble nullement inquiet de ce côté. Peut-être que l'expression *droits de la personne* décrit mal sa pratique ; c'est un terme très digne pour désigner une activité plus terre à terre. Il conviendrait peut-être davantage de le qualifier d'*avocat spécialisé dans les relations de travail et les accidents professionnels*. En tant que tel, il aide le gouvernement plus qu'il ne lui nuit dans la mesure où l'État abdique ses responsabilités de plus en plus – et ce, en toute connaissance de cause – en faveur de la société civile. Zhou accomplit un travail que l'État ne peut plus faire seul : demander justice aux entreprises accusées d'avoir négligé leurs employés.

Nous demandons à Zhou si la proximité entre les divers paliers de gouvernement et les grandes entreprises lui complique les choses. Là, admet-il, nous mettons le doigt sur quelque chose. Les tribunaux ne sont pas toujours très impartiaux. Les règlements en faveur de ses clients sont parfois dérisoires alors qu'il s'agit de cas de négligence grave et de blessures handicapantes. Tout de même, ajoute-t-il, même s'il est clair que la corruption existe au niveau local, les paliers de gouvernement supérieurs veulent généralement que justice soit faite en matière de responsabilité des entreprises. Le Parti communiste chinois estime que c'est important : cela s'inscrit dans l'avènement de cette économie toujours plus évoluée à laquelle aspire le Parti.

Viv et moi sortons dans la rue et concluons vite que nous aimons bien Zhou Litai. Si excentrique soit-il, la Chine se porterait mieux s'il y avait plus de gens comme lui. Car l'État de droit ne peut pas seulement être imposé d'en haut : il faut aussi que le peuple en fasse son affaire.

Pour nous rendre à notre usine, il nous faut traverser tout Shenzhen. Notre chauffeur de taxi est heureux de faire ce long trajet qui nous conduit de l'extrémité est à l'extrémité ouest de la ville. Nous lui permettons même d'emprunter le périphérique à péage qui contourne la ville par le nord.

Ainsi, il m'est permis de voir les faubourgs. Shenzhen ne se prolonge pas dans la campagne mais s'arrête brusquement devant une rangée solitaire de collines qui sont toutes couvertes de jungle. Nous filons sur l'autoroute le long de la forêt et je constate que l'exploitation commerciale en aura bientôt raison. D'immenses excavations apparaissent partout sur le flanc des collines, où s'élèveront plus tard des complexes résidentiels haut de gamme et où on aménagera des terrains de golf. Puis, lorsque nous descendons la crête vers le sud, le panorama s'ouvre l'espace d'un moment. Au loin, le golfe embrumé de la rivière des Perles est parsemé de bateaux : des traversiers, d'immenses cargos, des points minuscules que nous devinons être des embarcations de pêche. Le rivage grouille d'activité humaine : le port, les chantiers navals, des habitations, des travaux de construction. De notre position sur la colline jusqu'au golfe, à plusieurs kilomètres au sud, il n'y a que ville ou ville en devenir. Lorsque l'autoroute descend de la colline vers la ville, les gens, la production et la distribution disparaissent. Notre unique mission nous appelle de nouveau dans l'abstrait.

— Viv, parle-moi de l'usine que nous allons voir.

— Je n'en sais pas grand-chose. Franchement, j'ignore ce qu'on y fabrique. Quelque chose dans le domaine électronique ou informatique, je pense. Et ne me demande pas pourquoi nous allons visiter cette usine-ci.

— Pourquoi pas ?

— Fais-moi confiance : t'expliquer comment j'ai noué ce contact serait trop long et trop assommant.

— Mais avoue au moins que ça fait drôle d'aller visiter cette usine obscure alors que nous nous trouvons dans le plus grand centre manufacturier du monde. C'est comme chercher un seul arbre dans une immense forêt.

— J'espère que ça te servira. Mais ne me fais pas de reproche si ce n'est pas le cas.

L'autoroute devient un grand boulevard qui débouche sur d'autres avenues. Tout à coup, la ville s'efface devant un terrain vague poussiéreux, au moins un kilomètre carré de terre battue qui a été récemment nettoyé de ce qu'il y avait dessus avant. Au sud, de nouveau la mer. Nous nous dirigeons vers le rivage.

Passé le terrain vague, la ville reprend ses droits. Le coin est clairsemé et peu aménagé. Le taxi s'arrête le long d'un grand espace de virage non asphalté. Le chauffeur s'informe auprès de quelques passants, après quoi nous nous engageons dans un dernier boulevard qui a presque l'air d'un parc industriel. Des immeubles industriels de sept ou huit étages sont proprement alignés sur le boulevard, entrecoupés de pelouses bien tenues. Nous allons au bâtiment n° 10. Le chauffeur dit qu'il va nous attendre.

Viv et moi faisons le tour du bâtiment à la recherche de l'entrée. Nous ne trouvons pas de hall, seulement une porte conduisant à un escalier et à quelques ascenseurs. Viv téléphone à son contact, le gestionnaire de l'entreprise, M. Jiang. Celui-ci l'invite à monter au sixième.

Jiang, un homme détendu dans la quarantaine, nous accueille à notre sortie de l'ascenseur. Il nous conduit à son bureau, où nous prenons le thé. Notre intérêt pour son usine ne semble lui poser aucun problème. Comme c'est souvent le cas à Shenzhen, notre hôte parle le mandarin et non le cantonais. Il nous tend le catalogue commercial de son entreprise. Sa maison fabrique des composantes électroniques minuscules pour circuits intégrés, les plus petites aiguilles qui soient dans des montagnes de foin, un produit tellement enfoui au cœur même du cycle de production qu'il demeure inconnu du consommateur, comme peut l'être une colonne de soutien dans un immeuble, invisible mais indispensable.

Les pièces sont destinées en partie à la production locale, en partie à l'expédition quelque part en Chine, mais rarement à l'exportation. Jiang explique que son entreprise a pris beaucoup d'expansion ces dernières années et qu'on lui attribuera d'autres étages de l'immeuble dans les mois à venir.

Je lui demande où vivent ses employés. Il me répond que les grandes entreprises du secteur ont des logements de fonction, mais pas la sienne. Il y a quinze ans, les entreprises devaient loger leur monde parce que les gens n'avaient nulle part où aller et que les transports collectifs étaient insuffisants. Aujourd'hui, les gens se débrouillent pour se loger. Mais il est maintenant plus difficile de trouver de la main-d'œuvre, explique-t-il, même si les salaires d'ici sont comparativement élevés. Il espère que le boom du développement dans ce quartier de Shenzhen va contribuer à attirer plus de main-d'œuvre.

Jiang nous invite, Viv et moi, à enfiler des blouses blanches avant d'entrer dans le secteur de production de l'usine. *Usine*, c'est beaucoup dire ; le lieu ressemble davantage à un grand laboratoire. Il y a une trentaine d'employés assis en formation serrée, chacun accomplissant la même tâche. Ce sont presque toutes des femmes. Il y a quelques hommes parmi les surveillants. Les femmes portent toutes une blouse blanche, un filet à cheveux, un masque et des gants. Il n'y a pas de fenêtre mais la pièce est bien éclairée et ventilée. Puisqu'on fabrique un produit de précision, nous explique Jiang, l'entreprise doit contrôler soigneusement les conditions de travail.

À leurs postes de travail, les femmes se servent de grandes loupes. Elles prennent des composantes dans des plateaux qui contiennent un assortiment de pièces, disposées pour le montage. Elles insèrent ces pièces minuscules dans des cylindres blancs très petits. Le travail me rappelle les peintures miniatures chinoises : ce qu'elles font est tout aussi méticuleux mais plus monotone.

Je ne sais trop quelles questions poser à mon hôte. Il n'y a pas grand-chose à dire, penserait-on. Qu'y a-t-il à retenir d'une telle production ? Je pose une question sur les travailleurs. Ils travaillent six jours par semaine, me dit-on. Les femmes semblent toutes être dans la vingtaine. Elles ont une mine agréable qui témoigne toutefois d'une concentration élevée, ce qui n'est pas surprenant étant donné la haute précision de leur travail manuel. Viv me dit que ça lui rappelle les travaux de broderie de nos grands-mères. Je me demande à quoi ces femmes peuvent bien rêver la nuit après des journées entières à répéter toujours les mêmes gestes.

Dans la pièce voisine, les composantes électroniques passent par une série de machines. Quelques employés surveillent ces processus automatisés. Non sans effort, j'obtiens de Jiang qu'il m'explique de quoi il s'agit : chaleur, pression, puis dépression. Un autre groupe d'employés effectue une série de tests électriques pour s'assurer que les pièces sont aux normes. Enfin, le produit fini est emballé dans des boîtes.

La visite s'achève au réfectoire de l'entreprise. Certains employés font la pause et discutent joyeusement entre eux en mandarin, à peine conscients de notre présence. De nombreux employés sont originaires d'autres provinces et ne parlent même pas le cantonais. Ainsi, Shenzhen forme maintenant un lien solide entre la rivière des Perles et le reste de la Chine, lien qui a longtemps tardé à apparaître dans cette région qui s'est différenciée des autres pendant si longtemps.

Nous sortons de l'immeuble dans la lumière dorée du soleil de fin d'après-midi. Nous croisons un groupe de travailleurs d'une autre usine. De jeunes femmes et de jeunes hommes gais, heureux d'avoir un peu de temps libre. Je ne les imagine pas très bien se dirigeant vers des boîtes de nuit ou des salons de massage. Plus vraisemblablement, ils iront boire un thé aux perles dans un des nouveaux centres commerciaux, fiers rien qu'à regarder les objets qu'ils n'achèteront pas mais euphoriques à l'idée d'en avoir les moyens.

Je ne peux pas dire ce qu'il va advenir de tous ces travailleurs, s'ils vont s'établir à Shenzhen pour de bon ou s'ils vont rentrer un jour dans leur village ou leur ville. Il y aura un peu des deux, j'imagine. Pendant leur séjour ici, tout va changer pour eux, et s'ils finissent par rentrer effectivement, l'endroit qui les accueillera aura changé lui aussi. Ils ne retourneront jamais à la crasse et à l'isolement d'autrefois.

Je dis à Viv :

— Ce sont des jours heureux pour les Chinois. Il y a tant de possibilités qui s'ouvrent aux jeunes d'ici.

— C'est vrai, c'est une époque fascinante. Mais il faut poser des bases. L'emploi se porte bien. Mais les Chinois ne doivent pas seulement travailler pour de l'argent, pour devenir seulement des consommateurs eux aussi.

— Patience, Viv. La vie nouvelle ne fait que commencer pour eux.

Un train surélevé nous emmène à Hong Kong. Il y a un poste-frontière mais on dirait qu'il ne sert à rien. On est tenté de penser ceci : nous voici de retour dans le monde libre. J'ai fait plusieurs fois le trajet par avion entre Hong Kong et la Chine mais c'est la première fois que j'emprunte la voie terrestre.

— Bien sûr, dis-je à Viv, il faut être contre les frontières étant donné ce qu'elles représentent et à qui elles profitent vraiment, mais j'aime les scènes aux postes-frontières. Si jamais ils devaient disparaître, ils me manqueraient ; je suis peut-être masochiste.

— Je me rappelle la première fois que je suis venue à Hong Kong, il y a cinq ans de ça, dit Viv. Je venais faire un stage au *South China Morning Post* et c'était la première fois que je quittais la Chine. C'était après la réunification, et j'étais fébrile à l'idée de voir un endroit qui avait évolué sous un régime politique totalement différent de celui que j'avais connu. Je peux dire que j'étais fière aussi de voir que Hong Kong avait été rendu à la Chine, qu'une ère ancienne avait pris fin et qu'une nouvelle commençait. Je sais que bon nombre d'Occidentaux craignaient pour la suite des choses, mais pour nous, en Chine, la reprise de Hong Kong a été un moment de grande espérance. Cela ne pouvait nous faire que du bien.

— Hong Kong a toujours été pour moi une oasis, lui dis-je. Un endroit où je pouvais m'offrir quelques douceurs après un voyage difficile. Je me rappelle en avoir rêvé lors de mon long voyage en Chine en 1990. J'avais hâte d'acheter des produits électroniques. Et quand je quittais les tropiques moites de l'Asie du Sud-Est, je trouvais le climat tempéré de Hong Kong idéal, et l'ordre qui y régnait m'était une vraie détente. J'allais au cinéma, par exemple.

— Je trouve le lieu élégant. Ou comment dit-on ? Distingué ?

— Distingué ! Tu n'as pas peur des mots. Il conviendrait mieux de dire « raffiné ». Veux-tu dire que Hong Kong a mieux préservé la culture chinoise, comme Taiwan, que la Chine elle-même ?

— Oui, peut-être, dit Viv. On y trouve aussi plus de dignité, je crois. Grâce à la liberté, j'imagine. Mon premier séjour ici m'a convaincue d'aller poursuivre mes études en Occident. Il y avait aussi autre chose qui m'avait frappée. Un autre mot difficile : *mélancolique*, c'est ça ? Une aspiration triste qui vient du cœur.

— Oui ! La mélancolie est bien une aspiration triste du cœur. Tu es tordante !

— Ce n'est pas une émotion forte, mais elle est envahissante.

— Et est-ce bon ou mauvais, cette petite tristesse à Hong Kong ?

— Pourquoi faut-il que ce soit l'un ou l'autre ?

— Allez ! Ça te plaît, oui ou non ?

— Peut-être. Redemande-le-moi quand nous repartirons.

Nous nous dirigeons vers Causeway Bay, un quartier que nous aimons tous les deux. Nous avons réservé des chambres dans un des nombreux hôtels improvisés du secteur. Ils nous conviennent parfaitement : ils sont propres et sécuritaires mais minuscules et sans salle de bains privée. Le nôtre est un appartement converti qui niche aux étages supérieurs d'un immeuble commercial. On a aménagé une réception des plus minuscules à l'entrée de l'appartement pour gérer une demi-douzaine de chambres. L'avantage de cet hôtel tout en simplicité est sa proximité avec la vie animée de la ville. Nous quittons nos chambres modestes pour nous fondre dans un mouvement de foule incroyable. Les rues de Causeway Bay sont totalement envahies par les piétons. Les immeubles sont élevés et collés les uns contre les autres.

En fait de jungle urbaine, Hong Kong n'a rien à envier à New York. Les gratte-ciel font penser à des monstres dans une forêt géante. Les êtres humains et même les voitures qui rampent entre eux font penser à des insectes microscopiques. Le ciel est distant et abstrait. Les rues ne sont pas disposées régulièrement mais contraintes d'épouser le rivage et le terrain accidenté de l'île de Hong Kong. Cela brise les perspectives et vous donne l'impression d'être coincé entre tous ces immeubles.

On revampe le bâti en ce moment. Les vieux immeubles, ceux qui ont été construits à la va-vite il y a soixante ans de cela, vont me manquer quand ils auront tous disparu. Ces tours moins attrayantes rappellent l'époque où Hong Kong n'était pas la puissance formidable d'aujourd'hui. L'Empire britannique s'effritait, et son protectorat, Hong Kong, était une redoute assiégée dans un Extrême-Orient balayé par les vents formidables du changement.

L'immobilier a toujours fait problème à Hong Kong. Aux îles arrachées initialement à la Chine à la fin de la première guerre de l'opium, le protectorat a ajouté d'abord la péninsule de Kowloon, puis un espace continental encore plus grand qu'on a appelé les Nouveaux Territoires. Dans les années 1950, la Chine avait été unifiée sous Mao et refusait désormais de céder le moindre pouce de territoire à l'étranger. Dès lors, Hong Kong devait voir sa croissance strictement limitée à l'espace qu'elle occupait. De 1945 au milieu des années 1950, la population de Hong Kong a au moins triplé. Les sujets britanniques y sont retournés après l'occupation japonaise, suivis par un apport constant de réfugiés venus des colonies en déroute de l'Asie. Une présence marquante mais dérisoire à côté des foules de Chinois continentaux fuyant la révolution de Mao.

Pour composer avec cette explosion démographique sur un espace foncier aussi restreint, la ville ne pouvait croître qu'à la verticale. On vit rapidement apparaître des tours de béton construites à la va-vite et au rabais pour l'industrie et le logement, surtout à Causeway Bay, le plus chinois des quartiers de l'île Victoria.

L'industrie de guerre avait enseigné aux économies développées de nouvelles méthodes de production à efficience élevée. On allait bien appliquer ces leçons à Hong Kong, où la main-d'œuvre était abondante et bon marché. C'est le Hong

Kong qu'on voit encore affleurer du Causeway Bay exigu. Contrairement aux mégatours qui les remplacent, les vieux immeubles ont des fenêtres visibles, pas seulement des plaques de métal et de verre. On y accroche toujours des cordes à linge et des climatiseurs bruyants, et les fils électriques sont encore apparents. À diverses hauteurs apparaissent un peu partout sur les façades des enseignes de métal rudimentaires.

L'économie manufacturière a quitté le quartier depuis long-temps, mais une activité marchande intense y subsiste. Les immeubles sont remplis de bureaux administratifs de pro-ducteurs, de distributeurs et de courtiers. Au rez-de-chaussée, des boutiques en nombre infini. Au fil des ans, les bou-tiques sont passées de la vente de marchandises et de vêtements bas de gamme à l'offre d'articles de grand luxe. Certains sec-teurs de Causeway Bay sont aujourd'hui très tendance et hors de prix.

Viv et moi prenons une collation faite de brochettes de bou-lettes de poisson accompagnées d'un thé au lait de coco et au tapioca garni d'ovaires de grenouille, la boisson parfaite pour observer les passants. À l'heure de pointe, les employés de bureau envahissent les rues pour se mêler aux chalands. Pen-dant quelques heures, cette énergie urbaine rivalise avec celle de n'importe quelle autre grande ville pour offrir le spec-tacle de bruit, de visages humains et de lumière le plus impres-sionnant du monde.

Viv et moi nous jetons dans cette marée humaine et suivons le mouvement de la foule en nous délectant des images qui défilent. Les visages sont jeunes et, sauf quelques exceptions, asiatiques. Le costume est élégant et sobre.

— Regarde ce petit couple distingué ! dis-je à Viv en lui désignant un jeune couple tout pimpant.

— Pas de blague. Les gens sont bien habillés ici. Quand tu vas le rencontrer, je suis sûre que tu vas être d'accord pour dire que mon ancien patron, Milton Chang, est un parfait gentleman. Il est très intelligent mais timide et effacé. Ce qui est inhabituel pour un directeur de journal, en passant.

J'ai toutes les raisons de penser que Viv a été une étudiante modèle. À peine sortie de l'université, elle a été choisie parmi ses pairs pour faire un stage dans ce qui est sûrement un des journaux les plus convoités pour un aspirant journaliste chinois, le *South China Morning Post*. Stage particulièrement recherché étant donné qu'il comportait un séjour à la direction générale du journal à Hong Kong. Les stagiaires devaient y parfaire leur anglais et s'initiaient à la grande tradition du journalisme anglo-saxon, sûrement la meilleure du monde. Les éléments les plus prometteurs se voyaient offrir, dans certains cas, un poste permanent au quotidien. Autre signe de sa compétence : après son stage, Viv a été assignée à titre de reporter junior à l'important bureau du journal à Beijing. Milton avait été son patron et son rédacteur en chef à Hong Kong.

— Le *South China Morning Post* n'est peut-être plus ce qu'il était, me dit Viv, mais on le tient encore pour une institution libérale de premier ordre en Extrême-Orient. Milton en a sûrement beaucoup à dire à ce sujet. Je ne crois pas qu'il soit très heureux à cet endroit. Ou peut-être qu'il est simplement d'un naturel mélancolique. Tu verras.

— Toute la presse écrite est en déclin. De manière générale, il ne fait plus très bon y travailler.

— Oui. Toutefois, ce n'est pas seulement une question de tirage pour le *Post* mais aussi de nouvelle orientation. Dès le départ, le *Post* n'était pas qu'un journal colonial britannique. Il était très pro-républicain chinois. Un de ses fondateurs était un dissident qui s'opposait à la dynastie Qing et un collègue de Sun Zhongshan.

Nous rencontrons Milton dans un quartier à quelques stations de métro de là. Il est mince, il a un air studieux et, comme je m'y attendais, l'homme est courtois et a de l'assurance. Il est amusant d'entendre Viv adopter en anglais le même ton de déférence enjouée que j'ai entendu si souvent quand elle parle chinois.

Il est très tôt dans la soirée et personne n'a faim, mais nous nous entendons pour dire qu'un restaurant achalandé serait un endroit parfait pour une bonne conversation.

Milton nous dit :

— Celui-ci est peut-être trop tendance. Nous pourrions peut-être marcher encore un peu et trouver un café ou autre chose ?

Je réponds :

— Peu importe. Entrons ici, ça ira.

— Bien. Au moins, c'est relativement plein. Ce n'est jamais drôle d'être les seuls dans un restaurant.

Nous commandons des trucs à grignoter et des sodas. Après avoir échangé quelques paroles aimables avec son ancien patron qu'elle estime tant, Viv dirige toute l'attention sur moi, et Milton l'imite. Lui et moi nous lançons la balle et faisons rapidement connaissance.

Avec cette entrée en matière si anglaise, Milton me rappelle un vieux professeur de philosophie de ma connaissance, un Anglais sympathique mais très sérieux qui enseignait l'épistémologie analytique. Nos conversations ressemblaient à des menuets où abondaient les parades et les reculades, comme si le monde de la pensée était instable et délicat, exigeant des hésitations prudentes et une sollicitude soutenue entre interlocuteurs, surtout lorsqu'il s'agissait de respecter l'ego de chacun. J'exagère, bien sûr. Tout de même, ce genre de badinage – une conversation sérieuse mais neutre – vient naturellement aux Canadiens. Vestige de notre passé colonial, peut-être. Hormis quelques propos anodins que je tiens au début pour montrer que je m'y entends dans ce genre de conversation, je ne peux habituellement pas soutenir le rythme longtemps ou, du moins, je n'en ai pas tellement envie. Pas quand je suis en présence d'un intellect fort. Je préfère alors l'ego mis à nu. Pour moi, il entre davantage de complicité, de respect, dans le partage de l'ego que dans les tentatives qu'on fait pour le dissimuler.

Milton remarque rapidement mon espièglerie et m'interroge sur la guerre, les États-Unis, le Moyen-Orient, l'Afrique, la politique canadienne, les trucs habituels, quoi. Comme toujours, je ne fais pas mystère de mes opinions.

Il me demande enfin sur quoi je travaille ici.

— Alors, pourquoi la Chine ?

— C'est le sujet du siècle. Et nous entrons dans une des phases les plus intéressantes.

— Comment allez-vous raconter ce que vous avez vu ?

— En auteur de récit de voyage. C'est un prolongement des films de voyage que j'ai tournés. Ma mission consiste à entrevoir les choses, des moments choisis qui pourraient révéler les grands enjeux qui se profilent derrière, puis à tisser le tout de manière à écrire quelque chose qui se lira aisément.

Il éclate de rire.

— Rien que ça ! Alors, qu'est-ce qui vous intéresse à Hong Kong ?

— Les identités. L'hybridation culturelle. Ce genre de chose.

— Je vois.

— Permettez : vous qui êtes natif de Hong Kong, dans quelle mesure vous sentez-vous chinois ?

— Moi ? Je suis chinois d'un point de vue ethnique. Je parle le cantonais mais je vis et travaille surtout en anglais. J'hésite à me considérer comme citoyen chinois. Je me considère hongkongais. Ça me suffit. J'ai grandi en un lieu fort différent de la Chine continentale, et je crois que cette distinction a tout son sens. Pour moi, du moins à l'heure actuelle, me fondre dans la Chine m'obligerait à renoncer à certains principes qui me sont chers.

— Par exemple ?

— La liberté d'expression. La liberté d'assemblée. La primauté du droit. Pour n'en citer que quelques-uns.

— Vous n'êtes pas heureux de voir que l'enfant prodigue a rejoint les siens ?

Il rit, puis il dit :

— Ouais…

— Vous n'êtes pas fier de votre patrimoine chinois ?

— Fier de mon patrimoine ? Voilà qui est amusant. Ai-je besoin de la Chine continentale pour jouir de ma culture ? Quoi qu'il en soit, n'ai-je pas le droit de choisir ce qui me convient dans mon patrimoine ? N'est-ce pas moi qui décide ce que je vais respecter et ce dont j'ai besoin ? Et, franchement, n'ai-je pas le droit de décider de ces choses peu importe où je vis ?

— Il n'y a donc rien de bon à attendre de la Chine pour vous ?

— Vous y allez fort. Ce qui se passe en Chine me fascine. Vous comprenez que, dans mon travail, je dois suivre attentivement les événements qui se déroulent là-bas. C'est de la plus haute importance pour mon journal. Mais j'aime ça. Suivre les changements en Chine, je veux dire. J'adore aller là-bas. Je suis très heureux pour les Chinois du continent, de voir qu'ils ont une meilleure vie. Vous savez ce que je veux dire : plus de possibilités, davantage de loisirs. C'est l'évidence même. Je suis marié à une Chinoise du continent. C'est d'ailleurs une amie de Viv.

— Je ne le lui avais pas dit, intervient Viv. Elle et moi partagions un logement à l'époque où nous étions stagiaires au *Post*. Je m'étonne de t'entendre le mentionner, Milton, étant donné que les fréquentations entre collègues sont un sujet délicat.

— Ton ami n'est quand même pas échotier. Écoutez, dit-il en se tournant vers moi. Je n'ai pas confiance dans le Parti communiste chinois. Il tient mordicus à son pouvoir politique. Alors, ne vous surprenez pas si je ne suis guère enclin à céder une parcelle de ma liberté pour le bien d'une Chine unifiée. Je veux que la Chine avance mais je ne veux pas voir Hong Kong reculer.

— Que pensez-vous de la devise « un pays, deux systèmes » ?

— Comme je l'ai dit, je n'ai pas vraiment confiance dans le Parti. Il n'est pas sincère, pas lorsqu'il s'agit de politique. Comment pourrait-il l'être, d'ailleurs ? Le système de Hong Kong lui déplaît souverainement. Il le juge même toxique. Les citoyens de Hong Kong veulent un système démocratique fonctionnel. C'est assez évident. Ce serait une évolution naturelle pour nous. Il y faut parfois beaucoup de temps. Mais je ne suis pas sûr que Beijing va tolérer que Hong Kong devienne vraiment démocratique. Le gouvernement fait des concessions strictement pour la vitrine, mais il s'assure de toujours contrôler la situation. N'oubliez pas que l'Armée de libération du peuple a aujourd'hui une garnison à Hong Kong, le gage ultime de contrôle pour Beijing.

— Hong Kong était autrefois un protectorat britannique dont le gouverneur était nommé par Londres, et il y avait ici une grande base navale britannique. Vous rappelez-vous que ces gars-là ont bombardé Canton ?

— Oui, pour y vendre leur drogue, dit Milton à la blague. Mais ce système a disparu il y a longtemps. Et, franchement, je me sens plus en sécurité sous la surveillance du Foreign Office britannique que sous celle du Comité permanent de l'Assemblée nationale populaire.

— Vous considérez-vous comme un Britannique ?

— Non. J'admire beaucoup de choses dans le système britannique et ses valeurs. Je suis heureux de l'influence qu'il a exercée sur Hong Kong. Mais je me considère comme un Hong-Kongais chinois. Ou disons simplement un Hong-Kongais. Et je ne suis pas le seul à penser ainsi. C'est peut-être même l'avis de la majorité ici, qui sait ?

— Parlez-moi de votre journal.

— Vous voulez parler de sa position sur le plan politique ?

— Si vous voulez.

— Elle fluctue. Il faut d'abord comprendre la pression que Beijing exerce sur Hong Kong. C'est beaucoup plus la carotte que le bâton : c'est-à-dire les affaires, l'argent. C'est l'argent qui mène maintenant. Et la Chine a aujourd'hui la force économique qu'il lui faut pour en mener large ici. Si la Chine était considérée comme un investisseur étranger, ce serait le plus gros joueur sur place. Il existe même un moyen encore plus facile de convaincre les gros pontes de Hong Kong de faire le jeu de Beijing : la Chine n'a qu'à leur accorder certaines exclusivités sur son territoire.

— Ça m'a l'air tout à fait honnête, lui dis-je. Ce serait bon pour le développement de Hong Kong, une bonne fenêtre sur la Chine continentale avec sa croissance annuelle de sept pour cent.

— Même si nous admettons votre point de vue – qui présente, croyez-moi, de nombreux aspects qui font problème –, la République populaire ne ressemble en rien aux autres entités commerciales, industrielles et financières qui pourraient investir ici. Même si c'était le cas, d'ailleurs, elle se servirait de son levier économique pour exercer des contraintes dans l'arène politique. Elle s'en sert déjà pour manipuler le système « démocratique ». Ce sont des groupes, et non des citoyens, qui élisent le chef de l'exécutif. Le suffrage universel n'existe pas ici.

— Il n'a jamais existé ici.

— Non, mais cela nous a été garanti dans notre loi fondamentale, la Constitution que nous avons signée avec les Britanniques et les Chinois avant la rétrocession. Le problème, c'est qu'aucun échéancier n'a été arrêté. Donc, avant que des candidats ne soient élus en bonne et due forme, Beijing peut peser de toute son influence sur le comité de mise en nomination qui approuve les candidatures et ainsi bloquer toute candidature qui lui déplaît.

— Pardonnez-moi de revenir en arrière, mais étant donné que Hong Kong a été acquis dans la foulée d'une agression étrangère, et considérant l'obsession chinoise pour l'unité, est-ce qu'il n'est pas normal que la Chine ait Hong Kong à l'œil ?

— Facile à dire pour vous, Sacha. Je connais bien le Canada. C'est un pays que j'admire. Mais iriez-vous jusqu'à dire que nous, à Hong Kong, sommes moins compétents, moins dignes des libertés dont vous jouissez ? Oublions la démocratie un instant : prenez seulement la primauté du droit. Pourquoi me demanderiez-vous d'y renoncer ?

— Ce n'est peut-être qu'une question de patience. La Chine n'a pas fini de panser ses plaies. Il faut garder la plaie bandée pour que la blessure guérisse.

— Ou alors on pourrait garder le pansement pendant si longtemps et si serré qu'il cacherait la pourriture qui s'accumule en dessous. Mais je n'en avais pas terminé avec le journal. Voulez-vous que je continue à propos du *Post* ?

— Je vous en prie.

— Depuis sa fondation, le *Post* s'est taillé une belle réputation : c'est un journal pondéré et sérieux. C'est un journal pour lequel on est fier de travailler. C'est encore le cas. Mais il y a quelque chose qui me dérange quand on se montre complaisant à l'égard de la Chine : la direction est maintenant moins soucieuse de publier de bons reportages sur la Chine continentale. Je ne parle pas seulement de critiques à l'endroit du Parti mais aussi de tout ce qui se passe d'important de ce côté. Nous publions plein de nouvelles qui concernent la Chine, bien sûr, mais c'est de plus en plus creux. Les vedettes, les annonces banales, les catastrophes, ce genre de chose.

— On croirait que vous parlez des médias en général. Il suffit d'amuser et de distraire les lecteurs.

— Mais voyons ! Je suis sûr que vous êtes d'accord pour dire que les journaux jouent un rôle capital lorsqu'il s'agit de nourrir un débat politique sain. Nous avons même une responsabilité à cet égard. Les gens devraient avoir accès à l'éventail d'informations le plus vaste qui soit, sans qu'il y ait de filtre.

— Qui est le propriétaire du *Post* ?

— Rupert Murdoch en était le propriétaire, mais il l'a vendu à une famille chinoise puissante de Malaisie au milieu des années 1990. Ces gens-là veulent faire des profits. Alors, vous comprenez pourquoi on se montre maintenant plus indulgent à l'égard de la Chine continentale.

— Tout cela me paraît inévitable, dis-je. Le *Post* gagne de l'argent avec de la publicité, et les entreprises de Hong Kong sont de plus en plus liées à la Chine populaire avec ses débouchés et ses usines.

— Tout de même, cela n'est pas naturel pour le *Post*. Ça donne aussi un journal dont la lecture commence à ennuyer. Et un lieu de travail moins intéressant. Il se peut que je doive partir. Cela m'attriste. Je suis journaliste et je veux vivre à Hong Kong. Je suis bien, ici.

Nous sortons tous les trois dans le tourbillon d'un soir doux. Nous nous quittons bons amis. Milton redevient l'homme aimable qu'il est au moment de prendre congé de moi. Fidèle au rituel, je revêts moi aussi le voile de l'humilité, qui masque bien mal mon petit côté fouineur.

Je m'étais pourtant juré de ne pas faire étalage de mes présomptions en Chine. Je voulais les combattre pied à pied, comme je l'ai fait avec Milton. Mais combien de temps vais-je pouvoir résister aux présomptions chinoises ? Je m'étais promis de taire mon républicanisme en Chine, d'être ouvert aux constellations uniques qui pourraient gouverner le pays. Mais à chaque rencontre, mes interlocuteurs chinois respectés m'ont opposé leurs propres espoirs pour la Chine. Les Chinois, plaident-ils avec ardeur, méritent les mêmes droits que les Canadiens. C'est d'ailleurs le cas de tous les êtres humains.

Ça tombe sous le sens. Mais que faire pour y arriver ?

CHAPITRE 9

Le retour

Au son des pipeaux, je rentre ivre.

OUYANG XIU, *Après que les fleurs de lotus
se sont ouvertes,* XIe siècle

— **V**ous vivez ici depuis longtemps ou vous ne faites que passer ?
C'est le grand artiste Ai Weiwei qui m'accueille ainsi chez
lui à Beijing.

Je bredouille une réponse quelconque pour éviter qu'il me
juge trop vite. Mais même moi je ne suis guère convaincu par
ma réponse maladroite. Il ne montre aucune émotion. Il a l'air
fatigué. Ou las, plutôt ?

Ce n'est pas la première entrevue qu'Ai accorde à un étranger dans sa journée ni peut-être même la dernière. L'homme
est un artiste et un performeur, un militant aussi. Qui que je
sois, rustre ou homme du monde, il va m'accueillir, découvrir
ce que je suis venu chercher, essayer de me donner ce que je
veux, pour ensuite me donner mon congé.

Nous sommes à l'été 2008 et les Jeux olympiques vont bientôt avoir lieu dans la capitale du nord. J'entreprends une nouvelle affectation où je traiterai de culture pour compléter la
couverture sportive.

Vivien est de retour chez elle pour l'été après une première année d'études supérieures aux États-Unis. Elle ne prend aucune part au mouvement qui agite la ville moite. Elle m'a présenté à d'anciens collègues à elle, qui ont accepté de faire des recherches et des traductions pour moi. Nous avons pressenti quelques artistes de la ville pour les interviewer sur la Chine nouvelle.

J'ai avec moi Richard, caméraman d'élite de la CBC, un Dakota du sud de la Saskatchewan et personnage des plus impressionnants, grand et massif comme un lutteur de sumo. Il va toujours vêtu d'un polo, de bermudas et de chaussures de randonnée, comme si c'était un uniforme. Il a de longs cheveux noirs qu'il porte en queue de cheval. Richard impressionne invariablement les Chinois, qui reconnaissent parfois en lui l'autochtone du Canada. Cela les frappe un peu et les met de bonne humeur. Un jour, au moment où nous entrions avec notre matériel dans le studio d'un artiste, celui-ci a dit, pour plaisanter : « Comme au cinéma : un cow-boy et un Indien. »

En prévision des Jeux, les directeurs de l'information de tous les réseaux veulent une couverture pondérée qui montre ce qui se cache derrière toute cette splendeur. Des hordes de journalistes, dont moi, se précipitent chez Ai Weiwei qui, outre sa grande réputation d'artiste, compte aussi parmi les critiques les plus virulents du Parti communiste chinois.

Il vient tout juste de faire des vagues dans la presse étrangère en déclarant qu'il ne participera d'aucune manière aux Jeux, et ce, même si on claironne partout qu'il est un des concepteurs du désormais célèbre Stade national, le Nid d'oiseau.

Je lui demande :

— Les Jeux ne vous intéressent pas du tout ?

— Bon, d'accord, admet-il, c'est un moment historique pour la Chine. Je ne nie pas ça. Mais le gouvernement a dit aux gens de Beijing que le meilleur moyen de participer aux Jeux est de rester chez soi et de regarder la télé. Alors moi, je fais ce qu'on me dit.

Ai affirme que les Jeux ne sont qu'un spectacle de propagande. Les participants sont choisis de manière à véhiculer un
message précis. Mais la devise de ces Jeux, « Un même monde,
un même rêve », est un slogan vide et dénué de sens. Ai ne veut
rien savoir du spectacle.

Je vais plus loin :

— Donc, les gens restent sur leur faim ?

— Les gens sont des ignares, dit-il.

Puis il explique que la Chine n'est pas une société paisible
et juste. L'harmonie n'y est qu'une illusion.

— Que pensez-vous de la prospérité croissante de la Chine ?

— La Chine a changé et fait de grands progrès. Mais il y a
des choses qui n'ont pas changé. Pour certains, la prospérité,
c'est la grande affaire. Mais la démocratie est inexistante ici.
Nous ne sommes rien devant l'arbitraire du pouvoir. La corruption est omniprésente.

Avec notre caméra, nos projecteurs et nos microphones,
Richard et moi tenons Ai captif. Je passe au mode documentaire. Reporter blasé en conversation avec vedette lasse. Un
numéro structuré où chacun cherche à faire passer son message. Comme il recherche la notoriété, il ne faut pas lui faciliter
les choses. Il faut qu'il défende ses idées. Moi, je dois aller à la
pêche avec lui, l'amuser ou même l'agacer si nécessaire.

Le cinéma documentaire, c'est comme faire une sculpture
avec de petits segments de réalité. Le produit fini ne doit pas
laisser deviner tout le travail qu'il y a derrière. Nous modifions
les séquences brutes qui ennuient ou causent un malaise. Nous
supprimons les questions et réponses qui n'ont pas marché.
Tout le reste fait l'objet d'une sélection qui est ensuite distillée.
Nous recherchons les vraies intentions derrière les ambiguïtés
du discours libre et les difficultés linguistiques. Le feu de l'esprit
se cache dans la banalité. Le film documentaire n'a que faire des
vrais hommes ou des vraies femmes, il ne s'intéresse qu'aux
icônes.

Ai Weiwei le sait mieux que quiconque. Il a vu son lot de poseurs, de grands seigneurs et de fumistes. On ne devient pas un artiste célèbre dans notre monde sans savoir comment jouer le jeu et chanter juste. Il se moque bien de savoir si je suis intelligent ou bête. Sage ou sot. Il accepte de s'adresser à l'auditoire que je lui offre. Pour ces gens, sa prestation sera peut-être marquante. Ai s'amuse pas mal sous les projecteurs et sur la sellette.

Qui veut être un artiste pauvre et obscur quand on peut être une vedette ?

Surtout, il reste imperturbable.

À maintes reprises, j'invite Ai à modérer sa critique des réalités chinoises et de s'en tenir aux résultats plutôt qu'aux principes. Mais il refuse de jouer le jeu. Il est catégorique : la Chine actuelle est bancale.

J'aborde l'histoire et avance que son pays n'a jamais connu la démocratie ni les droits individuels. Ou d'époque sans corruption.

— Quiconque a un peu d'éducation ne peut qu'aspirer à la primauté du droit et au respect de l'individu, me répond-il.

Il soutient que l'état actuel des choses est honteux, peu importe la richesse qu'on crée ou les avancées qui sont réalisées.

— Le système est-il fragile économiquement aussi ?

— Oui. Ça fait maintenant trente ans qu'on fabrique ici des produits manufacturés pour le reste du monde, explique-t-il, et, ce faisant, la Chine est devenue un pays riche.

Mais il soutient que l'avenir a été sacrifié et que le système actuel ne pourra pas se maintenir éternellement ; il faut que les choses changent. Il décrit les problèmes de moralité et de créativité qui sont à la base de tout. À son avis, le gouvernement central sait que les gens veulent quelque chose de plus à présent. Voilà pourquoi il monte tout ce cirque patriotique et reconnaît tout à coup l'importance de l'art. Mais l'art ne se fait pas sur commande, explique-t-il.

Je m'entête :

— Est-ce que les choses ne s'améliorent pas sans cesse ? Écoutez, le gouvernement semble même tolérer des gens comme vous. C'est un progrès, non ?

— C'est vrai. J'accorde en ce moment une entrevue à un journaliste étranger et je dis tout ce qui me passe par la tête. Oui, je critique. Je suis un artiste : je dis ce que je vois. Je ne peux pas faire autrement. Je dois dire la vérité. Et oui, ça, c'est nouveau et c'est différent. Mais nous devons en faire beaucoup plus. Nous sommes mûrs pour ça.

Je regarde une photo épinglée au mur de son studio. En toile de fond, la Maison-Blanche ; à l'avant, un doigt d'honneur, dominant quoiqu'un peu flou. Je reviens aux principes que défend Ai.

— Vous avez parcouru le monde. Vous y avez vu beaucoup de justice, vous ?

J'énumère alors les conflits que j'ai couverts récemment et dénonce la malhonnêteté et l'impérialisme qui les animent.

— D'accord, bonne question, dit-il en pouffant de rire.

Puis il avance que si j'ai raison et que nous vivons en effet dans un monde troublé, alors la Chine a encore plus intérêt à retrouver son sens moral.

Je cesse de m'en prendre à ses idées progressistes et lui lance une question vague sur l'environnement, à laquelle il répond ceci : « Les Chinois se soucient de l'environnement comme tout le monde. Cela s'inscrit dans notre philosophie. Mais nous avons aussi sacrifié notre conscience écologique. Il faut que ça change, autrement la Chine ne pourra pas tenir. »

J'ai rempli une heure complète d'entrevue sans la moindre joie ou gaieté. Comme j'ai la conscience vaguement tourmentée, je lui demande maladroitement s'il est heureux en Chine et à Beijing.

Il répond aussitôt avec joie : « Ah oui, je suis heureux. Je suis content de faire ce que je fais ici. »

Puis Richard me souffle : « Filmons-le ailleurs. »

Le caméraman suit Ai dans la grande salle d'exposition. Bon éclairage d'en haut, murs de briques peints en blanc et planchers de béton poli, comme dans une vraie galerie. Plusieurs œuvres d'Ai y sont exposées, surtout des sculptures de bois massives et géométriques.

Sans hésiter et sans qu'on le lui demande, Ai se place devant un plat de graines de tournesol qui se trouve au fond de la salle et les remue lentement avec ses doigts. Richard glisse autour de lui, captant tous les angles, tandis qu'Ai prend lentement une poignée de graines et les laisse filer entre ses doigts, une par une.

Je l'ignore alors mais ce ne sont pas de vraies graines, ce sont des sculptures de porcelaine peintes. Ai en fera produire cent millions et les répandra sur le plancher d'une immense salle de la Tate Modern à Londres. Il y en aura trente centimètres de haut. Les spectateurs – ou plutôt les participants – vont marcher sur ces graines, se coucher dessus et interagir avec elles.

Une fois le travail achevé, l'effet chromatique de la sculpture *Graines de tournesol* sera marquant : un gris parfait constitué de millions de « graines » blanches et noires, l'équilibre de la lumière et de la noirceur. Et on ne distinguera plus la terre, l'eau et le feu qui seront entrés dans sa composition, ni les nombreuses mains, la distance et l'or qui auront présidé à sa création.

C'est la tactilité des multiples graines qui viendra nous chercher. La sensation qu'elles nous procureront sous nos pieds. Le son doux et minéral qu'elles produiront quand on s'y couchera. Elles sont toutes faites à la main, chacune a donc sa personnalité. Chacune est unique, presque vivante.

Mais je ne vois rien de tout cela pour le moment. Je me contente de regarder Ai caresser une de ses sculptures : une forme de bois géante au centre de la pièce. Enfin, Richard dirige Ai vers une structure qui ressemble à une grande armoire et lui demande de regarder au travers du trou rond qui y est percé.

Ai porte un costume blanc et noir ; avec son visage lunaire, ses cheveux en bataille et son embonpoint, il fait un peu penser à un panda. Les deux hommes se déplacent dans le calme, avec une certaine grâce même. Il y a quelque chose de touchant dans leur complicité, faite de patience et de calme. Alors que moi je n'étais que bruit et fureur avec lui, me dis-je lugubrement.

Je n'ai finalement parlé que de politique avec le grand artiste. J'ai même pris le parti de ses juges.

Mais l'homme a prouvé sa valeur. Pressé de questions, il est resté cohérent, sûr de lui-même, méthodique et brave. Il a parlé vrai aussi. Le respect de l'individu est la pierre angulaire de toute société qui se veut juste. Aucune conversation politique ne peut avoir lieu si on ne s'engage pas au préalable à respecter la liberté et la dignité de son vis-à-vis.

Ceci est un dogme, bien sûr. Ou un credo.

Tout de même, qui ne voudrait pas se montrer aussi résolu et courageux qu'Ai ? Défendre calmement une telle cause ? Ce qu'il y a de triste ici, c'est qu'il semble mener un combat perdu d'avance. La dynastie est là pour rester. Le Parti communiste chinois n'est pas éternel, mais pour le moment, le PCC, malgré ses tares, demeure solide. Il n'y aura pas de révolution. Seulement une lente transformation.

Dans le fond, tous les États tendent au corporatisme. Même les États démocratiques finissent par faire en sorte que le pouvoir politique de l'individu soit de plus en plus illusoire, à restreindre les choix des gens, prétendument pour leur bien.

Le pouvoir est têtu. Il se fortifie et résiste à tout réaménagement. Les majorités oppriment les minorités, et les minorités insultent les majorités. Et les gens ne sont-ils pas disposés à céder beaucoup par crainte de la violence ? La république n'est pas complètement dépourvue de recours contre l'insatiable gourmandise du pouvoir. Elle pourrait trouver quelque protection dans une magistrature authentiquement indépendante

292   UN BARBARE EN CHINE NOUVELLE

tenue en bride par des lois bien faites. Mais où un tel idéal peut-il se prétendre à l'abri pour toujours ?

La puissance économique compte davantage. La création et la distribution de la richesse par l'État, peu importe la manière dont tout cela est pondéré, visent à offrir des possibilités aux citoyens. Tant et aussi longtemps que les ventres seront pleins et que les esprits seront stimulés, les citoyens s'intéresseront davantage à leur propre sort qu'aux affaires de l'État ; ils voudront surtout savoir ce qu'ils peuvent acheter ou quoi faire de leurs temps libres, et ils n'auront que faire des lois qu'on adoptera en leur nom. L'illusion de la liberté est aussi un bon substitut à la liberté réelle. Le progrès est ressenti par tout le monde, mais les critiques sincères, même s'ils ont raison et sont respectés, demeurent isolés. Il y a trop de tentations qui nous découragent de prendre position, et on craint trop les conséquences. Même les États avancés nous rappellent périodiquement que l'individu joue sa vie s'il proteste trop, que ceux qui prennent position, qu'ils aient raison ou non, risquent de souffrir ou de le payer cher. Il n'y a qu'à songer ici à ces lanceurs d'alerte que sont Chelsea Manning, Edward Snowden et Julian Assange.

Comme si c'était écrit d'avance, le régime a fini par s'en prendre à Ai. On lui a fait payer la position qu'il a prise pendant si longtemps. Mais le critique éloquent n'a pas été muselé, et on n'a même pas cherché à le contredire : on l'a arrêté, tout simplement, on l'a bousculé un peu, et il a été inculpé de délits fiscaux. Le message de l'État était clair : cet homme qui ne la ferme jamais devant les étrangers au sujet de la moralité publique en Chine est lui-même sans éthique et corrompu.

Il faut pas mal de culot pour accuser quelqu'un de crime économique en Chine. Le respect des lois fiscales n'est jamais parfait nulle part, loin de là. Mais la situation de la fiscalité en Chine est particulièrement complexe et fluide. Grâce à son

contrôle serré des changes et au rôle que conserve l'État dans
une vaste gamme d'activités commerciales, les caisses de l'État
ne cessent de se remplir, d'où son laxisme dans la perception
systématique de l'impôt sur le revenu chez les petits contri-
buables, même si les lois l'y autorisent de maintes façons. Mais
le respect intégral des lois fiscales est chose rare.

En Chine comme dans les sociétés plus développées, la
recherche de la conformité fiscale totale bute sur l'analyse
coûts-avantages. Le montant recouvrable doit être supérieur au
coût administratif. Il y a beaucoup de travailleurs indigents en
Chine, il y a tous ces migrants et la main-d'œuvre temporaire,
des gens qui ne sont pas habitués aux exigences fiscales des
économies développées et qui gagnent trop peu pour qu'on leur
demande de déclarer leurs revenus.

Le gouvernement chinois veut aussi encourager la consommation. Il permet donc à beaucoup de gens qui gagnent librement leur vie de dépenser leurs revenus comme ils l'entendent.
Peut-être que ces individus ressentent aussi une certaine culpabilité à jouir de cette liberté. En tout cas, on perçoit de plus en
plus de taxes de vente afin de compenser les manques à gagner
au chapitre de l'impôt sur le revenu ou de la perception des
droits de douane chez les petits salariés.

Enfin, les régimes fiscaux compliqués mais mal appliqués
comportent des avantages subtils et sinistres. La difficulté qu'il
y a à faire respecter la fiscalité est telle que quiconque est riche
et puissant a probablement enfreint des règles pour y parvenir.
Le Parti tenant plus ou moins en main tous les organes judiciaires, il lui est loisible d'écraser n'importe quelle personne qui
a réussi quand la raison d'État l'exige.

Les considérations économiques sont également interve-
nues dans les luttes de pouvoir intestines les plus récentes au
sein de la hiérarchie du Parti. La chute de Bo Xilai, membre
influent du cercle restreint, et le limogeage d'une pléiade de
hauts fonctionnaires du secteur de la sécurité comme Zhou

Yongkang, ont eu lieu dans un forum semi-public, ces hommes ayant été inculpés de grands crimes économiques.

Contrairement à ces apparatchiks déchus, Ai l'artiste n'a aucune autorité politique. Mais les tribunaux ne l'intimident pas. Sa célébrité et son autorité lui donnent de l'influence. Il arrive à remplir une immense salle à Londres avec de minuscules objets fabriqués en Chine. Il monte une exposition en assemblant et en aménageant des barres d'armature réchappées d'écoles de béton mal construites qui ont été détruites lors du tremblement de terre dans le Sichuan en 2008. Il dispose des milliers de vélos dans une immense sculpture aérienne. Non seulement ses œuvres sont belles à voir, elles sont aussi des manifestations nettes de puissance.

On ne peut qu'imaginer tout ce qu'il lui en coûte pour faire tout le travail : la main-d'œuvre, l'énergie. De grosses fortunes et des réseaux internationaux doivent faire partie de l'équation. Peu importe comment il gère ses productions titanesques, l'entreprise esthétique d'Ai est complexe et inventive, exposant l'artiste aux foudres de l'État qui peut interpréter ses lois complexes comme bon lui semble. Étant donné que les rouages de la justice en Chine sont peu transparents, on peut supposer que les méthodes du gouvernement sont entachées d'hypocrisie et de duplicité quand les enjeux politiques sont si élevés.

Ai lui-même est habile à se défendre contre le gouvernement et ses tribunaux. Sa célébrité mondiale lui permet d'amasser des fonds considérables pour assurer sa défense, qu'il mène avec le même flegme inébranlable que j'ai vu chez lui.

La lutte se poursuit. Pour le moment, Ai est encore debout, mais son crédit est quelque peu ébranlé. Il ne peut plus voyager à l'étranger comme il lui plaît. Il doit consacrer une bonne part de son temps et de son énergie à repousser les attaques de l'État plutôt qu'à créer, éduquer ou même gagner de l'argent.

Quoi qu'il arrive, Ai a de quoi se consoler. L'histoire de la Chine est clémente à l'égard de ces poètes érudits qui ont osé dire la vérité à l'empereur et souffert mille ignominies pour cela. Comme le grand historien Sima Qian, de la dynastie tardive des Han, qui, en temps de guerre, avait osé déplaire à son roi avec ses conseils. En cette ère violente, Sima fut condamné à choisir entre la mort et l'émasculation, choix aisé pour un jeune gentilhomme. La mort n'était pas déshonorante alors que la castration représentait une forme de damnation, qui allait faire de lui un mort-vivant.

Sima choisit l'émasculation pour une raison dont on se souvient encore aujourd'hui. Il avait entrepris son œuvre historique et il était fermement convaincu qu'il devait à la nation le récit qu'elle méritait, que cela valait plus que son propre honneur. Il allait sacrifier sa virilité, renoncer à toute descendance pour poursuivre ses travaux et accéder ainsi à une autre forme d'immortalité, qui fut assurée par son œuvre, un livre qu'on lit encore deux mille ans plus tard et qui s'intitule *Mémoires historiques.*

L'empereur qui a fait châtrer le visionnaire figure seulement dans une longue liste de noms, alors que le nom de Sima résonne encore aujourd'hui. C'est un nom qui parle haut et fort et qui dit : « La vérité mérite sacrifice. »

Je me trouve dans un secteur du nord-est de Beijing non loin de la célèbre usine n° 798. C'est une ancienne fabrique d'armements qui a été convertie en une série de vastes espaces d'exposition à la fin des années 1990. Des galeries d'art et des studios d'artistes comme celui d'Ai ont surgi tout autour. Récemment, ce quartier industriel revampé est aussi devenu une attraction de premier plan pour les touristes dans la capitale, qu'ils aiment l'art ou non.

La scène artistique de Beijing est aujourd'hui une industrie colossale qui fait intervenir des milliers de joueurs et des capitaux de l'ordre de centaines de millions de dollars. L'art témoigne de la nouvelle richesse qu'on trouve dans les grandes villes de Chine. Il accompagne le développement immobilier intensif qu'on voit partout dans le pays. Cette myriade de nouvelles maisons et d'appartements n'accueillera pas de sitôt l'art moderne. Ça, c'est sûr. Mais l'art fera sa marque au sommet et s'insinuera partout.

Une scène artistique florissante révèle une société qui s'est faite plus diverse et ouvre à ses citoyens de nouvelles carrières et aux consommateurs de nouveaux choix. Mais l'art moderne ne peut pas exister sans innovation, sans exploration, sans risques.

Dans la voiture, je songe à Van Gogh, dont les visions puissantes vont résister à l'usure du temps mais à qui sa vie d'artiste n'a valu que tourments. Il était peu reconnu, peu encouragé à penser qu'on se souviendrait de lui, que son art et sa souffrance n'auraient pas été vains.

Est-ce l'exemple du pauvre Vincent qui fait que je me méfie de la réussite artistique ? Que je demeure circonspect devant le monde trouble de l'art, de la célébrité et de l'argent ?

Non, le malaise est plus grand. C'est l'éclat et le vacarme du triomphe et de la notoriété qui me gênent. J'ai encore le goût de voir ce qui se cache dans l'obscurité tranquille, de sonder les profondeurs où se meuvent les petits fonctionnaires et les travailleurs migrants anonymes. Je veux connaître ces lieux où personne ne va et ces gens à qui on n'accorde nulle attention. Cette personne pour qui un juge, un auditeur, un auditoire sont de rares honneurs. Car existe-t-il quelque représentation d'un grand maître, répétée jusqu'à la perfection, qui puisse surpasser les performances de tous ces inconnus qui ne réussissent leur coup qu'une seule fois ? Existe-t-il une mode qui puisse transcender la véritable singularité ?

Nous allons à la rencontre d'un artiste peu connu, Li Bo, dont j'ai découvert le travail par hasard dans une galerie de Beijing. Son studio se trouve dans un secteur qui échappe presque à l'orbite de la ville et s'enfonce dans la campagne. On y entre par une porte de garage poussiéreuse au bout d'une longue suite de portes : un autre secteur industriel récemment conquis par des artistes aux grandes espérances.

Li est grand et maigre. À la manière des moines taoïstes, il a laissé pousser une touffe de poils fort longue à partir d'un grain de beauté qu'il a au visage.

« Mais pourquoi il fait ça ? » vais-je demander plus tard. On me répondra que c'est un signe de force.

Le jeune homme travaille avec des photographies de sujets presque nus, des femmes dans un décor intime. Les photos ne sont pas imprimées sur des toiles ou du papier mais disposées sur des structures faites d'enroulements de corde et de fil qui embrouillent légèrement les portraits et leur confèrent un effet mystérieux, presque totémique. Les images donnent vue sur un monde profondément personnel. Elles montrent des appartements encombrés avec des faisceaux d'éclairage et des lits défaits. Elles mettent en scène de jeunes femmes en dessous, se préparant pour quelque chose ou posant pour l'artiste.

Dans les images apparaissent de la lingerie, des tatouages, des galbes dénudés et parfois des poils pubiens. Ce sont des photos osées, un brin pornographiques. On ne les accrocherait pas chez soi sans en éprouver quelque embarras. Je suis étonné de les voir exposées avec autant de liberté dans la capitale.

Li me dit que toutes les femmes dans ses photos sont ses amies.

Son art ne traite pas tant de sexualité que d'intimité, de proximité. Le sexe a peut-être sa place dans son récit, mais il s'agit beaucoup plus de la découverte du soi que du corps. Les têtes retournées et les visages voilés par la lumière et la texture font en sorte que les personnes ne sont pas identifiables. Tout de même, ce sont manifestement des femmes indépendantes qui explorent leur liberté, conquérant d'abord des bouts d'espace pour y être elles-mêmes, puis partageant leurs identités nouvelles. Est-ce que ce voyeurisme diminue la liberté de ces sujets et réduit leurs poses à des gestes mécaniques à l'usage des autres ? Ou alors la liberté de ces femmes n'est-elle pas sanctuarisée pour lui permettre de grandir parmi ceux qui les voient ?

L'art, c'est donner et recevoir. Ce n'est jamais un jeu à somme nulle mais plutôt une ouverture, un élargissement des possibilités, guidé par des forces mystérieuses. Si elles disent quoi que ce soit, les œuvres de Li parlent d'une ville qui jouit d'une liberté totale. Elles parlent de nuits remplies de gens qui se retrouvent dans des espaces privés. D'hommes et de femmes qui prennent des risques, qui sont jeunes, charnels et folichons, à la recherche de l'amour, de cette force fuyante qui préserve et nie tout à la fois notre singularité.

L'art doit être considéré comme un portail ouvert sur l'avenir, une voie vers l'avant. Ou bien la voie est libre, énonçant ou offrant des choix nouveaux, ou bien l'art n'est pas présent.

Du nord-est, nous nous dirigeons au sud, vers un secteur du côté est de l'axe central qui est vite en train de devenir le nouveau quartier des affaires. Ces nouvelles tours élégantes et omniprésentes donnent à la capitale un cachet très moderne. Il n'y a plus de ruelles obscures, de poussière, de signes d'habitation ou d'utilisation humaines organiques. Les fantastiques arches courbées de verre et d'acier de la nouvelle station de télévision nationale annoncent aussi un avenir possible où la vie humaine est totalement pensée, existant uniquement dans des sphères cloisonnées, ouverte sur l'espace.

Chen Danqing vit dans ce quartier nouveau et bien aménagé mais qui est situé en face d'un écheveau d'autoroutes et de voies ferrées. Son studio est en hauteur et fait face au nord, où se trouve la dense agglomération de gratte-ciel. Les grandes fenêtres du studio captent la lumière blanche du ciel du nord et les rayons occasionnels reflétés par les immeubles qui brillent dans le soleil. Nous admirons la ville nouvelle proche de nous.

Je demande à Chen si la création de la nouvelle capitale n'a pas occasionné des pertes.

« Oui, dit-il, Beijing a déjà disparu. » Avec son sourire spontané et gentil, il donne à comprendre qu'il ne faut pas s'en émouvoir et qu'il faut faire son deuil de telles pertes.

Chen peint à l'huile dans le style classique. Il peint des portraits et de grandes fresques. Contrairement à ceux qui pratiquent la performance, la capture ou la construction, l'artiste qui applique des pigments pour reproduire la réalité est limité par ses carences techniques ; même le peintre figuratif le plus habile sera comparé aux grands maîtres quant à son habileté à évoquer la profondeur, la lumière, le mouvement et le sens. Chen est surtout connu pour sa série de portraits de Tibétains qu'il a réalisée dans les années 1980. Ces peintures sont des chefs-d'œuvre. Elles sont faites dans le présumé nouveau style réaliste dont Chen s'est fait le champion.

À l'époque de Mao, l'art se limitait largement à la propagande communiste, à des tableaux mettant en scène ou bien le président lui-même dans des poses héroïques, ou bien son peuple idéalisé ; ce n'était guère des portails sur un avenir réel car on ne commande pas à l'art, on lui obéit plutôt. Même s'il étouffait le démon artistique, le dogme communiste, avec sa rigidité, a su au moins inculquer la technique et la rigueur à ses artisans. Lorsque l'ancien régime a cédé le pas à la Chine nouvelle, le savoir formel de jeunes peintres comme Chen a tout à coup trouvé des exutoires audacieux.

Des visages humains apparaissent dans ses tableaux sous forme d'évocations ; leur regard singulier est vivant, signe d'une conscience libre à l'intérieur. Ce sont des visages tibétains racés, tannés par le soleil et couverts de poussière. Les têtes sont revêtues de peaux et de fourrures ; l'habillement est rudimentaire et insolite. Leurs yeux sont expressifs et pleins de vie.

Le nouveau réalisme de Chen n'est pas tourné vers ce qui est familier pour les Chinois mais vers les marges habitées par d'autres peuples qu'eux. Ces Tibétains beaux et indépendants démentent tous les dogmes. Les peintures de Chen disent qu'il faut les considérer tels qu'ils sont. Laissez-les entrer dans nos vies et nos maisons pour qu'ils puissent dire ce qu'ils ont à dire.

Ses meilleures œuvres montrent ces sujets montagnards en action. Les scènes appartiennent au quotidien : des gens qui se rendent à pied au marché ou qui se rassemblent dans un champ pour discuter de quelque chose. Leurs mouvements sont audacieux et nouveaux, d'une défiance tranquille. Les sujets n'avancent pas vers un but commun et visible, comme le voulait la manière communiste. Ces gens se déplacent librement, dans l'inattendu.

Chen a près de soixante ans mais il a l'air jeune. Ses cheveux poivre et sel coupés à ras, les rides sous ses yeux encadrés par des lunettes rondes des années 1920 et sa voix graveleuse rappellent davantage les affectations d'un jeune homme qui veut faire vieux que les effets du vieillissement. Comme Ai, Chen a passé des décennies à l'extérieur de la Chine. Il a appris à parler anglais et maîtrisé l'art de se mettre en scène devant les étrangers. Si Ai était essentiellement impassible, Chen, lui, est convivial : il ne s'impose pas par le geste ou la parole, il est plus suggestif.

En matières sociales et politiques, Chen s'avère non moins réaliste que dans ses tableaux. Au cœur de l'entrevue, il me dit qu'il connaît des leaders chinois qui croient secrètement que « la démocratie ne convient pas à la Chine », que c'est peut-être bon pour les pays occidentaux mais que ça ne marcherait pas ici. C'est ce qu'ils pensent, mais « jamais ils ne l'avoueront publiquement », dit-il. Il fait aussitôt remarquer que lui-même n'en croit rien, puis il ajoute : « Mais je souffre quand je vois les faits leur donner raison. »

Il explique que son séjour de dix-huit ans à New York lui a fait entrevoir l'abîme qui sépare la démocratie en Amérique et la réalité en Chine. Seule une poignée de gens en Chine peut même imaginer ce qu'est ce genre de démocratie. « Le vrai génie du peuple chinois est pour les affaires, poursuit-il. Ils trouvent toujours le moyen de contourner les règles. Ils sont souples. Leur esprit n'est pas tourné vers les lois ou les dirigeants mais plutôt vers les problèmes immédiats qu'il faut résoudre. Pour ça, ils sont très doués. »

J'essaie d'aborder avec lui la question des tensions et des problèmes à venir, mais il me dit simplement qu'il ne craint pas pour l'avenir. « Les Chinois sont trop habiles à éviter les ennuis. Leur talent consiste à survivre et non à se demander à quoi tout cela rime. »

D'après ce que je vois dans le studio, les œuvres plus récentes de Chen sont formelles quoique légèrement troublantes. Il y a un tableau dépeignant une scène de la fin du XVIIe siècle : les filles d'un aristocrate français vêtues de leurs plus beaux atours et assises à la fenêtre avec leur chien. Elles ne bougent pas. Dans la pénombre, leurs visages semblent réels et leurs regards curieux fixés sur nous sont chargés. Les jeunes filles aux cheveux frisés, immobiles et distantes, nous regardent comme si elles étaient pétrifiées, cherchant les étrangers qui pourraient les observer de l'au-delà.

Un autre tableau montre une illustration d'un grand livre ancien ouvert sur une table. On y voit un paysage plat et céleste dans l'ancien style chinois. Sans mouvement et sans vie, l'œuvre constitue une présence insolite dans le studio de Chen. Les visages ont-ils pris tout à coup un aspect oppressant pour l'artiste ? Est-ce qu'on veut maintenant suggérer l'illusion et le détachement ? Le vieux peintre est-il désormais incapable d'exprimer les visions plus ardentes de sa jeunesse ?

Il me conduit à un placard où il conserve certains tableaux plus anciens sur des panneaux coulissants. Il en sort une toile immense, forte et grave. Chen est au fond un ténébriste ; des formes en blanc, en jaune et en doré brillent sur la toile noircie. Comme dans les meilleurs Caravage, les contours de la lumière, quoique vifs, semblent frénétiques et fuyants, prêts à s'éteindre.

Je m'exclame spontanément : « *Ça, j'aime* ! »

Il encaisse sans broncher.

Le tableau dépeint un groupe d'hommes en uniforme, leurs visages angoissés et crispés. Ce sont des soldats. Dans un coin du tableau, l'un d'eux se débat contre des mains qui le retiennent et déchirent son uniforme. Il y a dans le regard de l'homme une rage fauve. Ses compagnons d'armes l'entraînent avec eux et se précipitent vers l'avant de la scène, jouant des coudes pour aller accomplir quelque mission. Leurs visages sont luisants et pâles de sueur et d'émotion. Certains hurlent des mots d'encouragement anxieux. D'autres ont les yeux écarquillés et le teint cireux, hébétés devant l'objectif terrifiant qui les attend dans la nuit.

Il me demande : « Vous savez de quoi il s'agit ? »

Je n'en ai pas la moindre idée, mais, impressionné comme je le suis, je bafouille comme un idiot.

Chen m'explique gentiment : « C'est l'incident du 4 juin sur la place Tian'anmen. Les soldats foncent vers la place et les gens essaient de les arrêter. Je ne peux pas exposer ce tableau en Chine. Ça fait dix-neuf ans que j'attends de le montrer », dit-il en riant et en replaçant le tableau sur le panneau pour le remettre dans le placard.

Mao est un thème éculé dans l'art chinois. Son image est manifestement un attrape-touriste. Les Occidentaux s'excitent de voir le président ou son univers bizarre transformés, ironiquement juxtaposés aux symboles capitalistes. Les artistes chinois, grands et petits, qui désirent gagner de l'argent produisent à profusion des images qui jouent sur Mao et la Chine rouge. Davantage tournées vers le passé que vers l'avenir, ces images n'ont rien d'artistique pour la plupart : ce sont des souvenirs faits pour être remarqués ou provoquer la conversation.

« Ah, chéri, montre-leur la peinture que nous avons rapportée de Chine », entend-on dans les cocktails dans les pays lointains. « L'ironie est savoureuse, non ? »

Le Mao Livehouse – ou le Mao Bar, comme on l'appelle – est un haut lieu de la musique d'un quartier branché du Vieux Beijing. C'est une autre référence artificielle au président. Derrière la scène, on a dessiné le contour de sa tête iconique, ses cheveux coupés au bol se découpant sur un horizon lumineux. Mais à l'instar de la tête sur les billets qu'on tend pour entrer dans le cabaret, Mao pourrait aussi bien ne pas être là. Les jeunes qui fréquentent cet établissement n'ont carrément rien à foutre de Mao, de son image ou de son nom. Ils sont venus seulement pour se défoncer au max entre copains.

La musique est plutôt ordinaire. Le bar semble mettre en vedette surtout des amateurs ou quelque chose d'approchant. D'ailleurs, on dirait que la musique ne compte pas vraiment ici ; ce qui compte, c'est le bruit, la performance provocante et un rythme bien marqué.

Je remarque un trio de jeunes femmes appelé Girl Kill Girl. Elles jouent du rock alternatif minimaliste : basse, batterie et voix. Leur rythme est soutenu et régulier, et elles mobilisent notre attention sous la lumière intermittente des projecteurs. La chanteuse charismatique, qui répond au nom de Gia, hurle ses paroles en anglais avec brio.

Richard et moi rencontrons Gia après le numéro. Elle a sûrement quelque chose d'intéressant à dire sur la quête de liberté en Chine.

Quand les artistes quittent la scène, ils sont toujours un peu exaltés. L'attention des masses est enivrante, et on s'en passe difficilement. On en sort un peu sonné, comme si une grande histoire d'amour venait de se terminer et qu'on restait seul.

Dans le tréfonds de lui-même, l'artiste se sent floué, comme si quelqu'un était venu lui mettre des mots dans la bouche et l'avait obligé à faire des choses avec son visage, ses mains et son corps qui doivent maintenant être assumées et justifiées. Mais pour l'artiste, ces gestes étranges appartiennent à un autre qui va et vient sans s'annoncer, qui vous fait souffrir quand il est là et vous emplit d'effroi quand il s'éloigne.

Peut-être que Gia est soulagée à l'idée de briller sous nos projecteurs dans sa loge derrière la scène, comme le dernier verre qu'on avale avant que la fête finisse. Elle prend une gorgée d'eau et nous demande de lui accorder un moment avant de répondre à nos questions.

Richard tient la caméra à l'épaule pour prendre quelques images et se met à bouger autour d'elle en la filmant, comme s'il l'invitait à danser. Tout de suite, Gia prend la pose. Elle grogne pour la caméra, puis elle tire la langue et lui fait un doigt d'honneur par défi. Elle finit par se tourner vers moi pour me demander : « Alors, comment avez-vous trouvé notre musique de merde ? »

Surpris, je secoue la tête pour marquer mon désaccord, pour ne pas répondre à la question. Elle n'en démord pas et déclare que, comme musiciennes, elle et les deux autres n'ont aucun talent et que leur musique est moche. Je ne peux qu'esquisser un sourire, lever un poing serré et le secouer pour lui donner raison.

Puis c'est à mon tour. Je lui balance une série de questions sérieuses et réfléchies. Aussitôt, la star du rock, la princesse dopée, se métamorphose en jeune femme sérieuse qui se raconte :

— J'ai grandi dans une famille traditionnelle. Mes deux parents travaillaient pour le gouvernement. Ils étaient très sévères. Même quand j'étais à l'école secondaire, mon couvre-feu était à dix-huit heures. J'ai été élevée dans une atmosphère opprimante. Je trouvais l'école vraiment idiote et la vie ennuyeuse. J'avais envie de me suicider. Puis j'ai découvert le rock 'n' roll et ça m'a sauvé la vie.

Quand je la presse de me donner plus de détails sur ses parents, elle explique qu'il faut comprendre qu'en Occident, même les vieux ont grandi avec la musique pop, alors qu'en Chine, « le rock est une chose nouvelle pour les générations plus âgées, qui l'associent au sexe et à la drogue. Naturellement, c'est pour eux quelque chose de très dangereux ». Elle admet qu'avec le temps, les choses se sont arrangées avec ses parents. « Ils comprennent maintenant que le rock 'n' roll, c'est quelque chose de vrai, et ils sont beaucoup plus compréhensifs. »

Quand je l'interroge sur sa récente orientation musicale, elle dit :

— Je suis le genre de personne qui change tout le temps. Mes goûts en musique, mes préférences dans l'art, mes vêtements. La musique punk m'a permis de faire mes débuts sur la scène musicale. C'était un début. Mais c'est une musique d'un autre temps et d'un autre lieu. C'est très éloigné de la vie des jeunes maintenant. Alors, je continue de bouger.

— Qu'est-ce que tu chantes ces temps-ci ?

— L'amour, dit-elle avec un sourire timide. Je n'arrête pas de le trouver et de le perdre aussitôt. D'un point de vue spirituel, je me sens monstrueuse. Je me débats constamment avec moi-même.

Pendant que Richard et moi-même démontons notre équipement, Gia et moi parlons des peintres que je viens de rencontrer. Elle avoue que la peinture lui procure autant de joie que la musique ces jours-ci.

— J'aime le calme que ça m'apporte, avoue-t-elle.

Comme prévu, Viv est maintenant aux études supérieures dans une grande université américaine de la côte Est. Elle vient de faire un stage en Afrique orientale et elle est de passage à

Beijing pour de brèves vacances. Après son séjour sous les tropiques, elle n'a guère envie de se démener dans la moiteur de Beijing en août et de nous suivre, Richard et moi, dans notre marathon de tournage documentaire. Tout de même, c'est moins drôle de fouiner à gauche et à droite dans son pays sans elle. Nous nous sommes donc donné rendez-vous, entre deux prises de vues, pour prendre le thé dans un petit restaurant près de la tour du Tambour de Beijing.

La jeune journaliste aux airs de fillette avec qui je voyageais il y a quelques années de cela est aujourd'hui une femme calme et plus sûre d'elle-même. Sa métamorphose m'amène à me demander si j'ai moi aussi changé à ses yeux. Je lui raconte ma nouvelle vie de père de famille : elle me demande si ça m'a transformé.

Après un moment de réflexion, je dis :

— J'ai recommencé à avoir peur. Même lorsque j'ai perdu mon frère et mon père, j'arrivais à considérer la mortalité avec un certain détachement, comme si c'était naturel, beau même. Mais depuis que j'ai moi-même des enfants, je n'entrevois plus la mort avec la même sérénité. Je panique rien que d'y penser. Et c'est probablement normal.

— Ça ne me surprend pas : le fait d'avoir des enfants nous change. À ce propos, je suis fiancée maintenant. Mon futur époux est ingénieur informaticien. On vient de lui offrir du travail en Europe. J'irai le rejoindre là-bas quand j'aurai terminé mes études.

Elle ajoute sur un ton joyeux :

— D'ailleurs, nous songeons à fonder une famille nous aussi.

— Donc, tu vas quitter la Chine pour toujours ?

— Peut-être.

— Et qu'est-ce que ça te fait ?

— L'essentiel nous accompagne peu importe où nous sommes. Tout ce que la Chine m'apporte est déjà en moi.

— Je comprends.

Elle me demande à brûle-pourpoint :

— Tu défends toujours le Parti communiste chinois ?

— Tu sais bien que, en règle générale, j'aime contredire les gens dont j'épouse les vues. Ça nous force, les uns et les autres, à raffiner nos idées, à les exprimer mieux et avec plus de clarté.

— Je sais. Tu m'as déjà expliqué que c'était la manière jésuite.

— Exactement. Mais pour répondre à ta question : oui, il m'arrive encore de défendre le Parti. Je ne crois pas que la Chine aurait fait autant de chemin aussi rapidement sans l'unité et la puissance organisationnelle qu'il lui a imposées.

Puis je lui parle de mon entretien avec Ai Weiwei.

— Fidèle à moi-même, j'ai discuté avec lui et je l'ai poussé au pied du mur. Mais, en mon for intérieur, je ne pouvais que lui donner raison : la Chine est peut-être prête à passer à quelque chose de plus avancé qu'un régime opaque et autoritaire. C'est l'heure.

— Curieux. De mon côté, je suis moins dogmatique qu'avant, peut-être parce que je ne vis plus en Chine. Vus de loin, les terribles défis qui attendent la Chine ne semblent pas se prêter à des solutions faciles. Ça donne à réfléchir. J'ai pu aussi voir de près comment les démocraties fonctionnent. Elles ne font pas toujours le bien des gens. La corruption les guette elles aussi à maints égards, à grande ou à petite échelle. Mais jamais je n'admettrai la manière dont l'État chinois fait si peu de cas du droit des gens, par exemple quand il les dépouille de leurs maisons et gâche leur vie dans une impunité totale. Démocratie ou pas, la Chine doit adhérer à l'État de droit, et même le Parti doit s'incliner devant cette règle.

— Es-tu plus optimiste qu'avant quant à la vitesse avec laquelle l'évolution politique pourrait se faire ?

— Comme je vis à l'étranger, je peux me permettre d'être plus patiente, avoue-t-elle. Mais regarde comment la Chine change maintenant. Son développement ralentit. Les gains colossaux d'hier ne peuvent plus être répétés. On a atteint un certain plafond. La nécessité d'acquérir des ressources à l'extérieur n'est plus aussi vive qu'avant étant donné que les grands chantiers de construction se font plus rares. La classe moyenne urbaine en Chine constitue maintenant la quasi-majorité de la population. Ces gens se sont vite habitués à consommer sélectivement. L'idée du choix individuel se dévoile donc à eux dans toute sa pluralité. Ils voyagent et voient à quoi le monde ressemble. Tout cela incline la Chine à plus d'introspection et la dispose à évoluer. Mais je me rends compte que ce n'est pas tout le monde ici qui se soucie de politique autant que moi. Il se peut bien que les choses n'évoluent que très lentement.

Je dis à la blague :

— Mon Dieu, les études supérieures ont fait de toi une femme pragmatique !

— C'est probablement davantage une affaire de perspective que d'études.

Elle marque une pause, sourit, puis reprend :

— Il y a autre chose qui a changé en moi. Je me rappelle comment tu me taquinais à propos de ma nippophobie quand nous causions. Je ne dirais plus de telles choses aujourd'hui. Mes sentiments étaient peut-être compréhensibles pour une jeune fille de la province du Shandong, mais je faisais quand même fausse route. Maintenant que la Chine est devenue une grande puissance, j'espère sincèrement qu'elle ne basculera pas dans le bellicisme. Je me rassurais en songeant simplement que la Chine a plutôt été la cible des agressions étrangères que l'agresseur, mais je crois aujourd'hui que cette présomption ne suffit plus. La Chine est encore trop passéiste. Le Parti instrumentalise le nationalisme. Je n'en aime pas moins la Chine, mais je ne me reconnais plus du tout aujourd'hui dans ce patriotisme manipulateur. Il faut que la Chine tourne la page et qu'elle prenne ses distances à l'égard du nationalisme.

Cela aussi doit s'inscrire dans sa maturation. Ç'a été mon cheminement à moi.

— On dirait que nous gagnons en sagesse, Viv. Quoi qu'il en soit, il ne faut pas perdre trop de temps avec la politique. Après tout, la politique n'est qu'un immense bruit qui nous éloigne des choses plus profondes de la vie, non ?

Elle me taquine à son tour :

— Voilà qui est parler en vrai taoïste.

— Oui, le Tao s'arrange toujours pour l'emporter. À ce propos, je vais visiter un temple taoïste cet après-midi.

— Je croyais que tu n'aimais pas les temples. Tu disais toujours que tu préférais les jardins.

— C'est exact, mais souviens-toi que je tourne un documentaire : il faut que j'aie des images à montrer aux gens.

— Tout un casse-tête : illustrer le Tao !

— Ouais : aussi bien vouloir filmer la main qui applaudit toute seule…

À l'été de 2008, les équipes de tournage qui veulent circuler librement à Beijing doivent absolument avoir un chauffeur assigné par le gouvernement. Le nôtre s'appelle Li Nan, une jeune femme de haute taille du nord de la Chine. Elle porte des vêtements de yoga couleur pastel, elle fume la cigarette et aime la musique pop, mais son aplomb et son physique assuré trahissent sa formation militaire ou policière. Tant mieux, car le film documentaire peut être exigeant. Les caméras, les voitures et les équipes coûtent cher. Nous allons à la pêche aussi bien qu'à la chasse. Nous étendons nos filets bien grand et remplissons les journées de contenu afin d'en avoir pour notre argent et de nous donner plus de liberté dans la salle de montage.

Nan n'est pas longue à apprécier les longues journées et est fière de faire étalage de son propre *guanxi,* son réseau de relations. Elle se met bientôt à nous suggérer des gens à filmer : des moines, des calligraphes, des artisans et des stylistes de mode.

Le moine taoïste qu'elle connaît se trouve dans un temple entouré de gratte-ciel qui borde la troisième couronne sur son flanc occidental. C'est le milieu de l'après-midi et la chaleur vient de baisser un peu, mais l'air est épais et blanchâtre, et la circulation est dense.

Dans le tout-béton de la ville, le temple a un aspect pittoresque et semble en bon état, quoique la nature en soit presque absente. Le motif yin-yang est partout. Les moines portent des robes propres noires et blanches. Ils accomplissent divers rituels tout au long de la journée. Ils méditent et jouent du gong.

Notre contact est un ancien collègue du père de Nan. Ils ont travaillé ensemble dans un ministère. L'homme en question est entré au monastère il y a quelques années. À force de questions, je comprends que pour lui, être moine, c'est comme un travail huit heures par jour ; il ne réside pas au monastère mais rentre chez sa femme le soir. Malgré la robe et le chapeau, il a beaucoup plus l'air d'un petit chef de bureau que d'un homme de foi. J'en déduis qu'il doit être quelque agent du gouvernement assigné au temple pour y assurer la liaison, quelqu'un qui porte la robe mais qui est surtout loyal au Parti et non au Tao.

On pourrait penser que cela ferait de lui un être moins sympathique et moins authentique, mais d'une certaine manière, je trouve sa situation encore plus intéressante. Le pouvoir politique en Chine puisait autrefois sa légitimité dans la religion, mais il y a longtemps que la religion est largement asservie à la politique. Au fil des siècles, les gouvernants se sont appuyés sur toute une gamme de traditions religieuses pour asseoir leur pouvoir. Les empereurs rasaient ou réaménageaient les temples en fonction de leurs visées politiques. La ferveur religieuse débridée a mis plus d'une fois la Chine à feu et à sang. La sévérité du Parti envers la religion organisée n'a donc rien d'inhabituel.

Installer un agent du gouvernement dans un monastère pour qu'il y vive en moine est probablement davantage un geste de préservation que de contrôle. Le temple semble peu fréquenté. C'est comme si le lieu et les moines qui y vivent étaient déjà une sorte de musée qu'on contemplerait brièvement de loin, un dépôt abritant quelque chose d'ancien et de prestigieux. Sans la protection de l'État, cette parcelle d'immobilier précieuse à l'usage si suranné ne résisterait sans doute pas longtemps à l'assaut brutal du capital.

L'agent du temple semble aimer son travail et croit sincèrement dans les bienfaits de la religion. « La vie moderne est pleine de bruit et de distractions, m'explique-t-il. Les gens n'en ont plus que pour leurs objectifs matériels. C'est une quête qui finit vite par lasser. On ne trouve jamais de vraie satisfaction de ce côté. Voilà pourquoi il est bon de se tourner vers le Tao. »

Je souris à entendre ce bureaucrate déguisé décrire calmement cet état de choses dans le bourdonnement constant de la circulation automobile. Je lui demande comment son entrée au monastère a changé sa vie.

— Eh bien, au début, ma femme et ma fille trouvaient étrange que je passe toutes mes journées ici. Puis elles ont vu que ma présence ici faisait de moi une meilleure personne, en meilleure santé. Elles ont donc commencé à comprendre ce que je fais ici.

Il ajoute :

— Le Tao nous dit que le monde matériel n'est qu'illusions. Les choses y changent tout le temps. Voilà pourquoi l'harmonie doit reposer sur autre chose.

Je regarde les vieux moines entrer en procession dans la salle principale pour les incantations. Après, ils se livrent à une démonstration de calligraphie pour Richard et moi-même. Un moine plutôt sérieux prend place à une grande table avec de l'encre, du papier et un pinceau, puis il y va de grands coups de pinceau audacieux et énergiques. Tout à coup, tous les autres moines prennent une mine grave ; ils se font presque pressants dans leur sollicitude. Ils se groupent autour de nous, portant toute leur attention sur l'agent comme pour s'assurer qu'il nous transmet ce message important mais difficile.

— Il faut de nombreuses années pour maîtriser le coup de pinceau, finit-il par me dire. Ce ne sont pas seulement des mots que ce moine écrit. Chaque coup de pinceau a sa propre force, son équilibre.

Je ne comprends pas la calligraphie chinoise et n'y arriverai sans doute jamais. Je veux bien lui accorder un pouvoir qu'on ne trouve pas dans notre transcription phonétique à nous. Le cloisonnement entre la parole et le symbole écrit donne à chacun son empire. La nature conceptuelle de la signification écrite est préservée tandis que la langue parlée peut se permettre toutes les errances et les imprécisions nécessaires. Au fil des ans, les dialectes se forment et deviennent toujours plus inintelligibles à l'oral, mais l'écriture reste, indifférente à une transformation aisée et toujours accessible.

La signification secrète de la calligraphie remonte à l'enfance de l'écriture chinoise, quand les incantations étaient gravées dans des os et des carapaces de tortue. L'écriture en elle-même se veut un portail par lequel les puissances supérieures entrent dans le monde pour donner un sens au chaos. Le portail est-il toujours ouvert ? Est-ce que ce moine avec son pinceau dans le temple raffermit un peu plus l'équilibre dans ce monde fou ? Est-ce que ses collègues vêtus de leurs robes et l'agent du gouvernement rendent service au peuple en étant ici ?

Le Tao a-t-il même besoin d'une maison ? Qu'en est-il du cadavre ? Du dieu unique ? Ou du seigneur de l'amour ?

Nous prenons le métro en direction nord, presque jusqu'à l'extrémité de la ville. Après avoir franchi les périphériques, le métro emprunte les voies aériennes et fraie son chemin entre une myriade de tours neuves. Nous allons à la rencontre d'un autre genre d'artiste : un concepteur de jeux vidéo. Il se trouve à quelques minutes à pied du métro mais, comme le veut la mode actuelle, la propriété est murée et il nous faut passer par un poste de garde pour avoir accès à la haute tour d'appartements où il habite.

Le jeune homme vit au vingt-troisième étage d'un immeuble qui en compte quarante. L'ascenseur et les couloirs sont déjà couverts de crasse et délabrés pour un immeuble qui n'a pas dix ans. Nous repérons son appartement et frappons avec force à la porte, mais personne ne vient répondre. Nous finissons par le joindre au téléphone et il vient nous ouvrir. Il est sûr de lui et affable, quoique négligé dans sa tenue.

Il a la mine pâle et l'allure débraillée de quelqu'un qui joue à des jeux vidéo toute la journée. Il a les cheveux longs et sales et les côtés de la tête rasés. Ses vêtements sont amples et négligés comme ceux d'un *skater* adolescent. L'appartement est spacieux mais à peine meublé et en désordre.

Dans le salon, des tasses de plastique et des assiettes contenant des mets à moitié mangés sont dispersées sur la table basse. Nous passons par la cuisine et je vois qu'elle est encombrée de déchets elle aussi. Il s'arrête pour nous offrir à boire, puis il ouvre le frigo, où il n'y a à peu près rien à part des paquets suspects et une bouteille de plastique où subsistent quelques gouttes d'un liquide orange vif. Nous éclatons tous de rire : pas la peine, nous n'avons pas soif.

Contrairement au reste de l'appartement, qui a l'air d'un terrain vague, sa chambre est encombrée de machins. Il s'assoit à sa table d'ordinateur, qui est couverte de papiers. Nous nous assoyons sur son lit. À côté de son bureau, une grande fenêtre offre une vue saisissante sur une forêt de tours de béton.

Il me dit qu'il a vingt-huit ans. Il est originaire de la jolie ville de Ya'an, entre le bassin fertile du Sichuan et l'Himalaya. Il a étudié l'art et le design à la prestigieuse université de Chengdu, qui se spécialise dans les arts informatiques. Dès l'obtention de son diplôme, il a trouvé un travail d'illustrateur pour un studio de conception de jeux qui marchait bien à Beijing. Il y a quelques années, il a été recruté par un joueur important de ce secteur d'activité et nommé directeur artistique d'un de ses grands titres.

Il commence d'habitude avec un crayon et du papier, me dit-il en me montrant certains de ses dessins. Ce sont des illustrations nettes et détaillées de personnages historiques et fantastiques de la Chine. « Puis je me mets à l'ordinateur pour dessiner les images », dit-il en faisant apparaître à l'écran une série de personnages illustrés impressionnants : des généraux semi divins avec des armes extraordinaires, des géomanciens fous avec des barbes incroyables et des demi-humains exotiques. Tous sur le point, dirait-on, de laisser éclater leur colère.

— Comme tu vois, ma spécialité, ce sont les héros, les armures et les armes, poursuit-il, mais je dessine aussi des paysages. Ou, du moins, j'en contrôle la création. J'ai mon équipe à moi maintenant. Elle prend mes dessins de base et fait toutes les diverses permutations en 3D qui sont nécessaires à l'animation.

Je lui demande qui a trouvé les idées pour le jeu auquel il travaille en ce moment.

— Mes patrons, les directeurs créatifs de l'entreprise. Mais j'ai été recruté en raison du talent que j'ai pour dessiner ce genre de chose. Mon équipe et moi donnons un contenu à l'idée originale.

Il me dit que les jeux sont immensément populaires.

— En fait, beaucoup de gens disent qu'il existe un problème de dépendance aux jeux vidéo en Chine. Qu'il y a trop de jeunes qui ne font rien d'autre que de jouer à des jeux vidéo.

— C'est vrai ?

— Oui, probablement, répond-il nonchalamment.

— Et tes parents ? Que pensent-ils des jeux vidéo ?

— Mon père ne prend pas mon travail au sérieux. Il est cadre dans une grande institution financière. Il n'arrête pas de me demander quand je vais trouver un vrai travail. Je lui réponds que j'ai trente-cinq personnes sous mes ordres.

— Et qu'est-ce qu'il répond à ça ?

— Il me dit qu'il a sous lui des centaines d'employés et qu'il gère des milliards de yuans, répond le jeune homme avec un sourire résigné.

— On dirait que tu aimes bien l'histoire chinoise ?

Il m'explique que son équipe et lui font beaucoup de recherches pour les dessins.

— Mais nous faisons de l'histoire ce que nous voulons.

— Donc, de quel genre de jeu s'agit-il ici ?

— Un hybride de jeu de rôle et de stratégie guerrière. C'est populaire ici.

— Comment ça s'appelle ?

— *Tuez les Immortels.*

Je communique de nouveau avec Gia pour voir ses peintures. Elle croit que je ne suis pas sérieux, mais j'insiste. Elle accepte de nous recevoir à son appartement, où elle peint. Elle habite dans un immeuble du nord de la ville à l'intérieur de la quatrième couronne. Son immeuble est voisin d'un canal et d'un parc. Il s'adosse à un boulevard immense mais peu achalandé, qui est donc d'une tranquillité bienfaisante. Son appartement est au troisième, et nous montons l'escalier.

Il n'y a à peu près pas de meubles dans le petit appartement, seulement quelques tapis et des coussins pour s'asseoir dans le salon. C'est propre, mais on dirait que le lieu n'est habité qu'à moitié, comme si c'était une halte sur une route vers un autre endroit.

Gia a accroché de grandes peintures et des photos sur les murs nus, des scènes osées et urbaines quoiqu'un peu efféminées. Les chambres sont peintes en rose pastel comme dans une maison de poupée.

— J'ai de la chance de vivre ici. Mes parents avaient raison. Le coût de l'immobilier a beaucoup grimpé ces dernières années, dit Gia en nous conduisant vers l'avant.

Elle peint sur son balcon-verrière qui donne sur le grand boulevard que nous pouvons entrevoir à travers les arbres.

— J'hésite à vous montrer mes tableaux parce que je ne crois pas être peintre, avoue-t-elle. Je n'ai aucune formation là-dedans. Je ne peins pas pour les autres ; je peins pour moi. Ça me détend.

Elle nous tourne le dos pour travailler sur sa toile. Je lui demande :

— Tu t'imagines mariée, achetant une maison et une voiture, ayant des enfants ?

— Je veux m'imaginer comme ça, dit-elle, mais je sens que ce n'est pas mon destin. Quand il m'arrive de bonnes choses, il m'en arrive toujours de mauvaises aussi.

Jouant du pinceau sur sa toile, elle se ferme au monde. C'est seulement après avoir pris un peu de recul pour regarder ce qu'elle a peint qu'elle se tourne vers moi et dit :

— Je ne sais pas du tout où je m'en vais. Mais je m'en fous.

La pollution est palpable cette nuit dans le nord de Beijing. Je descends à vélo une route vide où les lampadaires tracent des halos dans le smog épais. Surplombant les lumières, donc éclairés par le bas, les peupliers plantés en masse le long du chemin, qui voilent la plaine lugubre, à l'allure si ordinaire et si vulgaire le jour, sont dans l'ombre des titans dont le feuillage tacheté s'unit au-dessus de nos têtes comme un mystérieux firmament enveloppé de fumée.

Je rentre d'un banquet très arrosé. Je ne sens plus du tout mes yeux rougis et ma gorge irritée. L'effet du mauvais air est plaisant, beau même, comme une scène de Hollywood la nuit. L'obscurité épaisse ne paraît pas bien sur le grand écran et n'est pas la bienvenue. Les faisceaux de lumière et la fumée servent à définir et à illuminer la noirceur, justement comme dans cette rue ce soir. Dans ce film, les faubourgs de la capitale font penser au sommet d'une montagne baigné de nuages. L'illusion s'affaiblit quand je vois que l'air ne bouge pas, à part les mouvements que je fais, et que le brouillard apporte peu d'humidité.

Je vais passer la nuit près de l'aéroport chez mon vieil ami Deryk et sa femme. Ils enseignent dans une école anglaise huppée de la capitale. Ils ont des enfants maintenant et se sont relogés dans le nord de Beijing. Ils espèrent offrir autre chose à leurs deux fillettes : une maison unifamiliale avec une cour ornée de buissons et de fleurs, espérant ainsi fuir la pollution omniprésente au centre de Beijing. Stratégie qui ne semble pas avoir porté fruit si j'en juge d'après l'air épais et sale de ce soir.

J'ai la tête qui bourdonne encore des discussions du banquet – rencontre impromptue de compagnons enclins à la réflexion, à la méditation, gens du lieu ou venus d'ailleurs – tandis que je m'enfonce dans la pénombre, moi qui vais m'endormir de nouveau dans un lit étranger, dans un pays étranger. Alors que je m'apprête à monter à bord de l'avion géant et que je prends position devant le portail, alors que je retourne lentement dans mon foyer et dans ma famille, tous les souvenirs de banquets ne font qu'un. Comme s'il s'agissait d'une seule longue conversation, toute en sagesse et en surprises.

Nous savons qu'on ne peut pas prédire l'avenir comme dans une histoire. Mais cet avenir n'est jamais silencieux non plus. Même maintenant, ses messagers sont déjà arrivés parmi nous.

Nous demandons : qui sont-ils et que cachent-ils ? Quel message nous apportent-ils sur ce que nous allons devenir ? Nous entrevoyons tous des significations très différentes.

Les mémoires se bâtissent avec des désirs et des intentions. Ce n'est pas ce que nous pensons avoir vu et entendu qui compte vraiment. L'avenir ne se cache pas là. Il se cache dans nos souvenirs comme une toile de fond qu'on ne voit pas, un détail caché ou un visage flou dans la pénombre, qui ne se révèle qu'avec le temps, une réflexion profonde ou grâce à l'art.

Nos vies seraient peu de chose sans nos histoires, celles qui nous laissent mal à l'aise et fébriles, celles qui sont fraîches et neuves. Quand nous les racontons à nos amis, nous savons que nos paroles ne leur donnent pas vraiment vie, mais elles sont peut-être assez réelles pour nous permettre de partager l'impression de ce qu'il y a derrière, préparant le moment où ces réalités seront prêtes à montrer leur vrai visage.

Je crois bien que je serai toujours un peu désorienté en Chine. Que le banquet sans fin et le firmament enfumé sont là pour me rappeler qu'une partie de moi y sera pour toujours, constamment en quête d'un savoir que je n'acquerrai jamais.

Nous sommes encore des fantômes sur la rivière, et Viv me dit que nous nous rapprochons de notre but. Mais le voyage ne prendra jamais fin. La Chine va sûrement me hanter jusqu'à la fin de mes jours. La Chine vient tous nous chercher, où que nous soyons. Sa coupe déborde. Ses histoires et ses gens viennent se mêler à nous et partagent avec nous leurs nombreuses énigmes. Ses virevoltes nous absorbent dans son rythme.

La nécessité de se souvenir et celle d'oublier deviennent plus évidentes pour nous tous maintenant. La nécessité de préserver et celle de détruire. La nécessité du savoir et celle du secret. Notre force toute-puissante et notre grande fragilité. Plus ces nécessités s'engagent dans la danse, à la recherche de l'équilibre, plus elles brillent dans la pénombre et nous attirent.

Remerciements

Vivien, sans qui rien de tout cela n'aurait été possible. Deryk Fournier, bâtisseur de ponts. Alex et Jane Cockain, amis généreux. Jacques Hébert, compagnon de voyage. Ling Xia, qui m'a lancé sur cette route en 2005. Maurice Strong, pour ses conseils du début. Alphonso Lingis, Philippe Rheault et Ron Graham, patients lecteurs. Stephen Valentine, toujours à mes côtés. Scott McIntyre, qui y a cru le premier. Jim Gifford, fidèle éditeur. Michael Levine, navigateur et ami.

Table des matières

CRÉDITS ET REMERCIEMENTS

La traduction de cet ouvrage a été rendue possible grâce à une aide financière
du Conseil des arts du Canada.

Nous reconnaissons l'aide financière du gouvernement du Canada par l'entremise
du Programme national de traduction pour l'édition du livre, une initiative
de la *Feuille de route pour les langues officielles du Canada 2013-2018 : éducation,
immigration, communautés,* pour nos activités de traduction.

Nous remercions le Conseil des arts du Canada pour son soutien financier
et reconnaissons l'aide financière du gouvernement du Canada
par l'entremise du Fonds du livre du Canada (FLC) pour nos activités d'édition.
Canadä

Les Éditions du Boréal sont inscrites au Programme d'aide aux entreprises
du livre et de l'édition spécialisée de la SODEC et bénéficient du Programme
de crédit d'impôt pour l'édition de livres du gouvernement du Québec.
Québec

Photographie de la couverture : Tous droits réservés

Gilles Bourque et Gilles Dostaler
Socialisme et Indépendance

Gilles Bourque et Jules Duchastel
Restons traditionnels
et progressifs

Joseph Boyden
Louis Riel et Gabriel Dumont

Dorval Brunelle
Dérive globale

Luc Bureau
La Terre et Moi

Georges Campeau
De l'assurance-chômage
à l'assurance-emploi

Jean Carette
L'Âge citoyen
L'âge dort ?
Droit d'aînesse

Claude Castonguay
Mémoires d'un révolutionnaire
tranquille
Santé : l'heure des choix

Bernard Chapais
Liens de sang

Luc Chartrand, Raymond Duchesne
et Yves Gingras
Histoire des sciences au Québec

Jean-François Chassay
La Littérature à l'éprouvette

Julie Châteauvert et Francis Dupuis-Déri
Identités mosaïques

Ying Chen
La Lenteur des montagnes

Marc Chevrier
La République québécoise

Tony Clarke
Main basse sur le Canada

Adrienne Clarkson
Norman Bethune

Marie-Aimée Cliche
Fous, ivres ou méchants ?
Maltraiter ou Punir ?

Nathalie Collard et Pascale Navarro
Interdit aux femmes

Collectif
La Révolution tranquille en héritage

Sheila Copps
La Batailleuse

Douglas Coupland
Marshall McLuhan

Gil Courtemanche
Le Camp des justes
Chroniques internationales
La Seconde Révolution tranquille
Nouvelles Douces Colères

Tara Cullis et David Suzuki
La Déclaration
d'interdépendance

Michèle Dagenais
Montréal et l'Eau

Isabelle Daunais
Le Roman sans aventure

Isabelle Daunais et François Ricard
La Pratique du roman

Louise Dechêne
Habitants et marchands de Montréal
au XVIIe siècle
Le Partage des subsistances au Canada
sous le régime français
Le Peuple, l'État et la guerre
au Canada sous le régime français

Serge Denis
Social-démocratie
et mouvements ouvriers
Un syndicalisme pur et simple

Jean-Paul Desbiens
Journal d'un homme farouche,
1983-1992

François Dompierre
Les Plaisirs d'un compositeur
gourmand

Benoît Dubreuil et Guillaume Marois
Le Remède imaginaire

Carl Dubuc
Lettre à un Français qui veut émigrer
au Québec

André Duchesne
Le 11 septembre et nous

Yanick Villedieu
La Médecine en observation
Un jour la santé
Jean-Philippe Warren
L'Art vivant
Edmond de Nevers
Honoré Beaugrand
L'Engagement sociologique

Hourra pour Santa Claus !
Une douce anarchie
Martin Winckler
Dr House, l'esprit du shaman
Andrée Yanacopoulo
Prendre acte

Ce livre a été imprimé sur du papier 100 % postconsommation,
certifié ÉcoLogo et procédé sans chlore
et fabriqué à partir d'énergie biogaz.

MISE EN PAGES ET TYPOGRAPHIE :
LES ÉDITIONS DU BORÉAL

CE DEUXIÈME TIRAGE A ÉTÉ ACHEVÉ D'IMPRIMER EN OCTOBRE 2016
SUR LES PRESSES DE MARQUIS IMPRIMEUR (QUÉBEC).